CARL SCHURZ

Revolutionär und Staatsmann	Revolutionary and Statesman
Sein Leben in Selbstzeugnissen	His Life in Personal and Official
Bildern und Dokumenten	Documents with Illustrations

Herausgegeben von / Edited by

Rüdiger Wersich

Heinz Moos Verlag München

Der deutsche Text des vorliegenden Bandes wurde der dreibändigen Ausgabe der *Lebenserinnerungen* von Carl Schurz entnommen, die erstmals 1906 - 1912 in Berlin erschien. Der Abschnitt »Carl Schurz' politische Laufbahn 1869 -1906« von Frederic Bancroft und Professor William A. Dunning, für deutsche Leser bearbeitet von Max Blau, stammt aus dem dritten Band dieser Ausgabe, den Schurz nicht mehr selbst vollenden konnte.

Der englische Text von Seite 10 bis Seite 136 wurde von Louis Bloom aus den beiden ersten Bänden der *Lebenserinnerungen* neu übersetzt. Der Abschnitt »Sketch of Carl Schurz's Political Career, 1869 - 1906« von Bancroft und Dunning wurde der Erstveröffentlichung im dritten Band der amerikanischen Ausgabe, *The Reminiscences of Carl Schurz*, New York, 1909 entnommen.

Auswahl und Kürzung der Texte besorgte Rüdiger Wersich.

Redaktionelle Mitarbeit:
Donald Arthur, Louis Bloom, Rainer Dehm, Wolfgang J. Fuchs, Uschi Gnade, Heinz Moos, Thomas Piltz, Petra Will.

The German text of the present volume is taken from the original three-volume edition of Carl Schurz' *Lebenserinnerungen* (Berlin, 1906 - 1912). The section on Schurz' life and public services from 1869 to 1906, written after his death by Frederic Bancroft and Professor William A. Dunning, is taken from the same edition, in the translation by Max Blau.

The English text (pages 10 to 136) was newly translated by Louis Bloom from the first two volumes of Schurz' *Lebenserinnerungen*. The "Sketch of Carl Schurz's Political Career, 1869 - 1906" by Bancroft and Dunning, was taken from the third volume of the original American edition of *The Reminiscences of Carl Schurz* (New York, 1909).

Selection and abridgment by Rüdiger Wersich.

Editorial Staff:
Donald Arthur, Louis Bloom, Rainer Dehm, Wolfgang J. Fuchs, Uschi Gnade, Heinz Moos, Thomas Piltz, Petra Will.

Abbildung auf Seite 2: Bronzerelief im Innenministerium in Washington, D. C. Winifred Holt schuf dieses Portrait von Carl Schurz im Mai 1905, ein Jahr vor Schurz' Tod.

Illustration on page 2: Bronze plaque of Carl Schurz in the outer office of the Secretary of the Interior in Washington, D. C. It was made by Winifred Holt in May, 1905, one year before Schurz' death.

Printed in the Federal Republic of Germany.
© 1979 by Heinz Moos Verlag München, 8032 Gräfelfing vor München.
Alle Rechte vorbehalten. All rights reserved.
ISBN 3-7879-0139-6

CIP-Kurztitelaufnahme der Deutschen Bibliothek

Carl Schurz: Revolutionär u. Staatsmann; sein Leben in Selbstzeugnissen, Bildern u. Dokumenten/ hrsg. von Rüdiger Wersich. (Ausw. u. Kürzung d. Texte besorgte Rüdiger Wersich). – München: Moos, 1979.
ISBN 3-7879-0139-6

NE: Wersich, Rüdiger (Hrsg.)

Einführung   Introduction

»Carl Schurz hat die Liebe zu Deutschland und die Treue zu seinem amerikanischen Vaterland zur wundervollen Geschlossenheit einer großen Persönlichkeit verschmolzen, weil sein Streben hier wie dort im tiefsten Sinne auf das Ethische gerichtet war, das nicht ein Vorrecht einer Nation, sondern Gemeingut der Menschheit ist.«

Außenminister Stresemann charakterisierte 1929 mit diesen Worten den Deutschen und Amerikaner Carl Schurz aus Anlaß von dessen 100. Geburtstag. Eine verschlungene Linie verläuft zwischen zwei Tafeln, die auf Anfang und Ende eines abenteuerlichen und ausgefüllten Lebens hinweisen. Eine Tafel befindet sich an einem Seitenflügel des Schlosses Gracht bei Liblar im Rheinland und trägt folgende Inschrift: »Carl Schurz wurde am 2. März 1829 hier geboren. Er war ein Kämpfer für Einheit und Freiheit in Deutschland und in den Vereinigten Staaten.« Und im New Yorker Morningside-Park steht ein Denkmal mit dem Namen Schurz und den Worten: »Dem Verteidiger der Freiheit und dem Freunde menschlicher Würde.«

Carl Schurz, dem Revolutionär der demokratischen Bewegung von 1848 in Deutschland, dem Journalisten, dem General, dem Diplomaten, dem Senator und Innenminister in den Vereinigten Staaten ist dieses Buch aus Anlaß der 150. Wiederkehr seines Geburtstages gewidmet. Mit einer Kombination aus Illustrationen zur Person und zu kulturgeschichtlich interessanten Ereignissen und Auszügen aus seinen »Lebenserinnerungen« wird hiermit der Versuch gemacht, eine in Deutschland wie in den Vereinigten Staaten nicht mehr im Tagesgespräch befindliche Persönlichkeit in lebendiger Form vorzustellen.

Carl Schurz war vor Henry Kissinger der erste und einzige in Deutschland geborene Amerikaner, dem es gelang, einflußreicher Bundespolitiker und Minister einer amerikanischen Regierung zu werden.

Bis dahin war es ein weiter Weg. Nach einer Kindheit und Jugend in einfachen ländlichen Verhältnissen mußte sich Carl Schurz bereits als Siebzehnjähriger um wirtschaftliche Probleme seiner Familie kümmern, bevor er in Köln als »Auswärtiger« das Abitur nachholen und in Bonn sein Studium der Geschichte und Philologie aufnehmen konnte. Sein Plan, einmal als Professor der Geschichte zu forschen und zu lehren, zerschlug sich jedoch sehr bald an den Ereignissen des Jahres 1848. Er wurde zum Sprecher der fortschrittlichen studentischen Jugend in Bonn, engagierte sich für eine durchgreifende Reform der deutschen Universitäten, für eine Vereinigung der deutschen Studentenschaft als Vorbild für ein geeintes deutsches Vaterland in Form einer Republik mit demokratischer Verfassung. In seiner Funktion als Delegierter zum Studentenkongreß in Eisenach hatte er auf seiner Reise in Frankfurt am Main die Krise des Paulskirchenparlaments und die sich in den folgenden Wochen

"Carl Schurz managed to combine his love for Germany with a loyalty to his American homeland in a marvelous unity reflecting the striving of his great personality, which, here as well as there, was concerned with profound moral goals that are not restricted to a single nation, but apply to all mankind."

With these words, Germany's Foreign Minister Stresemann characterized the German and the American Carl Schurz in 1929, on the 100th anniversary of his birth. Two plaques commemorate the beginning and end of his long and adventuresome life. One of them, on a side-wing of the Gracht Castle near Liblar in the Rhineland, bears the inscription: "Carl Schurz was born here on March 2, 1829. He was a fighter for freedom and unity in Germany and in the United States." And there is a monument in Morningside Park in New York, memorializing him as the champion of freedom and human dignity.

This book is dedicated to Carl Schurz, revolutionary in the democratic movement in Germany in 1848; jounalist, general, diplomat, senator and Secretary of the Interior in the United States, on the occasion of the 150th anniversary of his birth. Illustrations depicting his life and interesting contemporary historical and cultural events are combined with excerpts from his "Reminiscences" in an effort to reintroduce a personality whose name is no longer the household word it once was both in Germany and America.

Carl Schurz was the first – and only German-born American before Henry Kissinger – to become a nationally influential political figure and cabinet member in America.

But his way there had been a long and winding road. After having spent his childhood and early adolescence in modest circumstances in a country village, when he was seventeen, Carl Schurz already had to pitch in to help his family out of financial straits before he could get his secondary school diploma by taking his exams in Cologne as a "non-resident student", while already pursuing university studies in history and philology at Bonn. His intentions of becoming a professor of history, devoting himself to teaching and research, were however soon dashed by the events of the year 1848. He became spokesman for the progressive student organization at Bonn, advocating sweeping reforms in the German universities and a union of German student organizations to serve as model for a unified German nation in the form of a republic with a democratic constitution. On his way to Eisenach as a delegate to the student convention there, he witnessed the crisis of the German Constituent National Assembly in the Paulskirche in Frankfurt-on-the-Main, and in the following weeks and months he saw the opposition to the democratic movement increasing until the old powers, the forces of reaction, again held the upper hand.

und Monaten mehrenden Rückschläge der demokratischen Bewegung miterlebt: Die alten Gewalten, die Reaktion, gewann die Oberhand.

Im »Demokratischen Verein«, bei der »Bonner Zeitung« und als Volksredner in Bonn und Umgebung arbeitete Schurz eng mit seinem akademischen Lehrer und Freund, dem politisch engagierten Kunst- und Kulturhistoriker Prof. Gottfried Kinkel, zusammen. Beide nahmen an einem kühnen Versuch teil, im nahen Siegburg das Zeughaus zu stürmen und den Aufständischen in Elberfeld zu Hilfe zu kommen. Der Versuch mißglückte, das Militär bestimmte die Stunde, in Preußen und am Rhein war die demokratische Bewegung erstickt.

Schurz ging in die Pfalz, wo die Revolutionäre die Regierung übernommen hatten, wurde aber nach einigen verlorenen Gefechten in der Festung Rastatt mit dem Rest der revolutionären Truppen von preußischem Militär eingeschlossen und erwartete als preußischer Untertan die Todesstrafe. Als die Festung übergeben wurde, versuchte er mit zwei Gefährten durch einen unterirdischen Abwasserkanal zu entkommen, doch am Ende der Kanalröhre standen preußische Posten. Nach Rückkehr in die Stadt und Aufenthalt in abenteuerlichen Verstecken gelang drei Tage später die Flucht auf dem gleichen Wege doch noch. Ein Fährmann setzte sie auf einer Insel im Rhein ab, französische Zöllner holten sie schließlich ans elsässische Ufer. Über Straßburg gingen die politischen Flüchtlinge in die Schweiz, um ehemalige Kampfgefährten zu suchen.

Aus dem harten Schweizer Exil trieb es Schurz jedoch bald nach Deutschland zurück, da sein Freund Kinkel als gefangener Rebell zu lebenslänglichem Zuchthaus verurteilt worden war und Frau Kinkel ihn in einem Brief gebeten hatte, dessen Befreiung zu versuchen. Mit falschem Paß reiste er über Bonn und Köln nach Berlin, um den im Spandauer Gefängnis leidenden Professor Kinkel zu retten. Nach mutigem Einsatz und mehreren schwierigen Anläufen gelang es Schurz, einen zuverlässigen Gefängniswärter zu finden. Der erste Versuch scheiterte an einem zufällig in jener Nacht fehlenden Schlüssel, aber schon in der nächsten Nacht wurde das Unternehmen wiederholt und Kinkel an einem Seil aus einer Dachluke des Zuchthauses heruntergelassen. Der nächtliche Fluchtweg führte durch Mecklenburg nach Rostock und von dort mit einem Segelschiff bei stürmischem Wetter nach Schottland in die Freiheit.

Die folgenden Monate verbrachte Schurz in Paris, wo er seinen Lebensunterhalt durch gelegentliche Mitarbeit an Zeitungen verdiente, bis ihn die französische Regierung als »lästigen Ausländer« auswies und er im Juni 1851 wieder nach London ging. Dort lernte er im Haus einer Hamburger Familie seine spätere Ehefrau, die achtzehnjährige Margarethe Meyer, kennen.

Deutschland war ihm verschlossen, und nach Lage der Dinge bestand auf dem Kontinent keine Aussicht auf baldige Veränderung. Als neue Heimat kamen nur die Vereinigten Staaten von Amerika in Frage und so schiffte er sich im Herbst 1852 mit seiner Frau nach New York ein.

Wie den meisten seiner politischen Freunde hatte Schurz die amerikanische Demokratie stets als Wunschbild vorgeschwebt. Obwohl ihm Erfahrungen von Einsamkeit und Enttäuschung während der ersten Monate in der Neuen Welt nicht erspart blieben, hielt er an dieser Überzeugung fest und zog sich nicht als politisierender Philosoph zurück. Carl Schurz studierte in den ersten Jahren so intensiv wie möglich Land und Leute sowie die englische Sprache bis zu einer Perfektion in Wort

Schurz worked in close cooperation with his teacher and friend, the politically active art and culture historian, Professor Gottfried Kinkel, in the "Democratic Club", on the editorial staff of the *Bonner Zeitung*, and as a public speaker in and around Bonn. They both took part in a bold attempt to storm the armory at nearby Siegburg and come to the aid of the insurgents in Elberfeld. The attempt was foiled by the arrival of the army, and the democratic movement in Prussia and on the Rhine was quelled.

Schurz then went to the Palatinate, where the revolutionaries had taken over the government, but after several unsuccessful skirmishes, he ended up with the remains of the revolutionary troops in the Rastatt Fortress, which was besieged by the Prussian army and had to capitulate. As a Prussian subject, Schurz could expect to receive the death sentence, so he tried to escape with two comrades through an underground sewer. But since Prussian guards were standing near the outer end of the drainage sewer, they made their way back into the fortress-town, and only after spending three days and nights in risky hiding-places, were able to make their way to freedom through the same sewer after all. After reaching the Rhine, a boatman set them ashore on an island, and finally French customs officials brought them over onto French soil. By way of Strassburg they made their way to Switzerland as political fugitives to join friends who were now also refugees.

However Schurz soon left the hard life of an exile in Switzerland and returned to Germany to engage in something even more difficult. His friend Kinkel had been captured, tried, and sentenced to life imprisonment by the Prussians. A letter from Mrs. Kinkel persuaded Schurz to attempt to rescue the Professor from the Spandau penitentiary, where he was suffering both physically and mentally. Armed with a forged passport, Schurz proceeded to Berlin by way of Bonn and Cologne. The daringly conceived plan suffered a number of setbacks before a cooperative prison guard could be found; even then, the first rescue attempt failed because a certain key – by accident – just did not happen to be in its regular place that night. But another attempt was made the very next night, and Kinkel was let down on a rope from one of the prison's dormer windows. They fled by night through Mecklenburg to Rostock, and from there, sailing over stormy seas, to Scotland and freedom.

Schurz spent the following months in Paris, writing occasional newspaper articles to earn his living, until the French government expelled him as an "undesirable alien" and he returned to London in June, 1851. There, at the home of a family from Hamburg, he met his future wife, the eighteen-year old Margaretha Meyer.

His German fatherland was closed to him, and the situation on the Continent showed no signs of improving soon. Only the United States came into question as a new homeland, so he embarked for New York with his new wife in the Autumn of 1852.

Schurz had always cherished an ideal concept of American democracy; although his first experiences in the New World included moments of loneliness and disappointment, he did not give up or retreat into the life of a political philosopher. Instead, he spent his first years traveling extensively, to acquaint himself with the country, the people and their way of life; and learning the English language, which he accomplished to a degree of perfection which few Germans achieve who learn the language as adults.

und Schrift, wie sie nur wenig Deutsche erlangten, die diese Sprache erst als Erwachsene erlernten.

1855 siedelte er sich mit seiner Familie in der Nähe der nachgekommenen Eltern als Farmer in Watertown im Staat Wisconsin an und erhielt seine Zulassung als Rechtsanwalt. Seine Praxis wurde jedoch sehr häufig durch Vortrags- und Wahlkampfreisen unterbrochen, da er sich ab 1854 in der jungen Republikanischen Partei für die Abschaffung der Sklaverei und die Einheit der Union engagierte. Im Präsidentschaftswahlkampf von 1860 führte er breite Wählerschichten, vorwiegend »deutsche Stimmen« in Illinois, Indiana, Missouri, Ohio, Pennsylvania, New York und Wisconsin dem Republikanisc] Kandidaten Abraham Lincoln zu.

Der Wahlkampf war bereits geprägt von den Auseinandersetzungen um die Sklaverei und dem Gegensatz zwischen dem von Industrie und Handel bestimmten Norden und den von aristokratischen Plantagenbesitzern beherrschten südlichen Regionen. Der Ausbruch des Südens aus der Union war bereits abzusehen und so ließ sich Schurz nur zögernd von Präsident Lincoln als Gesandter der Vereinigten Staaten nach Spanien schicken, wenn es ihn auch mit Stolz erfüllte, als Diplomat der USA nach Europa zurückzukehren, das er erst wenige Jahre zuvor als politischer Flüchtling verlassen hatte.

Der Gesandte Schurz war sehr beunruhigt über die sich abzeichnenden Tendenzen in England, Frankreich und auch Spanien, zugunsten der Südstaaten im amerikanischen Bürgerkrieg zu intervenieren, und darum drängte er Lincoln in einer Depesche, den Kampf gegen die Sklaverei als Kriegsziel zu proklamieren und damit die Strömung der öffentlichen Meinung in Europa für die Sache des Nordens zu mobilisieren. Nach einigen militärischen Niederlagen der Union hielt es ihn nicht länger in Madrid: Er kehrte in die USA zurück, um als General am Krieg gegen die südstaatliche Föderation und dem Kampf für die Emanzipation der Schwarzen teilzunehmen. 1864 setzte er sich als Wahlredner für Lincolns Wiederwahl ein, um am Ende des verheerenden Krieges, der 600 000 Opfer forderte und den Süden verbrannte und zerstörte, sofort ins Zivilleben zurückzukehren und sich als Journalist und Redakteur zu betätigen.

Er arbeitete als Washingtoner Korrespondent für die *New York Tribune,* danach als Chefredakteur der *Detroit Post* und ab 1867 als Mitredakteur und Mitinhaber der deutschsprachigen *Westlichen Post* in St. Louis, Missouri. Sein neuer Heimatstaat schickte ihn 1869 als Bundessenator nach Washington. Als Vierzigjähriger, nur 16 Jahre nach seiner Ankunft in Amerika als Heimatloser, wurde Carl Schurz Mitglied des höchsten gesetzgebenden Organs der amerikanischen Republik, einer Institution, die in jenen Jahren zeitweise mächtiger war als der Präsident.

Senator Schurz wurde berühmt und war vor allem als geistvoller und gebildeter Debattenredner geachtet, der aufgrund seines historischen und wirtschaftspolitischen Wissens gegen inflationsfördernde Maßnahmen und für »ehrenhaftes Geld« kämpfte. Schon als Senator, wie auch später als Innenminister der Vereinigten Staaten, attackierte er die Mißwirtschaft der Parteien, den Protektionismus, das »Beutesystem«, das dem jeweiligen Gewinner einer Wahl Ämter und Pfründen überließ.

Schurz nahm eine führende Stellung unter jenen liberalen und unabhängigen Reformern ein, die durch Gesetzgebung eine Stellenpolitik nach Leistung und Befähigung statt nach Parteizugehörigkeit verwirklichen wollten und für eine gesunde Währung, Senkung der Schutzzölle

In 1855 he settled down with his family on a farm in Watertown, Wisconsin, near his parents, whom he had brought over, and was soon admitted to the Wisconsin bar. However, his practive of law was often interrupted by speaking tours, compaigning for the young Republican party, which he had joined in 1854 to further the cause of anti-slavery and the preservation of the Union. In the presidential campaign of 1860, his "stumping" for the Republican candidate, Abraham Lincoln, was an effective force, particularly among the "German vote" in Illinois, Indiana, Missouri, Ohio, Pennsylvania, New York and Wisconsin.

The election campaign was already stamped by the slavery issue and the contrast between the North, where industry and trade prevailed, and the South, dominated by aristocratic plantation owners. The secession of the Southern Confederacy was anticipated; therefore it was with reluctance that Schurz accepted appointment by President Lincoln as United States Envoy to Spain, even though it filled him with pride to return to Europe "clothed in all the dignity of a Minister Plenipotentiary and Envoy Extraordinary of the United States only a few years after having left my native land as a political refugee."

Schurz the diplomat was extremely disquieted by increasingly evident tendencies in England, France and Spain toward intervention in the American Civil War on the side of the Confederacy, and therefore he sent a dispatch to Lincoln, urging him to proclaim the abolition of slavery as the goal of the war, and thus mobilize public opinion in Europe for the Northern cause. After hearing that Union forces had suffered several defeats, Schurz could no longer be kept in Madrid; he returned to the United States to play an active part in the war against the Confederacy and the struggle for the emancipation of the slaves. As a Union General he received his share of praise and criticism; in 1864 he served again as campaign speaker for Lincoln's re-election; at the end of the devastating war, which took 600,000 lives and left the South burnt and ravaged, he immediately returned to civilian life and work as a journalist and editor. He held positions as Washington correspondent for the New York *Tribune,* as editor-in-chief of the *Detroit Post,* and in 1867 as co-editor and part owner of the German-language *"Westliche Post"* in St. Louis, Missouri. In 1869, that State's legislature elected him to the Senate in Washington. At the age of forty, only sixteen years after his arrival in America as a homeless fugitive, Carl Schurz became a member of the highest legislative body of the Republic of the United States, an institution which in those years was often more powerful than the President.

Senator Schurz became particulary famous and respected as a clever and cultivated debater whose position against inflationary measures and for "sound money" was based on a profound knowledge of history, economics, and politics. As a Senator, and later, as Secretary of the Interior, he umcompromisingly attacked party mismanagement, protectionism, and the "spoils system", which permits a new party taking office to replace every federal civil servant with its own appointees.

Schurz played a leading role among those liberal and independent reformers who ardently advocated legislation for filling positions according to ability and achievement instead of party membership, for a sound currency, for lowering tariffs, and especially for reconciliation with the South. Schurz felt that the rights of the freed slaves were jeopardized by the reconstruction policies of Presidents Andrew Johnson and Grant, and he worked till the end of his life for the cause of equal rights for black Americans.

und vor allem eine Aussöhnung mit dem Süden eintraten. Die Rechte der freigelassenen Negersklaven waren durch die »Rekonstruktions-politik« der Präsidenten Andrew Johnson und Grant gefährdet. Die staatsbürgerliche Gleichberechtigung der Schwarzen, für die Schurz bis zu seinem Ende wirkte, mußte Schritt für Schritt mühsam erkämpft werden.

Ein Jahr nach dem Tode seiner Frau Margarethe hatte Carl Schurz dann von 1877–1881 als Innenminister im Kabinett des Präsidenten Hayes die Möglichkeit, die von ihm schon lange geforderte Reform des öffentlichen Dienstes (»Zivildienstreform«) wenigstens in Ansätzen gegen heftigen Widerstand der Parteiapparate und »Bosse« durchzuführen. Erst nach seiner Amtszeit verbesserte sich aufgrund zahlreicher Skandale die Stimmung der öffentlichen Meinung zugunsten der Reform, so daß sich in der Folgezeit die sachlichen und fachlichen Qualitäten der Amtsin-haber besserten. Als Journalist, Redner und Vorsitzender des Verbandes für Zivildienstreform (»National Civil Service Reform League«) kämpfte Schurz auch nach seiner Ministerzeit weiter mit Idealismus für diese Sache.

Als Innenminister fiel ihm mit dem Büro für Indianerfragen eine trau-rige Erbschaft zu. Die rücksichtslose weiße Expansion, der Bau von Eisenbahnen und die Eröffnung von Bergwerken hatten zu grausamen Auseinandersetzungen zwischen Indianern und weißen Siedlern geführt. Schurz gelang es, die Unterstellung des indianischen Ressorts unter das Kriegsministerium zu verhindern, was ihm die Dankbarkeit der Indianer-führer eintrug. Seine Pläne, die Indianer auf individuellem Landbesitz zu Ackerbau und Viehzucht anzuleiten, scheiterten jedoch.

Auf einem weiteren Gebiet kann Schurz als Pionier gelten: Er ergriff energische Maßnahmen gegen die ausgedehnte Plünderung der dem Bunde gehörenden Forsten durch Holzfäller und sorgte für intensivere Hege. Dafür wurde er vom Republikanischen Senator Blaine heftig ange-griffen, der Schurz' Anordnungen als den Versuch eines Beamten preu-ßischer Geburt darstellte, europäische Methoden in harter und tyranni-scher Weise gegen die stolzen und freiheitsliebenden Bürger Amerikas durchzusetzen. Schurz wußte jedoch, daß Anspielungen solcher Art, die ihm un-amerikanische Anwandlungen zur Last legten, schnell vergessen sein würden, wenn man ihn wieder brauchte, um die deutschen Stimmen für die Republikaner zu gewinnen.

Ausgedehnte Vortragsreisen und journalistische Tätigkeit folgten seiner Dienstzeit als Innenminister, immer wieder unterbrochen durch Wahl-feldzüge und die Organisation parteiunabhängiger Bewegungen gegen sich abzeichnende imperialistische Tendenzen der Vereinigten Staaten. Bittere Erfahrungen ließen ihn zeitweilig resignieren, als die allgemeine Stimmung 1898 stürmisch nach Krieg und Gebietserweiterung verlangte und jeden mit Spott und Hohn überschüttete, der nicht an Amerikas Weltmission glauben wollte. Nach Beginn des Krieges mit Spanien richtete Schurz sein Bestreben darauf, die anwachsende Eroberungslust (Kuba, Puerto Rico, Philippinen, Hawaii) zu bremsen.

In seinen letzten Lebensjahren traten öffentliche Reden und Vorträge mehr in den Hintergrund, er widmete sich verstärkt schriftstellerischer Tätigkeit. Neben zahlreichen politischen Essays veröffentlichte Schurz eine Schrift über den »Neuen Süden«, eine zweibändige Biographie des Staatsmanns Henry Clay, biographische Skizzen über Präsident Lincoln

In 1877, a year after the death of his wife, Margaretha, Carl Schurz became Secretary of the Interior in President Hayes' cabinet. In the four years he held that position, he was able to bring about – at least in partial form – the civil service reform he had long been fighting for, against the violent oppositon of the party machine and party bosses. Yet it was only after his time in office that public opinion grew strong in favor of the reform, as a consequence of numerous corruption scandals, finally leading to an improvement in the professional qualities of those holding official positions. So even after serving in the cabinet, Schurz maintained his idealism and continued supporting his cause as a journalist, speaker, and chairman of the National Civil Service Reform League.

The Bureau of Indian Affairs was in a sad state when Schurz took charge of it as Secretary of the Interior. The white man's ruthless expansion, the building of railroads and the opening of mines had led to atrocious conflicts between Indians and white settlers. Schurz managed to prevent Indian affairs from being put under the authority of the Department of War, which earned him the gratitude of the Indian leaders. However, he was not able to realize his hopes of turning the Indians into farmers and herdsmen on individual landholdings.

Carl Schurz can truly be called a pioneer in another field: he was one of America's very first conservationists. He took stern measures against the large-scale plundering of federally-owned mineral and timber lands, and instituted forestry programs. For this, he was severely attacked by the Republican Senator Blaine, who depicted his measures as the attempt of a Prussian-born official to force brutal and tyrannical European methods in the proudly freedom-loving citizens of America. But Schurz was always able to counter such charges with an ironically biting answer; and furthermore, he knew that any such accusations of un-American inclinations on his part would quickly be forgotten as soon as he was needed again to get the "German vote" out for the Republicans.

Extended lecture tours and journalistic activities followed his service as Secretary of the Interior, but this work was time and time again interrupted by election campaigning and the organization of an independent movement against emerging imperialist tendencies in the United States. Bitter experiences led to a brief period of resignation in 1898 when the public rambunctiously clamored for war and territorial expansion, and heaped scorn and disdain on anyone not believing in America's "manifest destiny". After the beginning of the Spanish-American War in 1898, Schurz turned his efforts toward dampening the growing American appetite for annexation (Puerto Rico, Hawaii, the Philippines, Cuba), supporting the proponents of anti-imperialism.

In the last years of his life, Schurz' public speaking had to take a back seat to his increasing literary activities. Besides numerous political essays and a pamphlet on the "New South", Schurz published a two-volume biography of the statesman Henry Clay, biographical sketches of President Lincoln and Charles Sumner, and two volumes of his *Reminiscences* (the first, originally in German; the second, in English), which unfortunately only recount his life until 1869, his first year in the Senate; the third and final volume had to be written by friends after his death. His great plan of writing a history of the United States with special emphasis on Civil War times was also thwarted by his death in 1906 at the age of 77.

und Charles Sumner sowie zwei Bände seiner *Lebenserinnerungen* (den ersten Teil in Deutsch, den zweiten in Englisch), die leider nur bis 1869, dem Beginn seiner Senatszeit, reichen. Der abschließende dritte Band wurde nach seinem Tod von Freunden ergänzt. Sein großer Plan, eine Geschichte der Vereinigten Staaten unter besonderer Berücksichtigung des Bürgerkrieges zu schreiben, wurde durch seinen Tod im Jahre 1906 im Alter von 77 Jahren vereitelt.

Carl Schurz war immer ein gesuchter Redner bei Veranstaltungen deutscher Vereinigungen in Amerika. Als Anwalt und Freund der Deutschamerikaner galt er als Vertreter eines selbstbewußten Deutschamerikanertums. Bei der Eröffnung der Chicagoer Weltausstellung 1893 sagte er: »Ich bin immer für eine vernünftige Amerikanisierung gewesen, aber das bedeutet nicht völlige Aufgabe alles dessen, was deutsch ist. Es bedeutet, daß wir die besten Züge des amerikanischen Charakters annehmen und mit den besten Zügen des deutschen Charakters verbinden sollten. Tun wir das, so dienen wir dem amerikanischen Volk und seiner Zivilisation am besten.«

Die Pflege freundschaftlicher Beziehungen zwischen seinem alten Vaterland und der neuen Heimat war eines der Leitmotive von Carl Schurz. Gerade weil er davon überzeugt war, daß die amerikanische Republik im Fortschritt der Menschheit zu demokratischen Regierungsformen eine solch wichtige Stellung einnimmt, bekämpfte er die Sklaverei, den Parteidespotismus und das Beutesystem und setzte sich für die Reform der öffentlichen Verwaltung, für Erziehung und Bildung der Farbigen und für die anti-imperialistische Idee ein.

Seine persönliche Integrität, sein standhafter Einsatz für Ehrlichkeit und Sauberkeit im politischen Leben und die Hingabe an seine neue Heimat brachten ihm trotz gelegentlicher Taktlosigkeiten die Hochachtung auch seiner amerikanischen Mitbürger ein. Carl Schurz, der im alten und neuen Vaterland für die gleichen Ideale gekämpft hatte, wurde zum Symbol der engen Verbindungen zwischen Deutschland und den Vereinigten Staaten. 1926 wurde in Deutschland die »Vereinigung Carl Schurz« gegründet zur Pflege der geistigen und wirtschaftlichen Beziehungen zwischen den beiden Republiken diesseits und jenseits des Atlantiks; in Amerika folgte 1930 die »Carl Schurz Memorial Foundation« mit Sitz in Chicago.

In den Jahren des Nationalsozialismus erfuhr Schurz eine zwiespältige Wertung: Einerseits wurde er als großer deutscher Kämpfer gefeiert, der im deutschen Volkstum wurzelte und sich 1848 für ein einiges großdeutsches Vaterland eingesetzt hatte, andererseits wurde er als »Weltbürger« beschimpft, der wenig für das »Deutschtum« in der Neuen Welt getan und sich bedauerlicherweise nicht für die »konsequente Scheidung entfernt stehender Rassen« engagiert habe.

Die Jahre nach dem Zweiten Weltkrieg brachten zunächst eine gewisse Renaissance von Büchern und Schriften von und über Carl Schurz (er wurde sogar zum abenteuerlichen Helden einer Reihe von Jugendbüchern), während es in den letzten Jahren wieder relativ still um ihn wurde. Der vorliegende Band will nun versuchen, Leben und Leistung des Kämpfers und Staatsmannes Carl Schurz in weitgehend eigenen Worten in Verbindung mit teilweise bisher unveröffentlichten Illustrationen dem heutigen deutschen und amerikanischen Leser nahezubringen.

München, im Februar 1979   Rüdiger B. Wersich

Carl Schurz was always in demand as a speaker with German-American organizations. As their friend and spokesman, he consistently advocated pride in German-American origins. At the opening of the Chicago World's Fair in 1893, he said: "I have always been in favor of a healthy Americanization, but that does not mean a complete disavowal of our German heritage. It means that our character should take on the best of that which is American, and combine it with the best of that which is German. By doing this, we can best serve the American people and their civilization."

Friendly relations between his old fatherland and his new homeland was one of Carl Schurz' main concerns. Because he was so convinced that the American Republic played such an important part in the progress of humanity toward democratic forms of government, he took part in the struggle against slavery, party despotism and the spoils system, and spoke up for civil service reform, education for blacks, and anti-imperialism.

His personal and political integrity, his courageous insistence upon honesty (though it brought with it an occasional touch of tactlessness), and his devotion to his new homeland earned him the respect of his fellow American citizens. Carl Schurz, who had fought for the same ideals in his old and new fatherlands, became a symbol of the close bonds between Germany and the United States. In 1926, a "Carl Schurz Society" was founded in Germany to promote trade and cultural exchange between the republics on either side of the Atlantic; in America, the "Carl Schurz Memorial Foundation" followed, formed in Chicago in 1930.

In Germany under the National Socialist dictatorship, Schurz was regarded in two contradictory ways: on the one hand, he was celebrated as a great German fighter having his roots in the German *Volk,* who went to battle for the cause of a unified great German nation in 1848; and on the other hand, he was damned as a "citizen of the world" who had done little to further "Germanism" in the New World, and who had unfortunately failed to advocate a "strict separatist policy regarding races alien in blood."

In the years following the Second World War, there was a certain renaissance of books and writings by and about Carl Schurz – he even became the hero of a series of juvenile adventure books,– but in more recent years, interest in him has relatively subsided. This present volume is an attempt to portray the life and achievements of Carl Schurz, fighter and statesman, mainly in his own words, and with illustrations, some of which are published here for the first time, in an effort to bring him closer to today's German and American readers.

Munich, February, 1979   Rüdiger B. Wersich

Ich bin in einer Burg geboren. Dies bedeutet jedoch keineswegs, daß ich von einem adeligen Geschlecht abgestammt sei. Mein Vater war zur Zeit meiner Geburt Schulmeister in Liblar, einem Dorfe von ungefähr 800 Einwohnern, auf der linken Rheinseite, drei Stunden Wegs von Köln gelegen.

Die Burg war der Stammsitz des Grafen von Wolf-Metternich. Aber sie war nicht sehr alt – wenn ich mich recht erinnere, zwischen 1650 und 1700 erbaut –, ein großer Komplex von Gebäuden unter einem Dach, an drei Seiten einen geräumigen Hof umgebend; hohe Türme mit spitzen Dachkappen und großen eisernen Wetterfahnen an den Ecken; ein ausgemauerter, breiter, stets gefüllter Wassergraben rings umher.

Ich mag etwas über vier Jahre alt gewesen sein, als meine Eltern die großväterliche Wohnung in der Burg verließen und ins Dorf zogen, um ihren eigenen Haushalt zu beginnen. Das Dorf bestand aus einer einzigen Straße; an dieser lag auch, etwa mittwegs, auf erhöhtem Platze die Pfarrkirche mit spitzem Turm. Die Häuser, meist sehr klein, waren fast alle aus Fachwerk gebaut – hölzernes Gebälk mit Lehmfüllungen – und mit Dachziegeln gedeckt. Backsteingebäude gabs vielleicht nur ein halbes Dutzend, von denen die meisten dem Grafen gehörten. Die Bewohner von Liblar, kleine Bauern, Tagelöhner, Handwerker mit einigen Wirten und Krämern, fanden in einer Eigentümlichkeit des Dorfes Grund zum Stolz: ihre Straße war gepflastert. Unser Haus war von sehr bescheidenen Dimensionen, hatte aber zwei Stockwerke, von denen jedoch das oberste so niedrig war, daß mein Großvater, aufrecht stehend, fast die Decke mit dem Kopf berührte.

Ehe ich sechs Jahre alt war, nahm mein Vater mich in die Dorfschule. Ich erinnere mich, daß ich früh lesen und schreiben konnte, aber nicht, wie ich diese Künste gelernt habe. Viel hatte ich dem Unterricht zu danken, den ich außer der Schule zu Hause empfing. Ich hatte kaum ein Jahr lang die Dorfschule besucht, als mein Vater sein Schulmeisteramt aufgab. Dasselbe war elend bezahlt und konnte die Familie, die unterdessen um zwei Mitglieder, meine Schwestern Anna und Antoinette, gewachsen war, nicht mehr ernähren. Mein Vater fing nun eine Eisenwarenhandlung an, für die ein Teil unseres Hauses, der früher als Kuhstall gedient hatte, den Ladenraum lieferte. Es war nur ein kleines Geschäft, aber mein Vater hoffte doch, daß dessen Ertrag hinreichen werde, die Ausführung gewisser ehrgeiziger Zukunftspläne zu ermöglichen.

Mich bestimmte er schon frühzeitig zum »Studieren« – das heißt, ich sollte, sobald ich das erforderliche Alter erreicht, das Gymnasium und später die Universität besuchen und mich einem gelehrten Fachstudium widmen.

I was born in a castle. However this by no means implies that I am of noble descent. At the time of my birth my father was a schoolmaster in Liblar, a village of about eight hundred inhabitants on the left bank of the Rhine, a three hour journey from Cologne. The castle was the ancestral seat of the Counts of Wolf-Metternich. But it was not very ancient. If I remember correctly, it was built between 1650 and 1700, a large complex of buildings under a single roof, enclosing a spacious courtyard on three sides; high towers with pointed turrets and large iron weather vanes on the corners; all surrounded by a wide masoned moat, always filled with water.

I must have been a little over four years old when my parents left my grandparents' lodgings in the castle and moved into the village to set up housekeeping on their own. The entire village consisted of a single street, about midway on which, on a rise, stood the parish church with its pointed tower. The houses, mostly quite small, were almost all of half timber construction – wooden beams with spaces filled with masonry – and roofed with tiles. There were perhaps only half a dozen brick buildings, most of which belonged to the Count. The residents of Liblar, small farmers, day laborers, craftsmen, and a few innkeepers and shopkeepers, had something special about their village to take pride in: their street was paved with cobblestones. Our house was of modest dimensions; however it had two stories, although the ceiling of the top one was so low that my grandfather almost touched it with his head when standing erect.

My father took me to the village school before I was six years old. I could read and write at an early age, but I can't remember how I learned these arts. I owed a lot to the instruction I got outside of school at home. Less than a year after I started school, my father gave up his position as schoolmaster. It was miserably paid and could no longer support the family, which in the meantime had increased by two members, my sisters Anna and Antoinette. My father now opened a hardware store in a part of our house which had formerly served as a cow stall. It was only a small store, but my father hoped to earn enough on it to realize certain ambitious plans for the future.

He had early resolved to provide me with a classical education; that is to say, as soon as I reached the necessary age, I was to attend a secondary school and later, the university to study for a learned profession.

Die Geburtsurkunde: Schon hier findet sich die Schreibung des Vornamens mit »C«, die keine nachträgliche Amerikanisierung darstellt.

From his birth certificate we see that Carl Schurz' first name was always spelled with a "C", and does not represent an Americanization.

Luftaufnahme von Schloß Gracht in Erftstadt-Liblar bei Köln. Der Pfeil verweist auf das Gebäude, in dem Carl Schurz am 2. März 1829 geboren wurde.

Aerial view of the Gracht Castle in Erftstadt-Liblar, near Cologne. The arrow points to the building in which Carl Schurz was born on March 2, 1829.

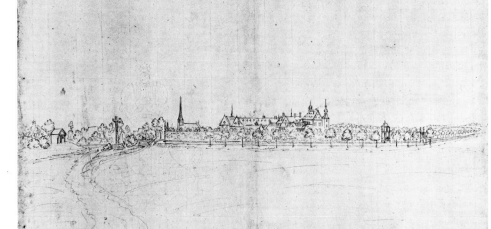

Die Kulisse von Schurz' Kindheit: Liblar mit der Gracht in einem Skizzenbuch aus dem 18. Jahrhundert.

The setting of Carl Schurz' childhood: Liblar with Gracht Castle, from a sketchbook published in the 18th Century.

Meine Mutter hatte nicht mehr Bildung genossen, als sie in der Dorf-schule und im Verkehr mit den Ihrigen hatte finden können. Aber sie war eine Frau von ausgezeichneten natürlichen Eigenschaften – in hohem Grade verständig, leicht und klar auffassenden Geistes, und lebhaften Interesses für alles, was Interesse verdiente. Aber ihre wahre Bedeutung lag in ihrem sittlichen Wesen. Ich kenne keine Tugend, die sie nicht besaß. Nichts hätte ihr dabei fremder sein können, als ein sich überhebendes Selbstbewußtsein, denn sie war fast zu bescheiden und anspruchslos. Fremdes Leiden fühlte sie tiefer als ihr eigenes, und ihre stete Sorge war um das Glück derer, die sie umgaben. Kein Unglück konnte ihren Mut brechen, und die ruhige Heiterkeit ihres reinen Gemüts überdauerte alle Schläge des Schicksals.

An den weiß getünchten Wänden unserer kleinen, äußerst bescheiden möblierten Wohnstube, die auch als Speisezimmer diente, hingen, in hübsche Rahmen gefaßt, die Bildnisse von Schiller, Goethe, Wieland, Körner, Tasso und Shakespeare; denn die Dichter, und neben ihnen Geschichtsschreiber und Männer der Wissenschaft, waren meines Vaters Helden, von deren Schöpfungen und Verdiensten er mir früh mit Vorliebe erzählte. Er las so ziemlich alles, was ihm in die Hände fiel, und so gab er auch mir zum Lesen außerhalb des Schulunterrichts jede mögliche Gelegenheit und Ermutigung. Mir ging eine neue Welt auf, als der alte Gärtner des Grafen mir eines Tages sagte, daß er ein Buch habe, das mir wohl gefallen würde, und er wolle es mir schenken. Es war die Campesche Bearbeitung jenes herrlichsten aller Jugendbücher, des Robinson Crusoe. Nächst dem Robinson Crusoe begeisterte mich »der Landwehrmann«, eine volkstümliche Geschichte der »Befreiungskriege« von 1813, 1814 und 1815, für die zuerst mein Interesse durch die Erzählungen meines Vaters und Großvaters geweckt worden war – eine Lektüre, aus der ich als kindlich feuriger deutscher Patriot hervorging.
Ich schätze mich glücklich, meine früheste Jugend auf dem Lande verlebt zu haben, wo der Mensch nicht allein der Natur, sondern auch dem Menschen näher steht, als in dem Häuserpferch und dem Gedränge der Stadt. Ebenso schätze ich mich glücklich, in einfachen, bescheidenen Verhältnissen aufgewachsen zu sein, die den Mangel nicht kannten, aber auch nicht den Überfluß; die keine Art von Luxus zum Bedürfnis werden ließen; die es mir natürlich machten, genügsam zu sein und auch die ließen; die es mir natürlich machten, genügsam zu sein und auch die kleinsten Freuden zu schätzen; die meine Genußfähigkeit vor dem Unglück bewahrten, durch frühe Sättigung abgestumpft zu werden; die ein sympathisches Gefühl der Zusammengehörigkeit mit den Armen und Niedrigen im Volk lebendig und warm erhielten, ohne das Streben nach höheren Zielen zu entmutigen.

My mother's education was limited to what she learned in the village school and picked up from relatives. But she was a woman of outstanding natural qualities, highly intelligent, with a quick and clever mind and a lively interest in everything which merited interest. But her true worth lay in her moral qualities. I know of no virtue which she did not possess. Nothing could have been more alien to her than self-assertiveness; if anything, she was almost too modest and unassuming. The sorrows of others moved her more deeply than her own, and her constant concern was for the happiness of those around her. No misfortune could weaken her courage, and the calm cheerfulness of her pure heart survived many strokes of bad fortune.

On the whitewashed walls of our small, extremely simply furnished living room hung pictures of Schiller, Goethe, Wieland, Körner, Tasso and Shakespeare, all beautifully framed. For poets, and next to them, historians and scholars were my father's heroes, and he always loved telling me about their works and achievements. He read just about everything he could get his hands on, also encouraging me to read outside of school and giving me every possible opportunity to do so. A new world opened up for me one day when the Count's old gardener told me that he had a book I would surely enjoy, which he wished to give me as a present. It was Camp's translation of that most marvelous of all children's books, *Robinson Crusoe.* Next to *Robinson Crusoe,* I was captivated by *Der Landwehrmann (The Militiaman),* a popular history of the "Wars of Liberation" of 1813, 1814 and 1815, for which my interest had already been awakened by stories told me by my father and grandfather, – reading matter which turned me into a fiery German child patriot.

I consider myself fortunate to have spent my early childhood living out in the country, where people are not only closer to nature, but also to each other than they are in the sea of houses and throngs of the city. And I consider myself just as fortunate to have grown up in a family of modest means, knowing neither want nor excess, nor allowing any kind of luxury to become a necessity, making it easy for me to practice moderation and relish even the smallest joys. This protected my capacity for delight from becoming jaded by early satiety, and made it possible for me to maintain a warm and vital feeling of sympathy and solidarity with the poor and common people without impeding my pursuit of higher goals.

»...denn die Dichter...waren meines Vaters Helden«: Schon im Elternhaus blickten dem späteren Redner und Autor die Galionsfiguren der Zunft über die Schulter – nicht nur Weimarer Klassiker freilich, sondern auch Theodor Körner, der Dichter der Befreiungskriege.

"poets...were my father's heroes": the great literary figures were already looking over the shoulder of the future orator and author at this early stage of his life – not just the great classicists of Weimar such as Goethe and Schiller, but also authors like Theodor Körner, the "poet of the Wars of Liberation".

Die Mutter: Marianne Schurz, geborene Jüssen, Tochter des Pächters auf Schloß Gracht.

His mother: Marianne Schurz, née Jüssen, the daughter of a tenant farmer on the lands of the Gracht Castle.

Der Vater: Christian Schurz (1797 - 1876).

His father: Christian Schurz (1797 - 1876).

Johann Wolfgang von Goethe (1749 - 1832), Bildnis um 1790.

Johann Wolfgang von Goethe (1749 - 1832). Portrait from about 1790.

Friedrich Schiller (1759 - 1805), Stich von J. G. Müller nach einem Gemälde von Anton Graff.

Friedrich Schiller (1759 - 1805). Engraving by J. G. Müller, based on a portrait by Anton Graff.

Theodor Körner (1791 - 1813) fiel in den Befreiungskriegen gegen Napoleon.

Theodor Körner (1791 - 1813) was killed in the Wars of Liberation against Napoleon.

F. SCHILLER.

Ich war zehn Jahre alt, als mein Vater mich nach Köln ins Gymnasium brachte. Es war das katholische, oder, wie es gewöhnlich genannt wurde, das Jesuitengymnasium, obgleich es mit dem Orden in keinerlei Verbindung stand. Köln hatte damals etwa 90 000 Einwohner und war in meiner Vorstellung eine der großen Städte der Welt.

Da meine Eltern über nur geringe Mittel geboten, so wurden meine häuslichen Einrichtungen in Köln auf einen recht bescheidenen Fuß gesetzt. Mein Vater quartierte mich bei einem ihm bekannten Schlossermeister auf der Maximinenstraße ein, für eine billige Vergütung. Meister Schetter, so hieß er, galt für einen tüchtigen Handwerker und braven Bürger, und seine Frau, eine fleißige Haushälterin, besorgte mich wie ihr eigenes Kind.

Der Ordinarius der Sexta war zu meiner Zeit ein junger Westphale, Heinrich Bone, dessen ich mit besonderer Dankbarkeit gedenken muß. Er hat sich später auch in weiten Kreisen als Lehrer einen nicht unbedeutenden Namen gemacht. Er gab uns neben dem lateinischen auch den deutschen Unterricht, und wenn ich in meinem spätern Leben den Grundsatz festgehalten habe, daß Klarheit, Anschaulichkeit und Direktheit des Ausdrucks die Haupterfordernis eines guten Stils sind, so habe ich das in großem Maße den Lehren zu verdanken, ich ich von Bone empfing.

Wenn ich von dem Hause meines Schlossermeisters zur Schule ging, so führte mich mein Weg die Trankgasse hinauf am Dom vorbei. Der Kölner Dom, der jetzt in der ganzen Herrlichkeit seiner Vollendung dasteht, sah damals noch einer großartigen Ruine gleich. Nur der Chor war vollständig ausgebaut. Das Mittelstück zwischen dem Chor und den Türmen stand notdürftig überdacht, zum großen Teil noch in äußeren Backsteinmauern, und von den beiden Türmen selbst erhob sich der eine wohl wenig mehr als sechzig Fuß über dem Boden, während der andere, der den jahrhundertealten weltberühmten Kran trug, vielleicht die drei- oder vierfache Höhe erreicht hatte. An beiden hatte der Zahn der Zeit das kunstvolle Meißelwerk vielfach verstümmelnd zernagt, und so blickten sie, unfertig und doch schon verwittert, greisenhaft und traurig herab auf das lebende Geschlecht.

Mein braver Schlossermeister war ein eifriger Theaterfreund, und zuweilen nahm er mich mit sich – freilich auf die oberste Galerie, wo ein Platz nur fünf Silbergroschen kostete. Der dramatische Geschmack meines Freundes lag in der Richtung des Ritterstücks, und in seinen Augen gab es keinen größeren Schauspieler als Wilhelm Kunst, der zuweilen in Köln Gastrollen spielte. Mich hatte das Drama ergriffen, und ich fühlte einen unwiderstehlichen Drang, selbst etwas Dramatisches zu schaffen.

I was ten years old when my father took me to the secondary school in Cologne. It was the Catholic, or, as it was commonly called, the "Jesuit Gymnasium", although it had no connection whatsoever with that order. At that time, Cologne had a population of about ninety thousand, and in my mind seemed to be one of the great cities of the world.

As my parents's means were extremely limited, I could only be given frugal quarters in Cologne. My father got me room and board for a small sum in the home of a master locksmith he knew on Maximinen Strasse. Master Schetter, as he was called, was known to be a proficient craftsman and an upstanding citizen; his wife, an excellent housekeeper, took care of me as though I were her own child.

The teacher of the sexta, or lowest class, then was a young Westphalian, Heinrich Bone, to whom I must acknowledge my particular gratitude. He later made a not so insignificant name for himself as a teacher in wider circles as well. He taught us German in addition to Latin, and if, later in life, I have retained the principles of clarity, directness and vivid expression as the main requirements of good style, in good part I have Bone's instruction to thank for it.

Going from the locksmith's house to school, I would pass the Cathedral as I went up Trank Strasse. The Cologne Cathedral, which today stands completed in all its glory, still looked like a grand ruin in those days. Only the chancel was completely constructed. The central part between the chancel and the towers had a makeshift covering; its outer walls were still mostly naked bricks. One of the two towers could not have stood much more than sixty feet above the ground, while the other, with its world-famous centuries-old crane, had reached perhaps three or four times that height. The ravages of time had mutilated and disfigured a good part of the artful carvings on both, and left them, still incomplete, yet already weatherworn, looking down in pathetic senility upon the present generation.

My good locksmith had a passion for the theater, and would sometimes take me along with him – in the top gallery, of course, where a seat only cost five silver-groschen. My friend's taste leaned heavily toward dramas of chivalry, and in his eyes there was no greater actor than Wilhelm Kunst, who occasionally made guest appearances in Cologne. I became quite taken by the theatre, and felt an irresistible urge to write a dramatic work myself.

Köln in der ersten Hälfte des 19. Jahrhunderts. Oben rechts, mit einer Baulücke zwischen Chor und Schiff, der 1248 begonnene und erst 1880 vollendete Dom.

Cologne in the first half of the 19th Century. Upper right, still unfinished between the nave and the choir, the Cologne Cathedral, begun in 1248, construction completed in 1880.

Der Theoretiker der deutschen Frühromantik, Friedrich Schlegel (1772 - 1829, links) und der Physiker Georg Simon Ohm (1789 - 1854, rechts) gehörten zu den Lehrern, denen das »Jesuitengymnasium« zu Beginn des 19. Jahrhunderts seinen Ruf verdankte.

The theoretician of early German romanticism, Friedrich Schlegel (1772 - 1829, left) and the physicist Georg Simon Ohm (1789 - 1854, right) were among the teachers who provided the "Jesuit Gymnasium" with its excellent reputation at the beginning of the 19th Century.

Außenansicht (1836) und Aula des katholischen Gymnasiums zu Köln, dessen Anfänge bis auf das Jahr 1389 zurückreichen.

Exterior view (1836) and assembly hall of the Catholic Gymnasium of Cologne, an institution that dates its origins back as far as 1389.

Endlich kam die Zeit, da ich konfirmiert werden, oder, wie wir es nannten, »zur ersten Kommunion gehen« sollte. Als Vorbereitung wurde uns ein besonderer Unterricht in der katholischen Glaubenslehre durch den Religionslehrer des Gymnasiums zuteil. Ich gab mich diesem Unterricht hin mit dem aufrichtigen und wahrhaft frommen Wunsche, meine Zweifel zu überwinden. Ich bildete mir sogar ein, daß dies gelungen sei, und so ging ich durch den Akt der ersten Kommunion mit einer Art von religiös schwärmerischer Stimmung. Aber unmittelbar darauf meldeten sich die alten Skrupel wieder, und zwar stärker als je vorher. Was mir nach wie vor am meisten widerstrebte, war der Glaubenssatz, daß die römische Kirche nicht allein die einzig wahre, sondern auch die allein seligmachende sei und daß es außerhalb derselben absolut kein Heil, sondern nur ewige Verdammnis gebe. Diese Gedanken beunruhigten mich furchtbar.

Wir jungen Leute teilten das im Rheinland vorherrschende Gefühl, daß manches anders werden müßte; daß es ein Skandal sei, dem Volke Rede- und Pressefreiheit vorzuenthalten; daß der alte preußische Absolutismus einer konstitutionellen Regierungsform zu weichen habe; daß die der deutschen Nation im Jahre 1813 von den Fürsten gegebenen Versprechungen schmählich gebrochen worden seien, und daß das zersplitterte deutsche Vaterland in ein geeinigtes großes Reich mit freien politischen Institutionen zusammengeschmiedet werden sollte. Der unruhig aufstrebende deutsche Nationalgeist, der damals die Gemüter der gebildeten Stände durchwehte und in der Literatur beredten Ausdruck fand, erregte in uns die wärmste Begeisterung.

Sonntags morgens pflegte ich mich in der Wallrafschen Gemäldesammlung umzusehen, die damals in einem kleinen alten Gebäude auf der Trankgasse aufgestellt war. Einige Zimmer waren mit Bildern der alten kölnischen Schule gefüllt, die mich, obgleich ich ihren kunstgeschichtlichen Wert nicht zu schätzen wußte, durch ihre Farbenpracht und die Naivität der Darstellung anzogen.

Der Sonntagnachmittag bot mir noch einen künstlerischen Genuß anderer Art. Die Wachtparade der Garnison fand auf dem Neumarkt, dem großen Exerzierplatz, statt. Die vortreffliche Kapelle des 28. Infantrieregiments spielte dann zum Parademarsch ihre martialischen Weisen und unterhielt darauf noch die Offiziere und das versammelte Publikum mit einigen gut ausgewählten Stücken, meist Opernmusik. Und da das Repertoire der Kapelle ein ziemlich reiches war, so halfen mir die Wachtparadenkonzerte nicht wenig zur Erweiterung meiner musikalischen Kenntnisse.

Lustige Tage gab es während der Schulferien, die ich, wenn ich gerade Ausflüge zu den verschiedenen Oheimen gemacht wurden, in Liblar zubrachte. Dazu fanden sich häufig die Vettern von Lind, Herrig und Jülich zusammen, zuweilen gar verstärkt durch Schulfreunde von Köln. Das war die Zeit des Austobens, und sie wurde redlich benutzt. Die Alten der Familie freuten sich an den Jungen und mit ihnen.

Finally the time came for me to be confirmed, or, as we called it, to "take my first Communion". To prepare us, the school's religion teacher gave us special instruction in the Catholic doctrine of faith. I applied myself to these studies with a sincere and truly devout wish to overcome my doubts. I even imagined that I had succeeded in this, and thus I went through the act of my first Communion with a kind of sentimental religious zeal. But immediately afterward, my old scruples returned, even stronger than ever before. What I still resisted most of all was the dogma that the Roman Catholic Church was not just the only true Church, but that outside of it there was absolutely no redemption, but only eternal damnation. These thoughts upset me terribly.

We young people shared the predominant feeling in the Rhineland that certain things were due for a change: that it was scandalous to deny the citizens freedom of speech and freedom of the press, and that the old Prussian absolutism had to give way to a constitutional form of government; that the promises made to the German nation by the princes in 1813 had been shamefully broken, and that the divided German fatherland should be forged together into a large united "Reich" with free political institutions. The upsurging aspirations of the German national spirit, which swept through the educated classes and found persuasive expression in literature, inspired us with ardent enthusiasm.

On Sunday mornings I often went to see the paintings of the Wallraf Collection, which in those days was housed in a little old building on Trankgasse. Several rooms were filled with paintings of the old Cologne School; I was enticed by their brilliant colors and naïve style, even though I was unable to appreciate their historic or aesthetic value.

Sunday middays offered me an artistic pleasure of a different order. The changing of the guard of the garrison took place on the large parade ground of the Neumarkt. The admirable 28th Infantry Regiment Band played their martial airs for the march-past, and then went on to entertain the officers and assembled spectators with some other well-chosen pieces, mostly operatic selections. And since the band had a rather extensive repertoire, the changing of the guard concerts were no mean help in widening my musical horizons. School vacation meant happy days, and except for jaunts to visit various uncles, I spent them in Liblar. My cousins from Lind, Herrig and Jülich often got together with me; sometimes we were even joined by schoolmates from Cologne. That was a time of romping to my heart's content, and it was a time well spent. The adults of the family enjoyed having the children around, and shared in the fun.

Die alte Wallrafsche Sammlung in der Trankgasse. Noch heute bildet die Sammlung altdeutscher und niederländischer Gemälde des Kölner Universitätsprofessors Ferdinand Franz Wallraf (1748 - 1824) den Grundstock des Wallraf-Richartz-Museums (seit 1861).

The old Wallraf Collection on Trankgasse. To this day, the collection of old German and Dutch paintings belonging to Cologne University Professor Ferdinand Franz Wallraf (1748 - 1824) forms the foundation of the Wallraf-Richartz Museum (since 1861).

Ausschnitte aus Tafelbildern der Kölner Schule, einem Höhepunkt der deutschen Gotik. Oben: Martyrium der heiligen Ursula vor der Stadt Köln, um 1411. Mitte: Kreuzigungsgruppe aus einer Heilsgeschichte, erste Hälfte des 14. Jahrhunderts. Unten: Kalvarienberg, um 1420 - 1430.

Details from wood panels of the Cologne School, a high-point of German Gothic. Above: The Martyrdom of Saint Ursula Outside the City of Cologne, about 1411. Middle: Crucifixion Group from Stations of the Cross, first half of the 13th Century. Below: Calvary, around 1420 -1430.

Der Kölner Neumarkt um die Mitte des 19. Jahrhunderts.

The Cologne New Market (Neumarkt) around the middle of the 19th Century.

Familiäre Probleme 1846   Family Problems, 1846

Unterdessen waren über die Familie dunkle Wolken heraufgezogen. Der Abzug meines Großvaters von der Burg hatte allerlei Folgen gehabt, die sich nach und nach als unheildrohend entwickelten. Es war, als sei der Familie der feste Boden unter den Füßen weggeglitten und alles ins Schwanken geraten. Der Getreidehandel meines Onkels Georg nahm bald den Charakter der Spekulation an, und man versprach sich goldene Berge davon. Wenn der Führer des Geschäfts ins Gedränge kam, so sprangen ihm die Brüder und Schwäger natürlich bei, und bald fanden sich alle in Unternehmungen verwickelt, für die keiner von ihnen besonderes Geschick besaß.

Mein Vater war an den Spekulationen der Verwandten zwar nur indirekt beteiligt, aber doch genug, um in die daraus entstehenden Schwierigkeiten verwickelt zu werden. Obgleich ich mit diesen Dingen möglichst wenig behelligt wurde und die Jugend sie ja auch gewöhnlich leicht nimmt, so entging es mir doch nicht, daß meine Eltern zuweilen in drückender Sorge waren, und ich fing an, diese Sorge ernstlich zu teilen. Ich selbst warf die Frage auf, ob es ihnen möglich sein werde, mich länger im Gymnasium zu halten. Diese Frage wurde dadurch entschieden, daß ich mir ein Stipendium erwirkte, das einen großen Teil der Kosten meines Aufenthaltes in Köln deckte, und daß ich den Rest durch Privatstunden erwarb, die ich Schülern in den unteren Klassen des Gymnasiums gab.

Nun trat in der Lage meiner Eltern plötzlich eine hoffnungsvolle Änderung ein. Mein Vater fand Gelegenheit, das Eigentum in Liblar, Haus, Garten und Saalbau, um einen Preis zu verkaufen, der ihn in den Stand setzen würde, seine Verbindlichkeiten zu decken und noch etwas für die Gründung einer neuen Existenz übrig zu behalten. Sobald der Verkauf abgeschlossen war, zog er mit der Familie nach Bonn, wo ich in Jahresfrist, nachdem ich das Gymnasium absolviert, die Universität beziehen sollte.

Aber unsere Lage verdunkelte sich in erschreckender Weise. Der Käufer des Eigentums in Liblar, mit dem, wie es schien, mein Vater sich nicht gehörig vorgesehen, und der bei dem Abschluß des Kaufes nur eine geringe Anzahlung geleistet hatte, erklärte plötzlich, daß ihn der Kauf leid geworden sei, und daß er die bereits erlegte kleine Summe aufgeben, aber keine weitere Zahlung machen werde. Das war ein harter Schlag.

Ich war siebzehn Jahre alt und sollte in die Oberprima gehn. Aber nun war es mit meinem Verbleiben in Köln zu Ende. Ich nahm also von meinen Lehrern und Freunden einen eiligen Abschied und widmete mich ganz den Angelegenheiten der Familie. Geldgeschäfte waren mir durchaus fremd und meiner Neigung zuwider. Doch ist die Not ein wunderbarer Schulmeister, und ich hatte die Empfindung, als wäre ich plötzlich um viele Jahre älter geworden. Es wurde der kühne Plan gefaßt, ich solle sofort anfangen, als nicht-immatrikulierter Student Vorlesungen an der Universität zu hören, dabei aber privatim meine Gymnasialstudien fortsetzen und im Herbste des nächsten Jahres das Abiturientenexamen in Köln als »Auswärtiger« absolvieren.

Meanwhile, dark clouds were gathering over the family. My grandfather's departure from the castle had all sorts of consequences, which little by little threatened to spell disaster. It was as if the firm ground were slipping away from under the family's feet, and everything was beginning to totter. My uncle George's grain business was increasingly edging into the realm of speculation, with hopes of turning it into a goldmine. Whenever the head of the business got in trouble, of course his brothers and brothers-in-law helped him out, and soon found themselves all involved in enterprises for which none of them possessed any particular ability.

My father only indirectly participated in the relatives' speculations, but it was enough to be involved in the ensuing difficulties. Even though they did their best to keep me out of these matters, and young people usually do not take such things seriously anyway, I still couldn't help noticing that my parents at times were distressingly hard put, and I began seriously to share their worries. I myself raised the question of whether they could continue sending me to school. This question was solved by my managing to get a scholarship, which paid a large part of my expenses in Cologne. I was able to earn the rest by giving lessons to pupils in the lower classes of my school.

Then my parents' situation suddenly took a turn for the better. My father found an opportunity to sell the property in Liblar – the house, garden and a recently built hall – for a price that would enable him to pay off his debts and still have something left for starting up a new livelihood. As soon as the sale was concluded, he and the family moved to Bonn, where, within the year, I was to attend the university, upon graduating secondary school.

But then our situation got horribly worse. The buyer of the property in Liblar, against whom my father had not sufficiently protected himself, and who had only made a small down payment at the time of the transaction, suddenly announced that he had reconsidered the purchase and would be willing to forfeit the small sum but would make no further payments. That was a hard blow.

I was seventeen years old and about to start my final semester. But that put an end to my stay in Cologne. So I took hasty leave of my teachers and friends and devoted myself wholly to family matters. Business affairs were totally foreign to me and contrary to my inclinations. But necessity is a wonderful teacher, and I had the feeling that I was suddenly years older. We made a bold plan for me to begin attending lectures at the University as a non-matriculated student, while at the same time privately continuing my secondary school studies, and to take the final examinations in Cologne in the autumn of the following year as a non-resident student.

Das preußische Bonn um die Mitte des 19. Jahrhunderts. In der Wiener Kongreßakte von 1815 waren die rheinischen Provinzen ohne Rücksicht auf historische Bindungen zu Preußen geschlagen worden. Mit der Gründung der Rheinischen Friedrich-Wilhelms-Universität im Jahre 1818 wurde die Stadt zu einem geistigen Zentrum des deutschen »Vormärz«, der Entwicklung, die zur Märzrevolution von 1848 führte.

The Prussian city of Bonn in the middle of the 19th Century. The Congress of Vienna in 1815 ignored old historical ties and awarded the Rhenish provinces to Prussia. With the establishment of the Rhenish Frederick-William University in the year 1818, the city became one of the cultural centers of the German "Vormärz", the development which led to the March Revolution of 1848.

Die Aula der Bonner Universität. Die vier Fresken, im nazarenischen Geschmack der Zeit von Peter von Cornelius entworfen, stellen die vier traditionellen Fakultäten (Theologie, Jurisprudenz, Medizin und Philosophie) dar; Stahlstich, 1839.

The Bonn University aula. The four frescoes, designed by Peter von Cornelius in the Nazarene style of the period, illustrate the four traditional faculties (Theology, Jurisprudence, Medicine and Philosophy); steel-plate engraving, 1839.

Obgleich ich noch nicht regelrechter Student war, so wurde mir doch von einem Kreise vortrefflicher junger Leute, der Burschenschaft Frankonia, eine wohltuend warme Begrüßung. Dies verdankte ich meinen Kölner Freunden Theodor Petrasch und Ludwig von Weise, die vor mir die Universität bezogen, sich dieser Burschenschaft angeschlossen und ihren Verbindungsgenossen allerlei übertriebene Dinge von mir erzählt hatten.

Viel Zeit konnte ich allerdings meinen Freunden während jenes ersten Universitätsjahres nicht widmen, denn das noch zu bestehende Maturitätsexamen, von dem meine ganze Zukunft abhing, schwebte wie ein drohendes Gespenst vor mir und ließ mir keine Ruhe. Endlich, im September 1847, kam die gefürchtete Krisis, und ich reiste nach Köln, von den angstvollen Gebeten meiner Familie und den wärmsten Wünschen meiner Freunde begleitet. Alles ging vortrefflich. Auch begünstigte mich das Glück ein wenig. Ich wußte das ganze sechste Buch der Iliade auswendig herzusagen, und es traf sich, daß der Examinator im Griechischen mich gerade aus diesem Buch übersetzen ließ. So konnte ich denn den Text beiseite legen und das mir aufgegebene Stück ohne einen Buchstaben anzusehen ins Deutsche übertragen, was nicht wenig Aufsehen erregte. Meine schriftstellerischen Aufsätze, deutsche und lateinische, sowie meine Leistungen in andern Fächern gefielen so gut, daß man mir meine Schwäche in der höhern Mathematik und den Naturwissenschaften nicht anrechnete.

Triumphierend kam ich nach Bonn zurück. Nun erst konnte ich in der Universität regelrecht immatrikuliert werden und stand dann als vollgültiger, ebenbürtiger Student unter meinen Genossen. Mit neuer Begeisterung und nun auch mit einem Gefühl der Sicherheit gab ich mich meinen philologischen und geschichtlichen Studien hin und dachte mit größerer Ruhe an meine Zukunft, in der meine Phantasie mir eine Professur der Geschichte an einer Universität und eine schöne literarische Tätigkeit vormalte.

In die Burschenschaft Frankonia wurde ich nun nach bestandenem Maturitätsexamen als vollberechtigtes Mitglied aufgenommen und fühlte mich, nachdem ich meine Schüchternheit überwunden, heimisch darin. Wir trugen mit Stolz unsere Verbindungsfarben auf unseren Mützen und Bändern. Wir »kneipten« mit Maß und sangen. Wir hatten unsere Kommerse und gingen durch die üblichen Zeremonien mit gebührlicher Feierlichkeit. Wir schoben Kegel und machten unsere Ausflüge nach den umliegenden Dörfern, und es war keine gelehrte Ziererei, sondern eine wirkliche Belustigung, wenn bei solchen Gelegenheiten einige von uns, die ihren Homer besonders fleißig studiert hatten, sich auf Griechisch in homerischen Versen unterhielten, die sie in launiger Weise auf das anwendeten, was man eben tat oder beobachtete.

Although I was not yet matriculated in Bonn, I received a warm and friendly reception by a group of upstanding young men there, members of the Franconia Fraternity. I had my Cologne friends Theodor Petrasch and Ludwig von Weise to thank for this, as they had entered the university before me, joined that organization, and told their fraternity brothers all sorts of exaggerated things about me.

However I could not devote much time to my friends during that first year at the university, for my secondary school examinations, which I had yet to pass, and on which my entire future depended, hung over my head like a menacing spectre and left me no peace of mind. Finally, in September 1847, came the dreaded day, and I traveled to Cologne, accompanied by the anxious prayers of my family and the best wishes of my friends. Everything went beautifully. I was even favored by fortune to a certain extent. I had learned the entire sixth canto of the Iliad by heart, and it just so happened that the examiner in Greek had me translate from that very canto. I was therefore able to lay the textbook aside, and without looking at a single word, translate the assigned passage into German, which created quite a sensation. My written essays in German and Latin, as well as my performance in other subjects, were rated so highly that my weakness in higher mathematics and science was not held against me.

I returned to Bonn triumphant. Only now could I enroll in the university as a regular, legitimate student, and be on an equal footing with my classmates. With renewed fervor and a new feeling of confidence, I applied myself to my studies in philology and history, and with utter composure, thought about my future, which, as I envisioned it, consisted of becoming a professor of history and engaging in marvelous literary activity.

Having received my preparatory school diploma, I was now accepted as a full member of the Franconia Fraternity, and after overcoming my shyness, felt quite at home there. We proudly wore our fraternity colors on our caps and ribbons. We held our moderate but merry drinking-bouts and sang; we went through the traditional ceremonies with proper solemnity. We played ninepins and went on outings to nearby villages, and it was not pedantic affectation, but honest fun, when on such occasions, those of us who had studied our Homer particularly assiduously, conversed in Greek, whimsically applying Homeric lines to whatever we happened to be doing or observing.

Das »Zeugniss der Reife« vom 28. August (nicht September!) 1847, Seiten 1 und 4. Schurz' Schilderung der Prüfung im Griechischen scheint von der Erinnerung verklärt zu sein, denn es heißt hier: »In der griechischen (Sprache) sind seine Kenntnisse etwas lückenhaft geblieben«!

The Cologne diploma issued on August (not September) 28, 1847, pages 1 and 4. Schurz' memory of his final examination in Greek seems to have been somewhat enhanced with the passing years. It says here: "His knowledge of the Greek language is still a bit spotty."

Mitglieder der Burschenschaft Franconia auf einem Ausflug im Siebengebirge. Lithographie von Erich Correns, 1846. Die Verbindung, der Schurz angehörte, war um die Jahrhundertmitte eine der angesehensten und lehnte die Mensur (Schurz: »Duellunfug«) ab.

Members of the Frankonia Fraternity on an outing in the Siebengebirge. Lithography by Erich Correns, 1846. The society Schurz belonged to was one of the most prestigious at the middle of the century and rejected the practice of "Mensur" (Schurz: "duelling nonsense").

Es war am Anfang des Wintersemesters von 1847/48, daß ich den Professor Gottfried Kinkel kennen lernte – eine Bekanntschaft, die für mein späteres Leben von sehr großer Bedeutung werden sollte. Kinkel hielt Vorlesungen über Literatur und Kunstgeschichte, von denen ich eine besuchte. Als sich Kinkel erbot, seine Schüler in die Kunst des Redens einzuweihen, ergriff ich diese Gelegenheit des Lernens mit Begierde. Er hielt uns keine theoretischen Vorlesungen über Rhetorik, sondern begann sofort damit, uns bedeutende Muster vorzuführen, zu erklären und uns daran zu üben. Als solche Muster wählte er unter anderen größere rednerische Passagen aus den Dramen Shakespeares, und so wurde mir die Aufgabe, die berühmte Leichenrede des Marcus Antonius in »Julius Cäsar« in ihrer Bedeutung zu erklären, die beabsichtigten Effekte und die Mittel, mit welchen diese erreicht werden sollten, darzulegen und schließlich die ganze Rede deklamatorisch, oder vielmehr rednerisch, vorzutragen. Mit meiner Lösung dieser Aufgabe sprach Kinkel seine Zufriedenheit aus und lud mich dann ein, ihn in seinem Hause zu besuchen. Sogleich folgte ich dieser Einladung, und trotz meiner noch immer nicht ganz überwundenen Schüchternheit entwickelte sich bald zwischen dem Lehrer und dem Schüler ein freundschaftliches Verhältnis. Es war in der Tat nicht schwer, sich mit Kinkel einzuleben. Er besaß in hohem Maße die heitere Ungebundenheit des Rheinländers. Er liebte es, den Professor beiseite zu legen und im Familien- und Freundeskreise sich in zwangloser Fröhlichkeit gehen zu lassen.

Das Kinkelsche Haus bildete den Mittelpunkt eines Kreises geistesverwandter Menschen, deren gesellige Stunden an geistvoller Fröhlichkeit nichts zu wünschen übrig ließen. Es waren dies durchweg Männer und Frauen von freisinniger Denkart auf dem religiösen wie dem politischen Gebiet, die denn auch ihre Meinungen mit kecker Ungebundenheit auszusprechen liebten. An Stoff fehlte es in jenen Tagen nicht.

Die Revolte, die infolge der Ausstellung und Anbetung des sogenannten »Heiligen Rocks« in Trier unter den Katholiken ausgebrochen war und die deutsch-katholische Bewegung hervorgebracht hatte, stand noch in Blüte und gab auch unter den Protestanten dem Drang nach Denk- und Lehrfreiheit neue Anregung. Auch auf dem politischen Felde wehte ein scharfer Luftzug. Die traurige Selbstironie, die öde Kannegießerei vergangener Tage hatte dem Streben Platz gemacht, klar gesteckte Ziele ins Auge zu fassen, und auch dem Glauben, daß dieselben erreichbar seien. Man fühlte das Kommen großer Veränderungen, wenn man auch nicht erkannte, wie nahe es schon bevorstand. In dem Kinkelschen Kreise nun hörte ich manches klar ausgesprochen, was mir bis dahin nur mehr oder minder nebelhaft vorgeschwebt hatte.

It was at the beginning of the winter semester of 1847/48 that I first met Professor Gottfried Kinkel – an acquaintanceship which was to be of vast significance to my later life. Kinkel taught courses in literature and art history, one of which I attended. When Kinkel offered his pupils instruction in the art of public speaking, I jumped at the opportunity. Instead of holding theoretical lectures on rhetoric, he immediately began by presenting and analyzing examples, and having us practice them. Among the examples he chose were great oratorical passages from Shakespearean dramas, and thus I received the assignment of explaining Mark Antony's famous funeral oration from *Julius Caesar,* its significance, the effects intended and the means used to achieve them; in closing, I was to declaim, or rather deliver, the entire speech. Kinkel expressed satisfaction at the way I carried out this assignment, and invited me to visit him at his home. I did not hesitate to accept this invitation, and despite the fact that I had not yet completely overcome my shyness, a friendly relationship soon developed between teacher and pupil. It was not hard to become fond of Kinkel. He possessed the boundless cheerfulness of the Rhinelanders to a high degree. In the company of his family and friends he liked to forget he was a professor and indulge in boisterous exuberance.

Kinkel's house was the focal point for a group of congenial individuals, and our evenings were replete with convivial mirth and wit. We were all men and women with liberal views on religion and politics, people wont to express their opinions with unrestrained daring. And the times we lived in provided ample subjects for discussion.

The revolt which broke out among the Catholics as a result of the exhibition and worship of the so-called "Sacred Robe" in Trier and led to the formation of the German Catholic Movement, was still in full sway, and even gave fresh stimulus to the pressure for freedom of thought and academic freedom among the Protestants. Biting winds also came swirling across the field of politics. The morose self-irony and tedious political twaddle of yesteryear had given way to a trend towards aiming at clearly defined goals, and a belief in their attainability. There was a feeling that great changes were coming, although nobody realized how soon. In Kinkel's circle I began to hear things openly expressed, about which I only had a vague notion up to then.

22

Carl Schurz in seiner Bonner Studentenzeit.
Carl Schurz in his student days in Bonn.

Gottfried Kinkel (1815 - 1882) gehörte der Bonner Universität ursprünglich als Theologe an. Seine Eheschließung mit einer geschiedenen Frau (1843) und wachsende Entfremdung vom religiösen Leben führten zu seiner Umhabilitierung in die philosophische Fakultät, wo er 1846 ao. Professor für Kunst- und Literaturgeschichte wurde. Lithographie von Körner, 1849.

Gottfried Kinkel (1815 - 1882) was originally on the theological faculty of Bonn University. His marriage in 1843 to a divorced woman and his growing alienation from religious life led to his transfer to the school of philosophy, where he became associate professor of History of Art and Literature. Lithography by Körner, 1849.

Der angebliche Rock Christi, eine seit dem 12. Jahrhundert in Trier aufbewahrte Reliquie, deren öffentliche Zurschaustellung im Jahr 1844 zum Aufschwung eines deutschkatholischen Nationalbewußtseins beitrug. Zeitgenössische Kreidelithographie.

The alleged Robe of Christ, a relic which has been maintained since the 12th Century in Trier. The public exhibition of this garment in the year 1844 contributed to an upsurge of German Catholic Nationalism. Contemporary chalk lithography.

Eines Morgens gegen Ende Februar 1848 – wenn ich mich recht erinnere, war es ein Sonntagmorgen – saß ich ruhig in meinem Dachzimmer, als plötzlich einer meiner Freunde fast atemlos zu mir hereinstürzte und rief: »Da sitzest Du! Weißt Du es denn noch nicht? Die Franzosen haben den Louis Philipp fortgejagt und die Republik proklamiert!«

Wir sprangen die Treppe hinunter, auf die Straße. Wohin nun? Nach dem Marktplatz. Der Markt wimmelte von Studenten, alle, wie es schien, von demselben Instinkt getrieben. Sie standen in Gruppen zusammen und sprachen eifrig; kein Geschrei, nur aufgeregtes Gerede. Was wollte man? Das wußte wohl niemand? Aber da nun die Franzosen den Louis Philipp fortgejagt und die Republik proklamiert hatten, so mußte doch auch hier gewiß etwas geschehen.

Wenige Tage nach dem Ausbruch dieser Bewegung wurde ich neunzehn Jahre alt. Ich erinnere mich, von dem, was vorging, so gänzlich erfüllt gewesen zu sein, daß ich meine Gedanken kaum etwas anderem zuwenden konnte. Ich war wie manche meiner Freunde von dem Gefühl beherrscht, daß endlich die große Gelegenheit gekommen sei, dem deutschen Volke seine Freiheit und dem deutschen Vaterlande seine Einheit und Größe wieder zu gewinnen, und daß es nun die erste Pflicht eines jeden Deutschen sei, alles zu tun und alles zu opfern für diesen heiligen Zweck. Es war uns tiefer, feierlicher Ernst darum.

Von allen Seiten kamen aufregende Nachrichten. In Köln herrschte drohende Gärung. In den Wirtshäusern und auf den Straßen erklang die Marseillaise, die damals noch in ganz Europa als die allgemeine Freiheitshymne galt. Auf dem Domhof und dem Altenmarkt wurden große Versammlungen abgehalten, um die Forderungen des Volkes zu beraten. In Koblenz, Düsseldorf, Aachen, Krefeld, Kleve und anderen rheinischen Städten fanden ähnliche Demonstrationen statt. In Süddeutschland – Baden, Rheinhessen, Nassau, Württemberg, Bayern – flammte der Geist der neuen Zeit wie ein Lauffeuer auf. In Bayern, wo schon vor der französischen Februarrevolution die berüchtigte Lola Montez dem Zorn des Volkes hatte weichen müssen, folgte nun ein Auflauf dem andern, um den König Ludwig zu liberalen Zugeständnissen zu treiben.

Von Wien kam große Kunde. Die Studenten der Universität waren es dort, die den Kaiser von Österreich zuerst mit freiheitlichen Forderungen bestürmten. Blut floß, und der Sturz Metternichs war die Folge. Die Studenten organisierten sich als die bewaffnete Garde der Volksrechte. In den großen Städten Preußens war eine gewaltige Regung. Nicht allein Köln, Koblenz und Trier, sondern auch Breslau, Königsberg und Frankfurt a. O. sandten Deputationen nach Berlin, um den König zu bestürmen. In der preußischen Hauptstadt wogte das Volk auf den Straßen, und man sah entscheidungsvollen Ereignissen entgegen.

One morning toward the end of February 1848 – it was a Sunday, if I remember correctly – I was sitting quietly in my garret when suddenly one of my friends burst in and breathlessly exclaimed, "So here you are! Haven't you heard the news yet? The French have thrown out Louis Philippe and proclaimed the Republic!"

We ran down the stairs and into the street. Where to? To the marketplace. It was swarming with students, all seemingly driven by the same impulse. They were gathered together in groups, talking excitedly, but not yelling or shouting. What did we want? Didn't anyone know? Yet now that the French had gotten rid of Louis Philippe and proclaimed the Republic, something certainly had to happen here as well.

A few days after the outbreak of this turmoil, I turned nineteen. I recall I was so completely filled with what was going on that I hardly had thoughts for anything else. Like some of my friends, I was possessed by the feeling that the great opportunity had finally come for the German people to regain their freedom and their German fatherland in all its unity and greatness; and that it was now every German's sacred duty to make every possible effort and sacrifice toward this holy goal. And we meant it with complete and solemn earnest.

Exciting reports began coming in from all directions. Menacing things were brewing in Cologne. The "Marseillaise" was heard in the taverns and on the streets; in those days it was still regarded as a universal anthem of freedom throughout all of Europe. Huge meetings were held in front of the Cathedral and on the Altenmarkt to discuss the demands of the people. Similar demonstrations took place in Coblenz, Düsseldorf, Aachen, Krefeld, Cleves and other Rhenish cities. In Southern Germany – Baden, Rheinhessen, Nassau, Württemberg, Bavaria – the spirit of the times flamed up like wildfire. In Bavaria, where even before the French February Revolution, the infamous Lola Montez had to flee before the wrath of the people, one riot followed another, trying to pressure King Ludwig I into making liberal concessions.

Great news came from Vienna. It was the university students there who first assailed the Emperor of Austria with demands for freedom. Blood flowed, and the result was Metternich's downfall. The students formed an armed "Guard of People's Rights". The large cities of Prussia were vehemently stirred up. Not only Cologne, Coblenz and Trier, but also Breslau, Königsberg and Frankfurt-on-the-Oder sent deputations to Berlin to entreat the King. In the Prussian capital the common people surged through the streets, and decisive events were anticipated.

Zeitgenössische »Revolutions-Karte«: Im Vorgriff auf das revolutionäre Ziel der nationalen Einigung stellt diese Karte Deutschland bereits ohne die Landesgrenzen seiner Kleinstaaten dar.

Contemporary "Map of the Revolution": in preparation for the revolutionary objective of national unity, this map shows Germany with no borders dividing its individual principalities.

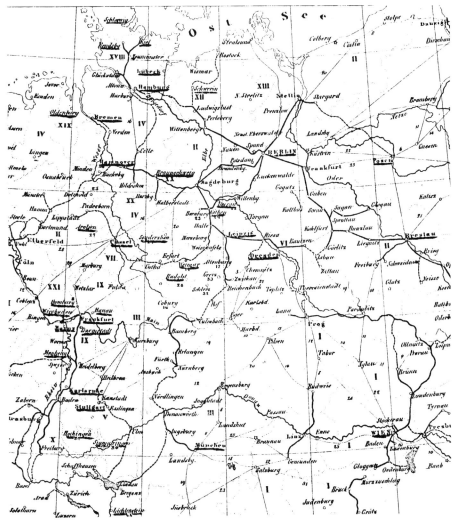

Februarrevolution in Paris: Arbeiter und Studenten erzwingen die Abdankung des »Bürgerkönigs« Louis Philippe. Am 24. Februar wird die Republik ausgerufen.

February revolution in Paris: workers and students force the abdication of the "citizen king", Louis Philippe. The republic is proclaimed on the 24th of February.

»Das merkwürdige Jahr 1848«. Schilderung des Berliner Aufstandes vom 18. und 19. März nach einem Neuruppiner Bilderbogen.

"The remarkable year of 1848". A description of the Berlin uprising on the 18th and 19th of March, based on a Neuruppin Illustrated Magazine.

25

Während alle diese Nachrichten wie ein gewaltiger, von allen Seiten zugleich brausender Sturm auf uns hereinbrachen, war man in der kleinen Universitätsstadt Bonn auch eifrig damit beschäftigt, Adressen an den König abzufassen, sie zahlreich zu unterzeichnen und nach Berlin zu schicken. Am 18. März hatten auch wir unsere Massendemonstration. Eine große Volksmenge sammelte sich zu einem feierlichen Zuge durch die Straßen der Stadt. Die angesehensten Bürger, nicht wenige Professoren, eine Menge Studenten und eine große Zahl von Handwerkern und anderen Arbeitern marschierten in Reih und Glied. An der Spitze des Zuges trug Kinkel eine schwarz-rot-goldene Fahne. Auf dem Marktplatz angekommen, bestieg er die Freitreppe des Rathauses und sprach zu der versammelten Menge. Und als er zuletzt die schwarz-rot-goldene Fahne schwang und der freien deutschen Nation eine herrliche Zukunft voraussagte, da brach eine Begeisterung aus, die keine Grenzen kannte. Man klatschte in die Hände, man schrie, man umarmte sich, man weinte. Im Nu war die Stadt mit schwarz-rot-goldenen Fahnen bedeckt, und nicht nur die Burschenschaften, sondern fast jedermann trug bald die schwarz-rot-goldene Kokarde an Mütze oder Hut.

Plötzlich, nach langer innerer Gärung einem fremden Anstoß folgend, erhob sich dieses Volk. Seine Fürsten gestanden ihm alles zu, was sie ihm früher verweigert, und es sah sich im vollen Besitz einer ungewohnten Macht. Ist es zu verwundern, daß die überraschende Wandlung manchen verworrenen Wunsch und manche ziellose Bestrebung hervorbrachte?

Was aber dem deutschen Volk die Erinnerung an den Frühling 1848 besonders wert machen sollte, ist die begeisterte Opferwilligkeit für die große Sache, die damals mit seltener Allgemeinheit fast alle Gesellschaftsklassen durchdrang. Es wird mir warm ums Herz, so oft ich mich in jene Tage zurückversetze. Ich kannte in meiner Umgebung viele redliche Männer, Gelehrte, Studierende, Bürger, Bauern, Arbeiter, mit oder ohne Vermögen, mehr oder minder auf ihre tägliche Arbeit angewiesen, um sich und ihren Angehörigen einen anständigen Lebensunterhalt zu sichern; ihrem Beruf ergeben, nicht allein aus Interesse, sondern auch aus Neigung; aber damals jeden Augenblick bereit, Stellung, Besitz, Aussichten, Leben, alles in die Schanze zu schlagen für die Freiheit des Volkes und für die Ehre und Größe des Vaterlandes.

Während der Jubel über die »Märzerrungenschaften« zuerst allgemein zu sein schien und selbst die Anhänger der absoluten Königsgewalt gute Miene zum bösen Spiel machten, begann doch sehr bald die Zersetzung in verschiedene Parteigruppen zwischen denjenigen, denen es hauptsächlich um die Herstellung der Ordnung und Autorität zu tun war – den Konservativen –, denjenigen, die dem langsamen Fortschritt huldigten und eine demgemäße Verfassung wünschten – den Konstitutionellen – und denjenigen, welche die Sicherung der Revolutionsfrüchte nur in einem Aufbau der neuen Zustände »auf breitester demokratischer Grundlage« sehen konnten – den Demokraten. Mich führte sowohl instinktiver Trieb als Überlegung auf die demokratische Seite. Da traf ich wieder mit Kinkel zusammen, und unsere Freundschaft wurde bald eine sehr intime. Im Laufe unserer gemeinschaftlichen Tätigkeit wich das steifere Verhältnis zwischen Lehrer und Schüler einem durchaus freundschaftlichen Ton und das formelle »Sie« in der Anrede dem vertraulichen »Du«.

While all these reports came thundering down on us like a tempest from all sides at once, in the little university town of Bonn we were also busy as beavers drafting petitions to the King, collecting signatures, and sending them to Berlin. On March 18th we too held our mass demonstration. A large crowd gathered for a solemn procession through the city's streets. Highly respected citizens, not a few professors, a great many students, and a large number of craftsmen and other workers marched in file. Leading the procession was Kinkel, bearing a black, red and gold banner. When we reached the marketplace, he mounted the stairs in front of the town hall and addressed the assembled multitude. And when, in conclusion, he waved the black, red and gold flag and predicted a glorious future for a free German nation, the acclaim was tumultuous. There were shouts, applause, embraces and tears. In no time at all the town was decked out in black, red and gold flags, and soon not only the student organizations, but almost everybody else was wearing black, red and gold cockades on their caps or hats.

Following a long period of inner ferment, the people, incited by a foreign event, suddenly arose. Their sovereigns granted them everything they had formerly been denied, and they found themselves in full possession of a power to which they were not accustomed. Is it any wonder that this unexpected change brought forth certain befuddled pipe-dreamers with aimless aspirations? Yet the thing that should make the German people particularly cherish the memory of that Spring of 1848 was the immediate willingness of all classes of society to make sacrifices for the Great Cause – a rare show of solidarity. It warms my heart every time I think back on those days. I knew many upright men in my neighborhood, scholars, students, middle-class citizens, peasants, workers, rich and poor, more or less dependent on their daily toil to provide themselves and their families with a decent living, dedicated to their work not only for material reasons, but because they liked it: yet at that moment they were instantaneously prepared to risk their jobs, their property, their future, even their lives, in the name of individual freedom, and for the honor and greatness of their country.

While the rejoicing over the "Triumphs of March" first seemed general in scope, and even the adherents of absolute monarchy appeared to be making the best of things, others soon began splitting into different parties: those who were mainly interested in the establishment of law and order – the conservatives –; those favoring a constitution which would provide progress by means of a series of gradual steps – the constitutionalists –; and those who felt the fruits of the revolution could only be safeguarded by organizing a new government "on the broadest possible democratic footing" – the democrats. Both careful deliberation and my own natural inclinations led me to the democratic side. I began meeting with Kinkel again, and a very close friendship soon developed. In the course of our common activities, the rather formal relationship between teacher and pupil gave way to a deep comradeship.

Barrikadenkämpfe in Frankfurt am Main, 1848.

The fight on the barricades in Frankfurt-on-the-Main, 1848.

Preußisches Militär versucht, den Aufstand in Berlin niederzureiten. Stich aus "The Illustrated London News", 1848.

Mounted Prussian soldiers attempt to put down the rebellion in Berlin. Engraving from "The Illustrated London News", 1848.

»Heldenmüthige Vertheidigung der Nussdorfer Linie«. Die Lithographie von L. v. Elliot aus dem Jahr 1848 illustriert die revolutionären Ereignisse in Wien.

"Heroick Defence of the Nussdorf Lyne". This lithography by L. v. Elliott from the year 1848 illustrates revolutionary events outside Vienna.

27

Unsere agitatorische Arbeit war in der Tat nicht gering. Zuerst organisierten wir einen demokratischen Klub, aus Bürgersleuten und Studenten bestehend, der in einem von Professor Loebell, einem sehr geistvollen Manne, geleiteten »konstitutionellen Klub« einen nicht zu verachtenden Rivalen hatte. Dann wurde als örtliches Organ der demokratischen Partei die »Bonner Zeitung« gegründet, ein täglich erscheinendes Blatt, deren Redaktion Kinkel übernahm, während ich als regelmäßiger Mitredakteur fungierte und täglich einen oder mehrere Artikel zu liefern hatte. Und schließlich wanderten wir ein- oder mehrmals jede Woche, in der Tat so oft wir Zeit fanden, nach den umliegenden Ortschaften hinaus, um den Landleuten das politische Evangelium der neuen Zeit zu predigen und auch dort demokratische Vereine zu organisieren. Unzweifelhaft förderte der neunzehnjährige Journalist und Volksredner sehr viel unverdautes Zeug zutage, aber er glaubte aufrichtig und heiß an seine Sache und würde jeden Augenblick bereit gewesen sein, für das, was er sagte und schrieb, sein Herzblut einzusetzen.

Das Nationalparlament in Frankfurt, das im Frühling gewählt worden war, um die Souveränität der deutschen Nation in einer nationalen Regierung zu verkörpern, zählte unter seinen Mitgliedern eine Menge von Berühmtheiten auf den Feldern der Politik, Jurisprudenz, Philosophie, Wissenschaft und Literatur. Es zeigte sich bald eine Neigung, mit glänzenden, aber mehr oder minder fruchtlosen Debatten einen großen Teil der Zeit zu vergeuden, die dazu hätte verwandt werden sollen, durch promptes und entschiedenes Handeln die Errungenschaften der Revolution unter Dach und Fach zu bringen und so gegen feindliche Angriffe zu sichern.

Das augenscheinliche Wachstum der Reaktion wirkte dahin, diejenigen, denen es um nationale Einheit und konstitutionelle Regierung auf demokratischer Grundlage am ernstlichsten zu tun war, radikaleren Tendenzen mehr und mehr zugänglich zu machen. Die Wirkung des raschen Fortschritts dieser Reaktion machte sich auch in meiner Umgebung wohl bemerklich. Die Mitgliederschaft unseres demokratischen Vereins bestand so ziemlich zu gleichen Hälften aus Bürgersleuten und Studenten. Kinkel war der anerkannte Führer des Klubs, und ich nahm einen Sitz im Exekutivausschuß ein. Anfangs wäre uns eine konstitutionelle Monarchie mit allgemeinem Stimmrecht und wohlgesicherten bürgerlichen Freiheiten vollkommen genügend gewesen. Aber die Reaktion, deren drohendes Aufsteigen wir beobachteten, brachte uns bald zu dem Glauben, daß es für die Freiheit keine Sicherheit gebe als in der Republik. Der Idealismus, der in dem republikanischen Staatsbürger die höchste Verkörperung der Menschenwürde sah, war in uns durch das Studium des klassischen Altertums genährt worden, und über alle Zweifel, ob und wie die Republik in Deutschland eingeführt und inmitten des europäischen Staatensystems behauptet werden könne, half uns die Geschichte der französischen Revolution hinweg. Dort fanden wir ja, wie das scheinbar Unmögliche geleistet werden kann, wenn nur die ganze in einer großen Nation ruhende Energie geweckt und mit der erforderlichen Kühnheit gehandhabt wird.

Our agitatorial activities were manifold. First we organized a democratic club comprising students and members of the bourgeoisie; it had a prestigious rival in the "Constitutional Club" led by Professor Loebell, a very cultivated man. Then a daily newspaper, the *"Bonner Zeitung"* was founded as the official organ of the local democratic party. Kinkel assumed the editorship, and I, as a regular member of the editorial staff, had to provide one or more articles daily. Finally, we made one or more trips a week (in fact, as often as we could find time) to the outlying towns to preach the political gospel of the new era to the countryfolk, and to establish democratic organizations there. The nineteen year-old journalist and soap-box orator undoubtedly came up with a lot of undigested nonsense, but he believed sincerely and absolutely in his cause, and would have been ready at a moment's notice to defend what he wrote and said with his blood.

The German National Assembly at Frankfurt, elected in the spring and intended as a federal government embodying the sovereignty of the German Nation, included among its members a good many renowned personalities in the fields of politics, jurisprudence, philosophy, scholarship and literature. But it soon evinced a tendency to waste a great deal of time on brilliant but more or less fruitless debates; time which should have been spent on prompt and decisive measures to protect the attainments of the revolution and shield them from hostile attack.

The evident increase in reactionary opposition had a part in making those who took national unity and democratic constitutional government most seriously, increasingly susceptible to more radical tendencies. The effects of the reactionaries' rapid progress were even noticeable among my associates. The membership of our democratic club consisted in nearly equal halves of middle-class townspeople and students. Kinkel was the recognized leader of the group, and I had a seat on the executive committee. At first, a constitutional monarchy with universal suffrage and guaranteed civil liberties would have satisfied us completely. But the menacing rise of reaction we observed soon led us to believe that there could be no guarantee of freedom except in a republic.
Idealism, which regarded the citizen of a republic as the highest embodiment of human dignity, was nourished in us by our studies of classical antiquity; and the history of the French Revolution quelled any incertitude concerning whether and how republicanism could be introduced in Germany and maintained in the face of the European state-system. And the French example showed us how the seemingly impossible could be achieved if only the entire energy dormant in a great nation could be awakened and handled with daring.

Sitzung der Frankfurter Nationalversammlung in der Paulskirche. Die einseitige Zusammensetzung dieses »Honoratiorenparlaments« spiegelt sich in einem zeitgenössischen Spottgedicht: »Fünfundsiebzig Bürokraten/Schöne Worte, keine Taten!/Fünfundsiebzig Aristokraten/Vaterland, du bis verraten!/Fünfundsiebzig Professoren/ Vaterland, du bist verloren!«

The seating of the Frankfurt National Assembly in the Paulskirche. The one-sided make-up of this »Parliament of Worthies« is reflected in a bit of contemporary doggerel: »Seventy-five bureaucrats form a faction/ Which supplies fine talk with little action!/ Seventy-five aristocrats take a stand/ To undermine the fatherland!/ Seventy-five professors, wise an clever / Bury the fatherland forever!«

Mit Gottfried Kinkel als Redakteur wurden die »Bonner Zeitung« und ihre Beilage »Spartakus, Wochenzeitung für soziale Fragen« zu einem beachteten Forum der deutschen Revolution.

With Gottfried Kinkel as its editor, the "Bonner Zeitung" and its supplement "Spartacus, Weekly Newspaper for Social Issues", became a respected forum of the German Revolution.

Bonner Zeitung.

Redacteur
Dr. Gottfried Kinkel,
a. Professor der neuern Kunst-, Litteratur- und Kulturgeschichte
an der Universität Bonn.

№ 113.　　　Dienstag, den 5. September　　　1848.

Begegnung mit Marx – Studentenkongreß in Eisenach

Im Laufe des Sommers empfingen Kinkel und ich den Auftrag, unsern Klub bei einem Kongresse demokratischer Vereine in Köln zu vertreten. Diese Versammlung, in der ich mich sehr schüchtern und durchaus schweigsam verhielt, ist mir dadurch merkwürdig geblieben, daß ich dort mehrere der hervorragenden Männer jener Zeit zuerst von Angesicht zu Angesicht sah, unter andern den Sozialistenführer Karl Marx. Er war damals 30 Jahre alt und bereits das anerkannte Haupt einer sozialistischen Schule. Der untersetzte, kräftig gebaute Mann mit der breiten Stirn, dem pechschwarzen Haupthaar und Vollbart und den dunkeln blitzenden Augen zog sofort die allgemeine Aufmerksamkeit auf sich. Er besaß den Ruf eines in seinem Fache sehr bedeutenden Gelehrten, und da ich von seinen sozialökonomischen Entdeckungen und Theorien äußerst wenig wußte, so war ich nun umso begieriger, von den Lippen des berühmten Mannes Worte der Weisheit zu sammeln. Diese Erwartung wurde in einer eigentümlichen Weise enttäuscht. Was Marx sagte, war in der Tat gehaltreich, logisch und klar. Aber niemals habe ich einen Menschen gesehen von so verletzender, unerträglicher Arroganz des Auftretens. Keiner Meinung, die von der seinen wesentlich abwich, gewährte er die Ehre einer einigermaßen respektvollen Erwägung. Jeden, der ihm widersprach, behandelte er mit kaum verhüllter Verachtung. Jedes ihm mißliebige Argument beantwortete er entweder mit beißendem Spott über die bemitleidenswerte Unwissenheit, oder mit ehrenrühriger Verdächtigung der Motive dessen, der es vorbrachte. Es war nicht zu verwundern, daß die von Marx befürworteten Anträge in der Versammlung nicht durchdrangen, daß diejenigen, deren Gefühl er durch sein Auftreten verletzt hatte, geneigt waren, für alles zu stimmen, was er nicht wollte, und daß er nicht allein keine Anhänger gewonnen, sondern manche, die vielleicht seine Anhänger hätten werden können, zurückgestoßen hatte.

Die Fahrt zum Studentenkongreß in Eisenach, der im September 1848 stattfand, und dem ich als Vertreter der Bonner Studentenschaft beiwohnte, war die erste größere Reise meines Lebens. Zum erstenmal an jenem heiteren sonnigen Septembertage hatte ich den Vollgenuß einer Rheinreise auf der ganzen Strecke von Bonn nach Mainz, und ich gab mir Mühe, die beunruhigenden Gedanken abzuweisen, die durch allerlei verworrene Gerüchte von einem Aufruhr und Straßenkampf, der in Frankfurt im Gange sei, geweckt wurden. In der Tat fand ich diese Gerüchte abends bei meiner Ankunft in Frankfurt in erschütternder Weise bestätigt. Nur mit Mühe machte ich meinen Weg nach dem »Gasthof zum Schwan«, wo ich einer Verabredung gemäß einige Heidelberger Studenten treffen sollte, um in ihrer Gesellschaft die Reise nach Eisenach fortzusetzen.

Meeting with Marx – Student Convention at Eisenach

In the course of the summer, Kinkel and I were delegated to represent our club at a convention of democratic organizations at Cologne. This gathering, at which I remained extremely shy and reticent, remains unforgettable for me, as it was there that I first saw many of the most eminent men of the day face to face, including Karl Marx, the leader of the Socialists. He was thirty years old then, and already the recognized head of an advanced socialistic school. The stocky, powerfully-built man, with his broad forehead, raven black hair and beard, and dark flashing eyes, immediately became the center of attention. He had the reputation of being particularly learned in his field, and as I knew very little about his socio-economic discoveries and theories, I was all the more eager to glean words of wisdom from the famous man's very lips. But these expectations were peculiarly disappointed. What Marx said was indeed substantial, logical, and clear. But I have never seen a man of such offensive, unbearable arrogance in his demeanor. He did not consider any opinion which basically varied from his own worthy of so much as token respect. He treated anyone who opposed him with scarcely concealed contempt. He answered every argument which wasn't to his liking by either acrimoniously ridiculing the pitiful ignorance, or casting slanderous aspersions on the motives of the person who raised it. It was no wonder that the motions which Marx supported at the meeting were voted down; that those whose feelings he had hurt were disposed to vote for anything he opposed; and that he not only failed to win any new adherents, but managed to alienate many who perhaps would have become his followers.

The trip to the student convention at Eisenach, which took place in September 1848, and which I attended as representative of the students of Bonn, was the first relatively long journey of my life. On a clear, sunny September day, I had the pleasure, for the first time in my life, of traveling down the entire stretch of the Rhine from Bonn to Mainz. I made an effort to dispel the disturbing thoughts brought on by all sorts of confused rumors of rioting and street fighting going on in Frankfurt, but these rumors were appallingly confirmed upon my arrival in Frankfurt that evening. Only with great difficulty could I make my way to the "Gasthof zum Schwan", the inn where I had arranged to meet several students from Heidelberg, and continue on to Eisenach in their company.

Karl Marx (1818 - 1883). Die Allegorie aus dem Jahre 1843, die Marx als Prometheus an eine Druckerpresse geschmiedet zeigt, spielt auf das Verbot der liberalen »Rheinischen Zeitung« an, deren Chefredakteur er gewesen war. 1848 kehrte Marx aus dem Exil nach Köln zurück und gab die »Neue Rheinische Zeitung« heraus, die 1849 ebenfalls verboten wurde.

Karl Marx (1818 - 1883). The allegory from the year 1843, which shows Marx as Prometheus bound to a printing press, makes reference to the ban on the liberal "Rheinische Zeitung", of which he had been editor-in-chief. In 1848, he returned from exile to Cologne and again edited the "Rheinische Zeitung" until it was once again banned in 1849.

Dampfschiff auf dem Rhein, Mitte des 19. Jahrhunderts.

Steamer on the Rhine, mid-19th Century.

31

Am folgenden Abend gings weiter nach Eisenach, und bald fand ich mich inmitten einer ebenso heiteren wie anziehenden Gesellschaft. Das freundliche Städtchen Eisenach, am Fuße der Wartburg liegend, wo Luther die Bibel in gutes Deutsch übersetzt und dem Teufel das Tintenfaß an den Kopf geworfen, war schon von der alten Burschenschaft als Schauplatz ihrer großen Demonstrationen gewählt worden, wenige Jahre nach den Freiheitskriegen, als es galt, Fürsten und Völker an die in bedrängter Zeit gemachten Versprechungen und erregten Hoffnungen zu erinnern. Auch im Frühling 1848 hatte sich bereits eine Studentenversammlung dort eingefunden, ohne jedoch bestimmte Resultate ihrer Verhandlungen zu hinterlassen. Der Zweck unseres Studentenkongresses im September bestand nun hauptsächlich in der Bildung einer nationalen Organisation der deutschen Studentenschaften mit einem Vorort, um gemeinsames Auftreten und Handeln gelegentlich zu erleichtern. Dann sollten auch allerlei Reformen zur Sprache kommen, die auf den Universitäten nötig seien, von denen jedoch, soviel ich mich erinnern kann, niemand sich ganz klare Rechenschaft geben konnte. Wir hielten unsere Sitzungen in dem Saale der »Klemda«, einem Vergnügungsort, wo wir uns parlamentarisch organisierten, so daß das Reden in aller Ordnung vor sich gehen konnte. An oratorischen Leistungen fehlte es denn auch keineswegs. Da fast alle deutschen Universitäten, die österreichischen eingeschlossen, Deputierte zu diesem Studentenkongreß geschickt hatten, so war die Versammlung recht zahlreich und enthielt viele junge Leute von ungewöhnlicher Begabung.

Am Abend vor unserer Abreise wurde noch eine große »Kneiperei« im Ratskeller gehalten. Einer von uns, wenn ich mich recht erinnere, ein Königsberger, der sich durch das Tragen einer polnischen Mütze und durch extreme revolutionäre Äußerungen auszeichnete, machte den Vorschlag, daß wir, ehe wir auseinandergingen, noch eine Ansprache an das deutsche Volk erlassen sollten, um demselben unsere Meinung über die obwaltende Sachlage darzulegen, und es zu schlafloser Wachsamkeit und energischem Widerstande gegen die vordringende Reaktion zu ermahnen. Daß eine solche Proklamation in einem solchen Augenblicke von so sehr jungen Leuten ausgehend etwas Komisches haben könne, schien niemandem von uns einzufallen. Der Antrag wurde mit großem Ernst erwogen und gebilligt, die Adresse sofort entworfen, diskutiert und angenommen, um dann, mit den Unterschriften eines Ausschusses, zu dem auch ich gehörte, dieselbe nacht noch gedruckt und am Rathause und anderen Plätzen angeschlagen sowie an mehrere Zeitungen versandt zu werden. Nachdem diese Tat getan war, wurden noch mehrere Lieder gesungen, und dann nahmen wir unter zärtlichen Umarmungen und Beteuerungen ewiger Freundschaft voneinander Abschied. In der Frühe des nächsten Morgens zerstreuten wir uns in alle Richtungen.

Auf dem Heimweg wurde mir recht nüchtern zumute. In Frankfurt fand ich noch den Belagerungszustand und eine dumpfe Atmosphäre der Besorgnis. An einem trüben und feuchtkalten Tage fuhr ich den Rhein hinunter. Unter den Passagieren des Dampfers sah ich kein einziges bekanntes Gesicht. Als ich so stundenlang allein und fröstelnd auf dem Deck saß, möglichst nahe bei dem Schornstein, um mich zu erwärmen, kamen mir, außer meiner Unruhe über den allgemeinen Gang der Dinge, zum erstenmal Gedanken über meine persönliche Sicherheit.

The following evening we left for Eisenach, and I soon found my companions to be as merry as they were congenial. The friendly little town of Eisenach, situated at the foot of the Wartburg, where Luther translated the Bible into good plain German and hurled his inkpot at the devil, had already been used by the old students' associations only a few years after the wars of liberation as the site for huge demonstrations, which were meant to remind sovereign and subject alike of promises that had been made and hopes that had been aroused in those days of distress. A student gathering had also already taken place there in the spring of 1848, without however bringing about any definite results. The main purpose of our student convention in September now was to form a national association of German students and establish an administrative center to facilitate coordination of activities. We were also to discuss various reforms which we felt should be implemented at the universities; but as far as I can recall, nobody came up with any concrete proposals. We held our meetings in the assembly hall of the "Klemda", an amusement center. We agreed to follow parliamentary procedure to avoid disorder during the speeches. Since almost all the German universities, including those in Austria, had sent delegates to this student congress, the attendance was quite large and included many unusually gifted young men.

The night before our departure, a last convivial evening of drinking and good company was held in the Ratskeller. One of us, I believe it was a fellow from Königsberg who stood out because of the Polish cap he wore and the extreme revolutionary views he expressed, proposed that we write a final address to the German people before we dispersed, to express to them our appraisal of the current state of affairs, and admonish them to maintain constant vigilance and energetic resistance to the rising forces of reaction. It didn't seem to occur to any of us that a proclamation like this, coming from the mouths of such youngsters at such a moment could possibly have had a comical effect. The proposal was considered and approved with great seriousness; the address was immediately drafted, discussed and accepted, signed by the members of a committee to which I belonged, and even printed that same night, so it could be posted on the town hall and other places, and sent to various newspapers. After that was accomplished and still more songs had been sung, we took leave of each other with fond embraces and protests of eternal friendship. Early the next morning we dispersed in all directions.

The trip home was a sobering experience. In Frankfurt, a gloomy atmosphere of apprehension prevailed following the state of siege. On a cold, damp and dull day I continued down the Rhine. I did not see a single familiar face among the passengers on the steamer. Sitting alone for hours on the chilly deck, as close as possible to the smokestack in an effort to warm myself, in addition to being anxious about the general course of events, for the first time ever I became concerned for my own personal safety.

»Ich und Mein Haus. Wir wollen dem HERRN dienen.« Spottblatt von Friedrich Engels auf Friedrich Wilhelm IV. von Preußen, der bereits 1847 eine Verfassung mit den Worten ablehnte: »Kein Stück Papier soll sich zwischen den Herrn Gott im Himmel und dieses Land drängen.«

"My House and I wish to serve the LORD." Friedrich Engels' caricature of Frederick William IV of Prussia, who, in the year 1847, had already rejected a constitution, commenting: "Let no piece of paper come between the Lord God in Heaven and this Nation."

Studentisches Freiheitsfest auf der Wartburg bei Eisenach, Juni 1848. Hier hatte die Freiheitsbewegung mit dem Wartburgfest von 1817 auch ihren Ausgang genommen. Unten: zeitgenössische Ansicht von Eisenach in Thüringen mit der Wartburg.

Student gathering on the Wartburg near Eisenach, June, 1848. The freedom movement had begun with a demonstration on the Wartburg in 1817. Below, a contemporary view of Eisenach and the Wartburg, Thuringia.

Defending the Fruits of the March Revolution, 1849

Von den unmittelbar aus der Märzrevolution hervorgegangenen größeren parlamentarischen Körpern war nur noch das Nationalparlament in Frankfurt übrig. Es verdankte dem Drange des deutschen Volkes, oder vielmehr der deutschen Völker, nach nationaler Einheit seine Entstehung, und es war seine natürliche, allgemein verstandene Mission, die deutschen Völker unter einer einheitlichen Verfassung und Nationalregierung in eine große Nation zu verschmelzen.

Das Volk glaubte, der Mann, der im März 1848 auf den Straßen von Berlin feierlich erklärt, er wolle sich an die Spitze der nationalen Bewegung stellen, und Preußen solle in Deutschland aufgehen, könne unmöglich das nationale Einigungswerk in dem Augenblick, da es zu seiner Vollendung nur noch seiner Einwilligung bedurfte, von sich stoßen und vernichten wollen. Doch das war es, was geschah. Friedrich Wilhelm IV., der sich über die Weise, in welcher Deutschland geeinigt werden könnte, allerlei phantastischen Träumereien hingegeben hatte, fand die ihm gebotene Verfassung in allen wesentlichen Punkten von seinen eigenen Konzeptionen abweichend. Das Nationalparlament habe überhaupt kein Recht, ihm oder irgendjemandem eine Krone anzubieten; solch ein Anerbieten könne rechtmäßigerweise nur von der freien Entschließung der deutschen Fürsten ausgehen. Auch würde die Annahme der deutschen Kaiserkrone mit seinem Gefühl freundschaftlicher Verbindlichkeit Österreich gegenüber nicht verträglich sein.

Die Ablehnung der Kaiserwürde und der Reichsverfassung durch den König von Preußen verwandelte den allgemeinen Enthusiasmus in ebenso allgemeine Bestürzung und Indignation. Am 4. Mai forderte das Nationalparlament die »Regierungen, die gesetzgebenden Körper, die Gemeinden der Einzelstaaten, das gesamte deutsche Volk auf, die Verfassung des deutschen Reiches zur Anerkennung und Geltung zu bringen.« Dieser Beschluß klang einem Aufruf zu den Waffen sehr ähnlich.

In Berlin und Breslau wurden Volksaufstände versucht, aber schleunig von den Behörden mit bewaffneter Hand unterdrückt. In der Rheinprovinz war die Aufregung ungeheuer. In Köln wurde eine Versammlung der rheinischen Gemeindevertretungen abgehalten, die fast einstimmig die Anerkennung der deutschen Reichsverfassung forderte und im Falle der Weigerung der preußischen Regierung mit dem Abfall des preußischen Rheinlandes von der Monarchie drohte. Aber die preußische Regierung hatte längst aufgehört, sich durch bloße Versammlungen und hochtönende Worte schrecken zu lassen, wenn nicht eine starke revolutionäre Tatkraft dahinter stand. Es war klar, um die Reichsverfassung und die nationale Einheit zu retten, mußte gehandelt werden.

Of the major parliamentary bodies formed as direct result of the March Revolution, the only one still remaining was the German National Assembly at Frankfurt. It owed its existence to the striving for national unity on the part of the German people, or rather, the various German peoples; and its natural mission was generally understood to be to unite them in a single great nation under a unified constitution and national government.

The people could hardly believe that the man who, in March of 1848, solemnly declared on the streets of Berlin that he would be proud to head the national movement, and that Prussia should be absorbed within Germany, – that this man, at the very moment when the great task of national unification lacked only his approval for its completion, should abnegate and abort it. Yet that is exactly what he did. King Frederick William IV, who nourished all kinds of fanciful dreams on how Germany should be unified, found the constitution offered to him at odds with his own visions in every basic point. He denied the Frankfurt Assembly the right to offer him or anyone a crown; such an offer could rightfully be made only by free resolution of the German sovereigns. Furthermore, he could not reconcile being crowned as German Emperor with his feelings of friendly obligations to Austria.

The King of Prussia's rejection of the imperial crown and the proposed constitution turned the universal enthusiasm into equally universal consternation and indignation. On May 4th, the National Assembly appealed to "the governments, the legislative bodies, the communities in the individual states and the German people as a whole to recognize and implement the constitution of the German Reich." This appeal seemed to be tantamount to a summons to arms.

Popular uprisings were attempted in Berlin and Breslau, but quickly put down by the authorities by armed force. There was tremendous excitement in the Rhenish provinces. In Cologne, a meeting of representatives of the Rhenish communes was held; recognition of the German national constitution was almost unanimously demanded of the Prussian monarchy; in case of refusal to comply, the loss of its Prussian Rhineland was threatened. But the Prussian government had long since ceased to be intimidated by mere meetings and rhetoric not backed up by a strong revolutionary force. It became clear that prompt action had to be taken if national unity and the constitution were to be saved.

War die Revolution von 1848 in den meisten deutschen Staaten friedlich verlaufen, so hatte gerade Berlin für den Aufstand vom 18. März einen blutigen Preis gezahlt. Abbildung oben: Aufbahrung der »Märzgefallenen« auf dem Gendarmenmarkt. Ein Jahr später hatte der Preußenkönig Friedrich Wilhelm IV. seine unter dem Eindruck des »Barrikadenaufstands« (rechts) gemachten Zusagen vergessen.

Whereas the Revolution of 1848 was largely non-violent in most of the German cities, Berlin paid a heavy price for the uprising on March 18th. Above: those slain that day lying in state on the Gendarmenmarkt in Berlin. A year later, Prussia's King Frederick William IV had forgotten the promises he had made under pressure of that "barricades uprising" (right).

Marsch auf Siegburg, Abschied von Bonn

Ein Aufstand konnte nur dann die Möglichkeit des Erfolges haben, wenn die Erhebung im Lande allgemein wurde, und in der Tat sah es einen Augenblick aus, als ob die Widersetzlichkeit der Landwehren im Rheinland und Westfalen sich ausbreiten und zum Sammelpunkt einer mächtigen und folgenreichen Bewegung gestalten werde. Aber was geschehen sollte, mußte dann sofort geschehen. So trat die Frage des Augenblicks auch an uns in Bonn heran. Kinkel, in Bonn der anerkannte demokratische Führer, war wieder da. Jetzt galt es für ihn, seine Fähigkeit zu rasch entschlossenem Handeln zu beweisen, oder die Führerschaft in der entscheidenden Stunde andern zu überlassen. Er zögerte keinen Augenblick. Was war zu tun? Daß die Landwehr, wenigstens der größte Teil davon, nicht unter die Waffen zu treten wünschte, um die Verteidiger der Reichsverfassung zu bekämpfen, war gewiß. Aber wollte sie diese Weigerung aufrecht erhalten, so mußte sie selbst die Waffen ergreifen gegen die preußische Regierung, gegen den eigenen »Kriegsherrn«. Um den Widerstand gegen die preußische Regierung tatkräftig zu machen, war sofortige massenweise Organisation nötig. Waren die Landwehrleute dazu bereit, so konnten sie nichts Einfacheres und Besseres tun, als sich ohne weiteres in den Besitz der Waffen zu setzen, die in den an verschiedenen Orten befindlichen Landwehr-Zeughäusern aufgespeichert lagen, um dann unter ihren eigenen Führern als eine kampffähige Organisation gegen die preußische Regierung Front zu machen. Ein solches Zeughaus befand sich in Siegburg, ein paar Stunden Weges von Bonn auf der rechten Rheinseite.

Am 10. Mai hatten wir in Bonn eine Versammlung der Landwehrleute aus der Stadt und der Umgebung veranstaltet. Schon während der Morgenstunden strömte eine große Menge im Saal des Römers zusammen. Anselm Unger, zum Vorsitzenden gewählt, ermahnte die Leute, der Einberufung durch die preußische Regierung nicht Folge zu leisten, sondern, wenn die Waffen ergriffen werden müßten, sie dann gegen die Regierung, die das deutsche Volk um seine Freiheit und Einheit bringen wolle, zu ergreifen und zur Verteidigung der Reichsverfassung zu führen. Die Leute nahmen diese Ermahnung mit allen Zeichen warmen Einverständnisses auf.

Kinkel, nachdem er noch seine letzte Vorlesung in der Universität gehalten hatte, sprach nachmittags um 4 Uhr zu der Versammlung im Römer. Mit glühenden Worten fachte er die patriotischen Gefühle seiner Zuhörer an, ermahnte sie dringend, zusammenzubleiben, da jetzt die Stunde des entscheidenden Handelns gekommen sei, und versprach ihnen am Schluß seiner Rede, bald wieder unter ihnen zu erscheinen, um im Augenblick der Gefahr ihr Schicksal mit ihnen zu teilen.

Sehr lebhaft erinnere ich mich, wie ich bei dem letzten Abenddämmerlicht nach Hause ging, um meinen Eltern zu sagen, was geschehen werde, und was ich für meine Pflicht halte, um dann von den Meinigen Abschied zu nehmen. Seit dem Ausbruch der Revolution hatten meine Eltern an der Entwicklung der Dinge das wärmste Interesse genommen. Die Ankündigung, die ich ihnen zu machen hatte, überraschte sie daher nicht.

The March on Siegburg – Farewell to Bonn

A revolt could only have a chance of success as the result of a general uprising throughout the land, and for a moment it really seemed as though the resistance being put up by the Landwehr (the home reserve, or militia) in the Rhineland and Westphalia would serve as an example, and become the rallying point of a mighty and momentous movement. But action would have to be taken without delay. This question of the moment was of course a matter of great concern to us in Bonn. Kinkel, the recognized leader of the Bonn democrats, had returned. Now it was up to him to show his ability to take quick action, or else to yield the leadership to others at this hour of decision. He did not hesitate for a moment. What was to be done? It was certain that the Landwehr, at least most of its members, had no inclination to bear arms against the defenders of the constitution. But to avoid this, they would have to turn against their own "commanders", against Prussia. Immediate and large scale organization would be necessary in order to establish effective resistance to the Prussian government. If the men of the Landwehr were willing, the simplest and best thing for them to do would be to take immediate possession of the weapons which were stored in Landwehr armories at different sites, and then, as an effective fighting force under its own leaders, make a stand against the Prussian government. One of the armories was located at Siegburg, a few hours away from Bonn, on the right bank of the Rhine.

On May 10th we held a meeting in Bonn of the men of the Landwehr from the city and the environs. Even before noon a great crowd already had begun gathering in the Römer hall. Anselm Unger, having been elected chairman, urged the reservists not to answer the call to active duty by the Prussian government, but, if it became necessary to take up arms at all, to turn them against the government which wanted to deprive the German people of their liberty and unity, and instead use them to defend the Frankfurt constitution. The men responded to this appeal with every sign of hearty concurrence.

After giving his last lecture at the university, Kinkel spoke to the meeting in the Römer hall at four o'clock. With fiery words he stirred up his listeners' feelings of patriotism, emphatically admonishing them to stay together now that the critical hour was close at hand; at the end of his address he promised to return soon, in the moment of peril, to share their fate with them.

I also remember quite clearly returning home at twilight to bid farewell to my parents, telling them what was to take place and what I felt to be my duty. Since the outbreak of the revolution, my parents had followed developments with the keenest interest. They were therefore not surprised by what I now had to tell them.

Die schwarz-rot-goldene Fahne der Aufständischen auf einer Barrikade
vor dem Kölner Dom am 25. September 1848.

The black, red and gold rebel flag on a barricade in front of Cologne
Cathedral on September 25, 1848.

Ehe ich das Haus verließ, verweilte ich noch einen Augenblick in meinem Zimmer. Wir wohnten damals auf der Koblenzer Straße und von meinem Fenster hatte ich einen freien Blick auf den Rhein und das Siebengebirge, jene Aussicht, die an Lieblichkeit in der ganzen Welt ihresgleichen sucht. Wie oft hatte ich, in den Anblick dieses anmutigen Bildes versunken, mir träumend eine schöne, ruhige Zukunft aufgebaut! Nun konnte ich in der Dunkelheit nur die Konturen meiner geliebten Berge gegen den Horizont stehend unterscheiden. Hier war meine Arbeitsstube, still wie sonst. Wie oft hatte ich sie mit meinen Phantasien bevölkert! Da waren meine Bücher und Manuskripte, alle von Plänen, Bestrebungen und Hoffnungen zeugend, die ich nun vielleicht auf immer hinter mir lassen sollte. Ein instinktives Gefühl sagte mir, daß es damit nun wirklich vorbei sei. Ich ließ alles liegen, wie es eben lag, kehrte der Vergangenheit den Rücken und ging meinem Schicksal entgegen.

Wir waren vielleicht eine halbe Stunde auf Siegburg zu marschiert, als einer unserer beiden Reiter nachgesprengt kam mit dem Bericht, daß die in Bonn stationierten Dragoner uns auf den Fersen seien, um uns anzugreifen. Die Meldung brachte in unserer Schar viel Aufregung hervor. Unser Marsch wurde beschleunigt, damit wir noch vor der Ankunft der Dragoner den Übergang über den Siegfluß bei Siegburg-Müldorf bewerkstelligen möchten, um dem Feind die Passage streitig zu machen. Aber dies mißlang. Lange ehe wir den Siegfluß hätten erreichen können, erklang in geringer Entfernung hinter uns das Trabsignal der Dragoner. Anneke, der offenbar der Kampffähigkeit seiner Schar nicht traute, ließ sofort Halt machen und sagte den Leuten, sie seien augenscheinlich nicht imstande, den herankommenden Truppen erfolgreichen Widerstand zu leisten; sie sollten daher auseinandergehen und, wenn sie sich der Sache des Vaterlandes weiter widmen wollten, ihren Weg nach Elberfeld finden, oder nach der Pfalz, wie er es tun werde. Dieses Zeichen zur Auflösung wurde sofort befolgt.

Als nun die Dragoner zwischen uns durchgeritten waren und sich der Unsrigen nur wenige in der Dunkelheit auf der Straße zusammenfanden, überkam mich ein Gefühl tiefer, grimmiger Beschämung. Unser Unternehmen hatte also nicht nur einen unglücklichen, sondern einen lächerlichen, schmachvollen Ausgang genommen. Vor einer Handvoll Soldaten war unsere mehr als dreimal so starke Schar, ohne einen Schuß zu feuern, auseinander gelaufen. So bewahrheiteten sich die großen Worte derer, welche der Freiheit und Einheit des deutschen Volkes Gut und Blut, Leib und Leben zu opfern versprochen.

Unger, Meyer und ich beschlossen, dorthin zu gehen, wo gekämpft wurde, machten uns auf den Weg nach Elberfeld und erreichten unser Ziel am nächsten Tage. Dort fanden wir Barrikaden auf den Straßen, viel Lärm in den Wirtshäusern, eine nur geringe Zahl von Bewaffneten, und weder systematisches Kommando noch Disziplin. Hier war offenbar kein Erfolg in Aussicht. Hier konnte es nichts geben, als einen von vornherein hoffnungslosen Kampf, oder sogar eine sofortige Kapitulation. »Hier ist es nichts,« sagte ich zu Unger, »ich gehe nach der Pfalz.«
Die Lehrjahre waren zu Ende, die Wanderschaft begann.

Before I left the house, I took a last look around my room. We lived on Coblenzer Straße in those days; from my window, I had an unobstructed view over the Rhine to the slopes of the Siebengebirge, as lovely a panorama as anywhere in the world. How many hours had I spent contemplating that delightful landscape while daydreaming of a pleasant, peaceful future! In the darkness now, only the contours of my beloved mountains were visible against the horizon. Here inside my study, it was as quiet as ever. How often had I populated it with my fantasies! There were my books and manuscripts, all evincing plans, goals and hopes which I now might be leaving behind forever. An instinct told me these had now indeed become things of the past. I left everything where it was, turned my back on the past, and went off to face my destiny.

We had been marching a good half hour toward Siegburg when one of our horsemen came galloping after us with the news that the dragoons stationed in Bonn were hard on our heels, preparing to attack us. This report caused much alarm among our ranks. We accelerated our march in an effort to reach the bridge over the Sieg river at Siegburg-Müldorf before the dragoons were upon us, to prevent them from cossing. But this did not succeed. Long before we were able to reach the river, we heard the bugle call close behind us, giving the mounted dragoons the order to start trotting. Anneke, apparently mistrusting the strength of his troops, immediately called a halt, and told his men an effective resistance to the oncoming troops didn't seem possible; they should therefore disperse, and if they wished to continue serving the cause of their country, they should find their way to Elberfeld or else to the Palatinate, where he himself would proceed. The troops thereupon disbanded at once.

When the dragoons then came riding up upon the few of us who were still together on the road in the dark, a raging feeling of deep humiliation overcame me. Our undertaking had failed miserably, disgracefully, and ridiculously. Our forces had dispersed without firing a shot, in the face of a handful of soldiers less than a third our number. Our high-sounding oaths to defend the freedom and unity of the German people with our life's blood had come to this!

Unger, Meyer and I resolved to head for where the fighting was; we set out for Elberfeld and arrived there the next day.
There we found the streets barricaded, the inns tumultuously noisy, and a small number of armed men lacking discipline and organized leadership. There were clearly no prospects of success here. What we saw here could only mean a battle that was hopeless from the outset, or worse, an immediate capitulation. I told Unger, "This is not for me, I'm going to the Palatinate."
My years of apprenticeship were now over, and my time as a wandering journeyman had begun.

»Jene Aussicht, die an Lieblichkeit in der ganzen Welt ihresgleichen sucht«: Blick über Bonn und den Rhein auf das Siebengebirge. Der amerikanische Lyriker Henry Wadsworth Longfellow, den Schurz zehn Jahre später in Boston kennenlernen sollte, rühmte Bonn als »das 'ultima Thule' der rheinischen Schönheiten«.

"As lovely a panorama as anywhere in the world": view of Bonn and the Rhine along with the Siebengebirge. The American poet Henry Wadsworth Longfellow, whom Schurz was to meet in Boston ten years later, called Bonn "The 'ultimate Thule' of all the Rhenish beauties."

Zeitgenössische Ansicht von Siegburg.   Contemporary View of Siegburg.

In Mainz angekommen, erfuhr ich von einem Mitgliede des dortigen demokratischen Vereins, daß Kinkel bereits durch die Stadt passiert sei, um nach der Pfalz zu gehen und der dort sitzenden provisorischen Regierung seine Dienste anzubieten. So wanderte ich denn weiter nach Kaiserslautern. Dort fand ich auch sogleich Kinkel und Anneke, beide im besten Humor. Sie begrüßten mich herzlich und quartierten mich im Gasthof zum Schwan ein, wo ich vorläufig, wie Kinkel sagte, mich redlich nähren und einen guten pfälzischen Nachtschlaf genießen sollte; am nächsten Tage werde man mir schon etwas zu tun geben.

Schon am Tag nach meiner Ankunft in Kaiserslautern hatte ich mich in eins der Volkswehrbataillone, die organisiert wurden, als Soldat wollen einreihen lassen. Aber Anneke riet mir, damit nicht zu eilig zu sein, sondern mich ihm anzuschließen; da er Chef der pfälzischen Artillerie sei, so könne er mir eine meinen Fähigkeiten mehr angemessene Stellung verschaffen. In der Tat brachte er mir ein paar Tage darauf ein Leutnantspatent, das er mir von der provisorischen Regierung erwirkt hatte, und so wurde ich Aide-de-Camp im Stabe des Artilleriechefs. Kinkel fand Verwendung als einer der Sekretäre der provisorischen Regierung. Ich hatte zuweilen auch bei Volksversammlungen mitzuwirken, welche man zur Anfeuerung des patriotischen Eifers veranstaltete.

Der Angriff, den die fröhlichen Pfälzer, wenigstens viele davon, so lange für unwahrscheinlich gehalten hatten, kam nun wirklich. Am 12. Juni rückte eine Abteilung preußischer Truppen über die Grenze. Wären die Flüche, die das sonst so gutmütige Völkchen den Preußen entgegenschleuderte, alle Kanonenkugeln gewesen, so hätte das preußische Korps schwerlich standhalten können. Aber die wirklichen Streitkräfte, über welche die provisorische Regierung der Pfalz gebot, waren so gering und befanden sich in einem so wenig schlagfertigen Zustande, daß an eine erfolgreiche Verteidigung des Landes nicht zu denken war. Man mußte daher ein Zusammentreffen mit den Preußen vermeiden; und so kam es, daß die erste militärische Operation, an der ich teilnahm, in einem Rückzug bestand.

Einige Tage vorher hatte mein Chef, der Oberstleutnant Anneke, mich instruiert, zu jedem Augenblick marschbereit zu sein, was mir nicht schwer fiel, da mein Gepäck sehr bescheiden war. Es wurde mir auch ein Pferd zugewiesen, ein hübsches, hellbraunes Tier; und da ich das Reiten noch nicht verstand, so schickte mich Anneke in eine Reitbahn, wo ein Rittmeister mich aufsitzen ließ, mir in kurzen Worten den Schluß mit den Beinen und die Handgriffe der Führung erklärte, worauf er mit seiner Peitsche auf das Pferd einhieb, das in ziemlich wilden Sätzen mit mir umhersprang, bis ich seiner mächtig wurde. »So«, sagte der Reitmeister, »jetzt haben Sie genug für diese Gelegenheit. Das andere lernen Sie schon auf dem Marsch.« Ich wurde auch mit einer Kavalleriereithose ausgestattet, die so schwer mit Leder besetzt war, daß sich nur mit Mühe darin zu Fuß gehen ließ. Der Reitmeister hatte Recht gehabt. Die fortwährende Übung im aktiven Dienst machte mich bald zu einem sattelfesten und nicht ungeschickten Reiter.

When I reached Mainz, I was told by a member of the democratic club there that Kinkel had already passed through the city on his way to the Palatinate, where he intended to offer his services to the provisional government located there. So I tramped on to Kaiserslautern, where I found Kinkel, and Anneke as well, both in the best of spirits. They received me cordially and put me up in the inn "zum Schwan"; Kinkel suggested I have a good meal and get a "good Palatine night's sleep", for I would soon be given a job.

The very next day I was about to enlist in one of the popular militia battalions then being organized, when Anneke however advised me not to do anything rash, but rather to join up with him: as Commander of the Palatine Artillery, he could secure a position better suited to my abilities. A few days later he indeed obtained a lieutenant's commission for me from the provisional government, as staff *aide-de-camp* to the commanding officer of the artillery. Kinkel found employment as one of the secretaries to the provisional government. I was also sometimes sent to participate in popular meetings which were held to stir up patriotic sentiment.

The enemy attack, which at least many of the affable Palatine populace had up to then considered unlikely, now actually took place. On June 12th, a detachment of Prussian troops advanced across the border. If the curses that otherwise so amiable and good-natured little populace hurled at the Prussians had all been cannonballs, the Prussian unit would have been hard put to take a stand. But as it was, the real fighting forces the provisional government had at its disposal were so small and ill-prepared for the battle that a successful defense of the region was out of the question. Thus, a confrontation with the Prussians would have to be avoided: the first military operation in which I participated consisted in a retreat.

Several days earlier, my commander, Lieutenant Colonel Anneke, had instructed me to be ready to march at any moment, which would not have been difficult for me, as I had very little baggage. I was assigned a horse, a handsome bay; as I had never learned to ride, Anneke sent me to a riding-school, where a cavalry captain had me mount, gave me a short explanation of how to use my legs to sit firm and my hands to govern the bridle, and gave the horse such a lash of the whip that it began bucking and wildly jumping around with me until I was able to control it. "Well," said the captain, "that will do for now; you'll learn the rest on the march." I was also issued cavalry riding breeches with such heavy leather inserts that it took great effort to walk in them. The captain was right: constant practice while on active duty soon made me quite firm in the saddle, an equestrian of some skill.

»Bivouaque zu Kaiserslautern«; Lithographie von Adam Ernst Schalck, 1849. Ein radikaldemokratischer Reimer machte seiner antimonarchistischen Gesinnung im selben Jahr mit folgenden Zeilen Luft: »Es rief die Pfalz! wie bin ich doch/ In Hast ihr zugereist!/ Geb's Gott, dass Kaiserslautern noch/ Ein Volkeslautern heisst.«

"Bivouac in Kaiserslautern". Lithography by Adam Ernst Schalck, 1849. A radical democratic rhymer expressed his anti-monarchist views in the same year with the following lines: "The Palatinate summons! Gladly will/ I haste to heed her call!/ Lord willing, Kaiserslautern still/ Is in the people's thrall!"

Turner und Freischärler im Kampf während der Reichsverfassungskampagne in Rheinhessen am 13. Juni 1849, nach einer zeitgenössischen Lithographie.

Gymnasts and members of a volunteer corps fighting during the campaign for a national constitution in Rhenish Hesse on June 13, 1849; after a contemporary lithograph.

»Einzug der pfälzischen Freischaaren in Carlsruhe am 19. Juni, gez. von F. Kaiser.«   The Palatinate Irregulars Enter Carlsruhe; sketch by F. Kaiser.

An der Murglinie, den linken Flügel an die Festung Rastatt angelehnt, nahm das vereinigte badisch-pfälzische Heer seine letzte Defensivstellung und schlug sich am 28., 29. und 30. Juni teilweise recht brav, wenn auch erfolglos. Am Nachmittag des 30. Juni schickte mich mein Chef mit einem Auftrage, Artilleriemunition betreffend, in die Festung Rastatt und instruierte mich, ihn im Fort B, einer der großen Bastionen, von denen man das Gefechtsfeld draußen übersah, zu erwarten; er werde bald nachkommen. Ich entledigte mich meines Auftrags, begab mich an den von Anneke bestimmten Platz, band mein Pferd an die Lafette eines Festungsgeschützes und setzte mich auf den Wall nieder, wo ich, nachdem ich das Gefecht eine Zeitlang beobachtet hatte, trotz dem Kanonendonner fest einschlief. Als ich erwachte, war die Sonne am Untergehen. Ich fragte die umstehenden Artilleristen nach Anneke, aber niemand hatte ihn gesehen. Ich wurde unruhig und bestieg mein Pferd, um die Stadt zu verlassen und meinen Chef draußen aufzusuchen. Am Tore angekommen, empfing ich von dem wachhabenden Offizier die Nachricht, daß ich nicht mehr hinaus könne; unser Hauptkorps sei gegen Süden zurückgedrängt worden und die Festung von den Preußen vollständig eingeschlossen. Ich galoppierte nach dem Hauptquartier des Festungskommandanten auf dem Schloß und erfuhr dort die Bestätigung des Gehörten. Der Gedanke, in der Stadt bleiben zu müssen und Preußen ringsumher, traf mich wie ein unheilvolles Schicksal. Ich konnte mich nicht darein ergeben und fragte immer wieder, ob denn da gar kein Ausweg sei, bis endlich ein dabeistehender Offizier mir sagte: »Mir ist gerade so zu Mut, wie Ihnen. Ich gehöre auch nicht hierher und habe an allen Punkten versucht, durchzubrechen, aber es war umsonst. Wir müssen uns eben fügen und hierbleiben.« Von Anneke fand ich keine Spur. Er hatte entweder die Stadt längst verlassen oder war vielleicht gar nicht hereingekommen.

Nachdem ich alle Hoffnung des Entkommens aufgegeben, meldete ich mich bei dem Gouverneur der Festung, Oberst Tiedemann. Daß unsere Sache, wenn nicht ein Wunder geschah, verloren war, konnte ich mir nun nicht mehr verhehlen. Wir geborenen Preußen hatten, wenn wir in die Hände des Prinzen Wilhelm fielen, die besten Aussichten, standrechtlich erschossen zu werden – besonders diejenigen, die, wie ich, gerade in den militärdienstpflichtigen Jahren standen. Und dabei erinnerte ich mich, daß ich kurz vor der Siegburger Affäre vor der königlichen Aushebungskommission hatte erscheinen müssen, welche, indem sie meine Eingabe um Zulassung als »Einjährig-Freiwilliger« willkürlich übersah, mich für ein Kürassierregiment bestimmte, mit Aussicht auf baldige Einberufung. Für mich würde es also gewiß keine Nachsicht geben.

Das war ein sonderbares Leben in der belagerten Festung. Da es mit Ausnahme eines Ausfalls keine Kampfaufregung gab, so machten wir Soldaten mechanisch Tag für Tag unsere Dienstroutine durch und die Bürgersleute gingen den Geschäften nach, die ihnen dieser fremdartige Zustand noch übrig gelassen, alle in dumpfer Besorgnis das Schicksal erwartend, das nicht abgewendet werden konnte.

The united forces of Baden and the Palatinate took up their final defense position along the Murg River, the left wing up against the Rastatt Fortress. On June 28th, 29th and 30th, they fought at times valiantly, but unsuccessfully. On the afternoon of June 30th, my commander sent me on an errand regarding artillery ammunition into the Rastatt Fortress, instructing me to meet him afterward in Fort B, one of the large bastions with a view of the battlefield outside; he said he would be along soon. After completing my errand I went to the place Anneke had appointed, tied my horse to one of the fortress' cannon mountings, and sat down on the rampart, where, after watching the combat for a while, I fell fast asleep despite the thundering roar of the cannons. The sun was already setting by the time I woke up. I asked the artillerymen standing around whether they had seen Anneke, but none had. I became uneasy and mounted my horse, intending to leave the town and seek my commander. When I reached the gateway, the officer on duty informed me that I could no longer leave; the main body of our troops had been driven back south and the fortress was completely surrounded by the Prussians. I galloped up to the fortress commander's headquarters in the castle, and received confirmation of what I had heard. The thought of having to remain inside the town, surrounded by Prussians, appeared to me to be a disastrous stroke of fate. I could not bring myself to acquiesce, and kept asking whether there was absolutely no way out, until an officer standing nearby said to me: "I feel exactly the same as you. I don't belong here either, and I have tried everywhere to find a place to break out, but in vain. We simply have to resign ourselves to remaining here." There was no trace of Anneke to be found. He had either long since left the town, or perhaps had not even entered it.

After giving up all hope of escape, I reported to the Governor of the fortress, Colonel Tiedemann. I could no longer deny that, barring a miracle, our cause was lost. If we native Prussians fell into Prince William's hands, we stood a good chance of being shot according to martial law – particulary those of us who, as I, were of military age. And then I recalled that shortly before the Siegburg affair I had been obliged to appear before the royal conscription board, which, willfully ignoring my application for enlistment as a "one-year volunteer", assigned me to a heavy cavalry regiment, with prospects of soon being called to active duty. I could hardly expect leniency.

We led a strange life inside the beleaguered citadel. As there were no combat missions except for an occasional sortie, we soldiers mechanically went through our daily routine, and the citizens carried on whatever business they could under these strange conditions, all of us worried and gloomily awaiting whatever fate had in store.

Zeitgenössische Ansicht der Festung Rastatt, die den Aufständischen im Mai 1849 fast kampflos in die Hände fiel. Im Großherzogtum Baden wurde die Revolution von großen Teilen des Heeres unterstützt.

Contemporary view of the fortress of Rastatt, which fell to the rebels virtually without a battle in May of 1849. Large portions of the militia supported the revolution in the Grand Duchy of Baden.

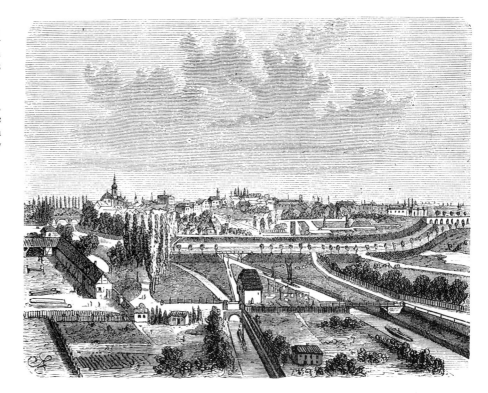

Der Ausbruch des Aufstandes in Rastatt am 13. Mai 1849.

The outbreak of the rebellion in Rastatt on May 13, 1849.

Preußische Truppen vor Rastatt. Oberbefehlshaber war der »Kartätschenprinz«, der 1848 versucht hatte, den Berliner Märzaufstand niederzuwerfen – der Spätere Kaiser Wilhelm I. (1797 - 1888).

Prussian troops outside of Rastatt. The supreme commander was the nobleman who had attempted to put down the March rebellion in Berlin in 1848 – he subsequently became Emperor William I (1797 - 1888).

Flucht durch den Abwasserkanal

Ich erinnere mich noch lebhaft der Gedanken, welche mir da auf dem Schloßturm durch den Kopf gingen. Eine Erinnerung drängte sich mir immer wieder auf, wie vor einigen Jahren mein Vater in Köln mit mir den Professor Pütz besuchte, dessen Liebling ich war; wie der Professor seine Hand auf meine Schulter legte und lächelnd zu meinem Vater sagte: »Ein hoffnungsvoller Junge!« – und wie stolz dann mein Vater mit dem Kopf nickte und mich ansah. »Mit dem hoffnungsvollen Jungen ist es jetzt wohl aus«, sagte ich nun zu mir selbst. Viele der kühnen Träume von großer, segensreicher Wirksamkeit, denen ich mich früher hingegeben, fielen mir wieder ein, und es schien mir doch recht hart, aus der Welt gehen zu müssen, ehe ich etwas Tüchtiges und Würdiges darin geleistet hätte.

Gegen Tagesanbruch streckte ich mich, von Müdigkeit übermannt, im großen Schloßsaal noch einmal auf mein gewohntes Sofa, und nach einigen Stunden tiefen Schlafs wachte ich mit dem Gedanken auf: »Heute wirst du gefangen und vielleicht morgen schon totgeschossen.« Um zwölf Uhr mittags sollten die Truppen aus den Toren marschieren und draußen auf dem Glacis der Festung vor den dort aufgestellten Preußen die Waffen strecken. Ich hörte bereits die Signale zum Antreten auf den Wällen und in den Kasernen, und ich machte mich fertig, zum Hauptquartier hinauf zu gehen. Da schoß mir plötzlich ein Gedanke durch den Kopf. Ich erinnerte mich, daß ich vor wenigen Tagen auf einen unterirdischen Abzugskanal für das Straßenwasser aufmerksam gemacht worden war, der bei dem Steinmauerer Tor aus dem Innern der Stadt unter den Festungswerken durch ins Freie führte. Er war wahrscheinlich ein Teil eines unvollendeten Abzugssystems. Würde es mir nicht möglich sein, durch diesen Kanal zu entkommen? Würde ich nicht, wenn ich so das Freie erreichte, mich bis an den Rhein durchschleichen, dort einen Kahn finden und nach dem französischen Ufer übersetzen können? Mein Entschluß war schnell gefaßt – ich wollte es versuchen.

Zusammen mit meinem Burschen Adam und einem mir bekannten Artillerieoffizier namens Neustädter folgte ich der letzten Kolonne eine kurze Strecke. Dann schlugen wir uns in eine Seitengasse und erreichten bald die innere Mündung unseres Kanals. Ohne Zaudern schlüpften wir hinein. Es war zwischen ein und zwei Uhr nachmittags am 23. Juli.

Nach abenteuerlicher Flucht durch den finsteren und engen Abwasserkanal und Überwindung zahlreicher unerwarteter Hindernisse erreichten die drei die Öffnung der Kanalröhre außerhalb der Stadt. Ein Arbeiter half ihnen, in der dritten Nacht nach Beginn der Flucht einen Kahn zur Überfahrt an das französische Rheinufer zu finden.

Nach kurzer Wasserfahrt setzte uns der Bootsmann in einem dichten Weidengebüsch ans Land. Es war zwischen zwei und drei Uhr morgens, und da das Gebüsch unwegsam schien, so beschlossen wir, auf alten Baumstumpen sitzend, dort das Tageslicht zu erwarten. In der Morgendämmerung brachen wir auf, um das nächste elsässische Dorf zu suchen. Bald aber entdeckten wir, daß wir auf einer Insel gelandet waren. So waren wir also noch in »Feindesland«, und der Bootsmann hatte uns getäuscht.

My Escape through a Drainage Sewer

I still vividly recall the thoughts which went through my head up in the castle tower. One was a constantly recurring memory: how several years earlier, in Cologne, my father had come with me to visit Professor Pütz, whose favorite pupil I was; how the professor put his hand on my shoulder and said smilingly to my father, "A promising boy" – and how proudly my father looked at me, nodding his head. "So much for the promising boy," I now thought to myself. Many of the daring dreams of great humanitarian deeds I had formerly indulged in came to my mind, and I deplored the cruel fate of having to depart the earth before accomplishing anything of value or excellence.

Toward daybreak, overcome by tiredness, I stretched out once more on my accustomed sofa in the great hall of the castle, and after a few hours of deep sleep, awakened with the thought, "Today you will be taken prisoner, and by tomorrow perhaps already executed." At twelve noon our troops were to march out through the gates and surrender their arms to the Prussians lined up along the glacis of the fortress. When I heard the signal to assemble in the barracks and on the ramparts, I made ready to walk up to headquarters, when suddenly a new thought flashed through my mind. A few days earlier I had heard about an underground sewer, probably part of an uncompleted drainage system for the water in the gutters which led from inside the town, underneath the fortifications near the Steinmauerer Gate, to the open fields outside. Could I possibly escape through that sewer? If I managed to get out that way, couldn't I then somehow make my way to the Rhine and find a boat to cross to the French side? My decision was soon made: I would attempt it.

My faithful young orderly, Adam, refused to let me take the risk alone, and we were joined by an artillery officer I knew, named Neustädter. Together, we followed the last column of soldiers for a short while, then turned quickly into a side street and soon reached the mouth of the sewer, which we slipped into without delay. It was between one and two o'clock, on the afternoon of July 23d.

On their flight through the dark and narrow drainage sewer, the three men had to overcome a series of perilous and unforeseen obstacles. The third night after they began their adventure, a workman helped them find a boat to take them to the French bank of the Rhine.

Following a short ride across the river, the boatman set us ashore in a thick willow grove. It was between two and three in the morning, and as the underbrush seemed impassable, we sat down on tree stumps and decided to wait for daylight. At dawn we set out to look for the nearest Alsatian village, but we soon discovered that we had landed on an island. The boatman from Coblenz had deceived us, and we were still on "enemy territory".

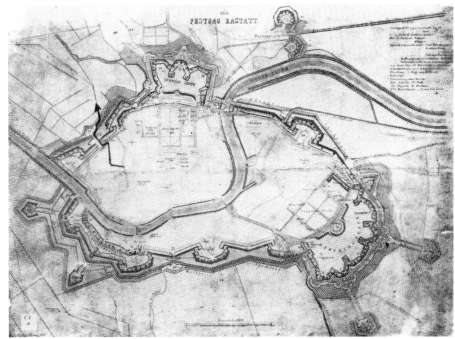

Plan der Festung Rastatt zur Zeit des badischen Aufstands. Links oben ist Schurz' Fluchtweg eingezeichnet.

Plan of the Rastatt fortress at the time of the rebellion in Baden. Schurz' escape route is sketched in on the upper left.

Die Übergabe am 23. Juli 1849; zeitgenössische Illustration.

Surrender of the fortress on July 23, 1849. Contemporary illustration.

Von oben nach unten: Gedenktafel für Carl Schurz in Rastatt. Einstieg in den Abwasserkanal an der Ecke Rheintor/Herrenstraße, Mündung des Kanals im Hasenwäldchen außerhalb der ehemaligen Wälle.

From the top: commemorative plaque to Carl Schurz in Rastatt, entrance to the sewage system on the corner of Rheintor Strasse and Herren Strasse, outlet of the sewer in the Hasenwäldchen outside the gates of the fortress at that time.

Als politischer Flüchtling im Elsaß

Wir begaben uns nun an das dem Elsaß zugekehrte Ufer und, als eben die Sonne aufging, sahen wir drüben zwei Männer einhergehen, die wir bald als französische Douaniers erkannten. Wir riefen ihnen übers Wasser zu, daß wir Flüchtlinge seien und dringend wünschten, hinüber geholt zu werden. Ohne sich lange bitten zu lassen, bestieg einer der Douaniers, ein biederer Elsässer, einen kleinen Nachen und brachte uns auf elsässischen Boden. Unsere Waffen gaben wir den Zollbeamten ab und versicherten ihnen unter beiderseitigem Lachen, daß wir sonst nichts Steuerpflichtiges aus Rastatt mitgebracht hätten. Als ich mich nun wirklich in Freiheit und Sicherheit wußte, war mein erster Impuls, nach dem viertägigen Schweigen oder Flüstern, einmal laut zu schreien. Meinen Schicksalsgenossen war es ebenso zumute, und so schrien wir nach Herzenslust, zum großen Erstaunen der Douaniers, die uns für toll halten mochten.

Wir waren bei einem kleinen Dorf, Münchhausen genannt, gelandet. Die Douaniers sagten uns, daß sich in dem nahen Städtchen Selz viele deutsche Flüchtlinge befänden, und dahin wendeten wir unsere Schritte. Vier Tage und Nächte hatten wir mit durchnäßten Kleidern in Wasser, Schlamm und Staub gewatet und gelegen. Unsere Haare waren von Schmutz aneinander geklebt und unsere Gesichter kaum zu erkennen. Am nächsten Bach genossen wir dann den unbeschreiblichen Luxus einer Wäsche, und so, zu menschlicher Erscheinung hergestellt, erreichten wir bald das Wirtshaus in Selz.

Die dort anwesenden Flüchtlinge aus Baden, von denen keiner in Rastatt gewesen war, hießen uns willkommen und wollten unsere Abenteuer hören. Aber vorerst stand unser Verlangen nach einem Zuber warmen Wassers, einem Frühstück und einem Bett. Alles dies erhielten wir. Ich schlief vierundzwanzig Stunden mit geringer Unterbrechung. Dann machte ich die Flüchtlingsgesellschaft im Wirtshause mit den Umständen unseres Entkommens aus der Festung bekannt. Von ihnen erfuhr ich dann auch zum erstenmal, daß Kinkel in einem der Gefechte bei Rastatt vor dem Beginn der Belagerung von den Preußen gefangen worden sei. Er hatte sich, nachdem wir die Pfalz verlassen und er also in Verbindung mit der pfälzischen provisorischen Regierung nicht mehr tätig sein konnte, einem Volkswehrbataillon angeschlossen und als gemeiner Soldat die Muskete in die Hand genommen. Als Kämpfender wollte er das Schicksal des Revolutionsheeres teilen. In einem Gefechte an der Murglinie wurde er durch eine feindliche Kugel am Kopfe verwundet, stürzte zu Boden und fiel den angreifenden Preußen in die Hände. Nun, hieß es, habe man ihn mit der gefangenen Besatzung in eine der Rastatter Kasematten gesteckt, um ihn von einem Kriegsgericht aburteilen und dann erschießen zu lassen. Diese Nachricht erschütterte mich tief, so daß ich der wiedergewonnenen Freiheit kaum froh werden konnte.

Ein drückendes Gefühl kam über mich, daß ich nun wirklich ein Heimatloser, ein Flüchtling sei und unter polizeilicher Überwachung stehe. Nachdem ich meinen Eltern geschrieben und ihnen meine Rettung mitgeteilt hatte, machten wir uns ohne weiteren Aufenthalt nach Straßburg auf den Weg. Mein eigentliches Reiseziel war die Schweiz, wo, wie ich hörte, Anneke, Techow, Schimmelpfennig und andere Freunde sich befanden.

As a Political Refugee in Alsace

We walked to the side of the island facing Alsace, and just as the sun was rising we saw two men on the other side whom we soon recognized to be French customs officials. We called across the river to them that we were fugitives and wished to be taken over. Without standing on ceremony, one of the men, a loyal Alsatian, got in a little skiff and took us across to Alsatian soil. We gave up our arms to the customs officers, and assured them, amid great laughter, that we had brought nothing else with us from Rastatt subject to customs duty, Now that I knew for sure that I was safe and in freedom, my first impulse, following four days of silence or whispering, was to let out a loud yell. My companions felt the same way, and so we burst forth shouting to our heart's content, to the astonishment of the customs officers, who must have thought we had gone mad.

We had landed near a little village called Münchhausen. The customs men told us there were many German fugitives in the nearby town of Selz, so that is where we headed. We had spent four days and nights lying in dust and wading through mud and water, and our clothes were thoroughly drenched. Our hair was matted and our faces were streaked with dirt. At the nearest brook we indulged in the indescribable luxury of bathing, and thus restored to human shape, we soon reached the inn at Selz.

The refugees there from Baden, none of whom had been in Rastatt, gave us a hearty welcome and wanted to hear our adventures right away. But our first desire was for a tub of hot water, breakfast, and a bed, all of which we received. I slept for twenty-four hours almost uninterruptedly. Then I told the company of refugees in the inn the circumstances of our escape from the fortress at Rastatt. And they were the first to tell me that Kinkel had been captured by the Prussians in a fight near Rastatt before the beginning of the siege. After we had left the Palatinate and he could no longer play an active part in the Palatine provisional government, he had joined a battalion of volunteers and shouldered his musket as an ordinary militia soldier. He wanted to share the fate of the revolutionary army as a fighter. Wounded in the head in combat on the Murg River line, he fell to the ground and was taken prisoner by the attacking Prussians. It was said he was now being held captive, along with the men who had surrendered at Rastatt, in one of the fortress' casemates, awaiting trial by court-martial, which undoubtedly would sentence him to be shot. This news shattered my joy over my own regained freedom.

The depressing realization struck me that I was now really a homeless man, a fugitive, and under police surveillance. After having written to my parents, informing them of my escape, we set out for Strassburg without further delay. However, the actual goal of my journey was Switzerland, where, I had heard, Anneke, Techow, Schimmelpfennig and other friends of mine could be found.

In den Kasematten von Rastatt.

In the casemates of the Rastatt fortress.

Artillerie der badischen Revolutionsarmee im Gefecht bei Kuppenheim an der Murg am 30. Juni 1849; zeitgenössische Darstellung in der »Illustrierten Zeitung«.

Artillery of the Baden revolutionary army fighting near Kuppenheim on the Murg on June 30, 1849. Contemporary illustration in the "Illustrierte Zeitung".

47

Von Selz nach Straßburg wanderten wir zu Fuß. Dort hatten wir uns mit unserm Laufpaß beim Präfekten zu melden. Dieser eröffnete uns, daß die französische Regierung beschlossen habe, die Flüchtlinge zu internieren; es sei daher weder in Straßburg noch irgendwo anders in der Nähe der Grenze lange unseres Bleibens; wir müßten so bald wie möglich zwischen einigen Städten im Innern Frankreichs, die er uns nannte, unsere Auswahl treffen, um dahin befördert zu werden; auch nach der Schweiz könne er uns keine Pässe geben. Aber gerade nach der Schweiz wollten wir und beschlossen insgeheim, auch ohne obrigkeitliche Bewilligung, dahin unsere Reise fortzusetzen.

Meine Ankunft in Dornachbruck in der Schweiz brachte mir eine neue Enttäuschung. Im Gasthaus des Dorfes erfuhr ich, daß Anneke und andere meiner Freunde allerdings vor einigen Tagen dagewesen, aber nach kurzem Aufenthalt nach Zürich abgereist seien. Meine Barschaft war fast gänzlich erschöpft, und überdies fühlte ich mich sehr ermüdet. So beschloß ich denn, vorläufig in Dornachbruck zu bleiben, ließ mir im Gasthofe ein Zimmer anweisen, schrieb nach Hause um etwas Geld und zurückgelassene Kleider, und legte mich zu Bett. Die großen Aufregungen und Strapazen der letzten Tage fingen nun an, ihre Wirkung zu üben. Ich war sehr abgespannt und kam mir äußerst einsam und verlassen vor.

Ich überzeugte mich bald, daß für einen jungen Menschen meiner Art, der etwa Unterricht im Lateinischen, Griechischen und der Musik hätte geben können, bei einer Bevölkerung, welche die massenhaft eingeströmten Flüchtlinge keineswegs gern sah, an eine lohnende Erwerbstätigkeit nicht zu denken sein werde, wenigstens nicht auf einige Zeit hinaus. Die andern Flüchtlinge waren in derselben Lage, aber viele von ihnen blickten auf solche Bestrebungen, so lange das mitgebrachte Geld nicht erschöpft war, mit einer gewissen vornehmen Geringschätzung herab. Es stand bei ihnen durchaus fest, daß in naher Zukunft in den politischen Verhältnissen des Vaterlandes ein neuer Umschwung eintreten müsse. Niemand übt die Kunst, sich selbst mit den windigsten Illusionen zu täuschen, so geschickt, geschäftsmäßig und unverdrossen aus wie der politische Flüchtling.

Ich muß zugestehen, daß ich die Illusion über das Bevorstehen einer neuen revolutionären Erhebung treuherzig teilte. Aber das Wirtshaus hatte für mich nicht den geringsten Reiz, und bald fing das Flüchtlingsleben an, mich wie eine fürchterliche Öde anzustarren. Es befiel mich wie wahrer Hunger nach einer geregelten und nützlichen geistigen Arbeit. Vorläufig engagierte ich mich, der von meinem Freunde Dr. Hermann Becker, dem »roten Becker«, redigierten Zeitung in Köln Korrespondenzen und Artikel gegen Honorar zu liefern, und mich so bei meinen äußerst bescheidenen Bedürfnissen bis zur Erlangung eines festen Erwerbes über Wasser zu halten. So glaubte ich denn, im Nebel der Zukunft einige Lichtblicke zu sehen.

We made our way from Selz to Strassburg by foot. There we were to present our papers to the prefect. He informed us that the French government had decided to intern the refugees; we would neither be permitted to stay in Strassburg nor anywhere else near the border, but were to choose one of the cities in central France which he named to us, and we would be transported there; there was no way he could give us passports to enter Switzerland. But that was the very country where we wanted to go, so we secretly decided to proceed there even without official authority.

My arrival in Dornachbruck in Switzerland brought me yet another disappointment. In the village inn I learned that Anneke and some other friends had indeed been there a few days earlier, but after a short stay had left for Zürich. I had almost completely run out of money, and I was also totally exhausted. So I decided to stay in Dornachbruck for the time being; I took a room at the inn, wrote home for some money and clothing I had left there, and went to bed. I now began to feel the effects of the excitement and exertion of the past days. In addition to fatigue, I also felt extremely lonely and abandoned.

When I did reach Zürich, I soon found out that a young man like myself, who ordinarily could have given lessons in Latin, Greek, or music, had little chance of earning a living – at least in the foreseeable future – among a population which did not particularly like the mass of fugitives which came streaming in. Although the other refugees were in the same position, many of them looked down upon such endeavors with a certain contempt – at least as long as the money they had brought with them was not yet exhausted. They were firmly convinced that in the near future a new upheaval would change the political *status quo* in the fatherland. Nobody cultivates the art of self-deception with the windiest illusions more cleverly, more systematically and more untiringly than the political refugee.

I frankly admit that I shared the illusion of an imminent new revolutionary upheaval. But the talk in the taverns did not interest me in the least, and I soon lost patience with the bleak tedium of life as a refugee. I suffered from a veritable hunger for some regular work and useful mental activity. For the time being I occupied myself with writing articles for the newspaper edited in Cologne by my friend, Dr. Hermann Becker, dubbed the "Red Becker" at the university, for which I was paid enough to keep my head above water until I could find a steady job. Thus I seemed to perceive some spots of light in the fog-shrouded future.

Dornach an der Bruck, Schurz' erster Schweizer Zufluchtsort.
Dornach on the Bruck, Schurz' first Swiss refuge.

Carl Schurz im Alter von zwanzig Jahren
Carl Schurz, aged 20.

Basel und Zürich um die Mitte des 19.Jahrhunderts. Unter den politischen Flüchtlingen, die Schurz hier traf, befand sich auch Richard Wagner, den er als »äußerst anmaßenden, herrischen Gesellen« beschreibt.

Basel and Zürich in the middle of the 19th Century. One of the refugees Schurz met here was Richard Wagner, a man whom he described at the time as »an exceptionally insolent, arrogant individual.«

Es würde mir wahrscheinlich im Laufe der Zeit gelungen sein, mir, wenn auch nicht an der großen eidgenössischen Universität in Zürich, deren Einrichtung wohl nicht ernstlich beabsichtigt wurde, aber doch an irgend einer andern Anstalt eine Lehrstelle zu gewinnen, wäre nicht die stille Geschäftigkeit meiner Existenz von einem Ereignis unterbrochen worden, das meinen Lebenslauf in eine andere Richtung zu drängen bestimmt war. Das unglückliche Schicksal meines Freundes Kinkel erregte mein Mitgefühl in so hohem Grade, daß ich einem Ruf um Hilfe, der an mich erging, nicht widerstehen konnte. Am 4. August erschien Kinkel vor dem Kriegsgericht, das aus preußischen Offizieren bestand. Todesurteile waren damals an der Tagesordnung, und es unterliegt wohl keinem Zweifel, daß vom Armeekommando sowohl wie von der preußischen Regierung Kinkels Verurteilung zum Tode gewünscht und erwartet wurde. Aber Kinkel führte seine Verteidigung zum Teil selbst, und dem Zauber seiner wunderbaren Beredsamkeit konnten sich auch die an den blutigen Geist des Kriegsrechts und den strengsten Glauben an die absolute Königsgewalt gewöhnten Offiziere, die seine Richter waren, nicht entziehen. Anstatt zum Tode verurteilten sie ihn zu lebenslänglicher Festungshaft.

Es war im Februar 1850, daß ich einen Brief von Frau Kinkel empfing. In brennenden Farben schilderte sie mir die entsetzliche Lage ihres Mannes und den Jammer der Familie. Aber die geistvolle und energische Frau sprach keineswegs zu mir in dem Tone jener ohnmächtigen Verzweiflung, die nur die Hände ringt und sich dem übermächtigen Schicksal schwachmütig unterwirft. Der Gedanke, daß es möglich sein müsse, Mittel und Wege zur Befreiung ihres Mannes zu finden, beschäftigte sie Tag und Nacht. Sie selbst würde den Versuch machen, müßte sie nicht fürchten, durch ihr Erscheinen in der Nähe ihres Mannes sofort Verdacht zu erregen und die ihn umgebende Wachsamkeit noch zu verschlimmern. Aber es müsse schnell gehandelt werden, ehe die nagende Qual des Gefängnislebens Kinkels geistige und körperliche Kraft völlig zerstört hätte. Dann teilte sie mir mit, daß Kinkel, dem Gerücht gemäß, im April wegen der Siegburger Affäre in Köln vor das Geschworenengericht gestellt werden solle, und daß sich dann vielleicht günstige Gelegenheit für einen Befreiungsversuch bieten möchte. Sie bat mich nun um meinen Rat, da sie sowohl meiner Freundschaft wie meinem Urteil vertraue.

Die Nacht nach der Ankunft des Briefes lag ich lange wach. Zwischen den Zeilen hatte ich darin die Frage gelesen, ob ich nicht selbst das Wagnis unternehmen wolle. Diese Frage ließ mich nicht schlafen. Ich sah Kinkel in seiner Züchtlingsjacke am Spulrade beständig vor mir, und ich konnte den Anblick kaum ertragen. Als Freund war ich ihm von Herzen zugetan. Auch glaubte ich, daß er berufen sein möchte, mit seinen Geistesgaben, seinem Enthusiasmus und seiner seltenen Beredsamkeit der Sache des Vaterlandes und der Freiheit noch große Dienste zu leisten. Der Wunsch, ihn, wenn ich könnte, Deutschland und seiner Familie wiederzugeben, wurde mir unwiderstehlich. Ich entschloß mich, es zu versuchen, und beruhigt von diesem Entschluß schlief ich ein.

In the course of time, I would probably have succeeded in obtaining a teaching position, if not at the proposed large university at Zürich (which the Swiss Confederation was probably not even serious about establishing), then at some other minor institution, had not my quiet studious existence been interrupted by an event that was destined to turn my life into very different channels. The sad fate of my friend, Professor Kinkel, aroused my compassion to such a high degree that I could not refuse an appeal for help. On August 4th, Kinkel appeared before a tribunal composed of Prussian officers. Death sentences were then the order of the day, and there is no doubt that both at army headquarters and at the seat of the Prussian government, Kinkel's condemnation was desired and expected. But Kinkel conducted his defense himself, and even the officers composing the court-martial, men used to the bloody spirit of martial law and educated in the strictest allegiance to royal absolutism, could not resist the charm of his marvelous eloquence. Instead of condemning him to death, they sentenced him to life imprisonment in a fortress.

It was in February, 1850, that I received a letter from Kinkel's wife, in which she described the terrible situation of her husband and the distress of the family in impassioned tones. But that intelligent and energetic woman did not speak to me with any weakness of spirit which, in impotent despair, submits to an overpowering fate. The thought that it must be possible to find ways and means of liberating her husband gave her no rest night and day. She herself would make the attempt, if she did not fear that her appearance in the vicinity of her husband's prison would arouse suspicion and increase the watchfulness of his guards. But it was necessary to act promptly, before the gnawing torture of prison life completely destroyed Kinkel's mental and physical strength. Then she informed me it was rumored that Kinkel would be taken to Cologne in April to face trial by jury for the Siegburg affair, and a favorable opportunity for an attempt to free him might present itself. She requested my advice, as she trusted my friendship as well as my sense of judgement.

I could not sleep the night after the arrival of this letter. Between the lines I could read the question of whether I might not undertake the adventure myself. That question kept me awake all night. I kept on having visions of Kinkel in his prison jacket and of the spinning wheel they put him to work at, and I could hardly endure the sight. I loved Kinkel dearly as a friend. I also believed that with his great gifts, his enthusiasm and his rare eloquence, he might still do great service to the cause of the fatherland and for freedom. The wish to bring him back to his family and to Germany, if I could, became irresistible. I resolved to make the attempt. Calmed by this decision, I fell asleep.

Die Reaktion schlägt zurück: Szene aus einem Prozeß gegen badische Revolutionäre vor einem Geschworenengericht in Freiburg, »Illustrierte Zeitung«. 1849.

The forces of reaction strike back: a scene from a jury trial of Baden revolutionaries in Freiburg. "Illustrierte Zeitung", 1849.

Kinkel in seiner Zelle. Das Rad dient dem Aufspulen von Wolle, der einzigen Tätigkeit des Gefangenen; Holzstich, 1850.

Kinkel in his cell. The wheel is for spooling wool, the only activity allowed the prisoner. Woodcut, 1850.

Badische Freischärler werden von preußischen Truppen in die Gefangenschaft abgeführt. »Illustrierte Zeitung«, 1849.

Baden irregulars led into imprisonment by Prussian troops. "Illustrierte Zeitung", 1849.

Vorbereitungen zur Befreiung Kinkels

Ohne Aufschub begann ich meine Vorbereitungen. Ich schrieb meinem Vetter Heribert Jüssen in Lind bei Köln, dessen Signalement in allen wesentlichen Punkten mit dem meinigen übereinstimmte, er solle sich von der Polizeibehörde einen Reisepaß für das In- und Ausland geben lassen und ihn mir schicken. Wenige Tage darauf war der Paß in meinen Händen, und ich konnte nun wie ein gewöhnliches unverdächtiges Menschenkind ohne Schwierigkeit reisen, wo man mich nicht persönlich kannte. Nun galt es, für mein Vorhaben aus meiner Verbindung mit der Flüchtlingschaft möglichst viel Vorteil zu ziehen, ohne meine Freunde auf die Fährte meines Planes zu bringen. So gab ich denn dem Vorstande unseres Klubs zu verstehen, ich sei bereit, als Emissär verschiedene Plätze in Deutschland zu besuchen, um dort geheime Zweigklubs zu organisieren und diese mit dem Komitee in der Schweiz in Verbindung zu setzen. Diese Andeutung wurde mit großem Vergnügen aufgenommen, und ich empfing mit ausführlichen Instruktionen eine lange Liste von zuverlässigen Personen in Deutschland. Nun war alles für meine Abreise bereit und da ich als Emissär auf eine geheime Expedition auszog, so fanden meine Freunde es natürlich, daß ich gegen Mitte März plötzlich ohne Abschied aus Zürich verschwand.

Ich besuchte eine Reihe von Städten, Wiesbaden, Kreuznach, Birkenfeld, Trier, wo ich Gesinnungsgenossen fand und neue Verbindungen anknüpfte. Überall gab es noch Leute, die hofften, durch Geheimbünde eine neue revolutionäre Umwälzung herbeiführen zu können. Es ist dies eine gewöhnliche Nachwehe fehlgeschlagener Volkserhebungen. Ich reiste die Mosel hinunter nach Koblenz, wo ich mich des Tages über still hielt, um von dort die Nachtpostkutsche nach Bonn zu nehmen. Alles dies gelang mir, ohne daß ich durch ein zufälliges Zusammentreffen mit andersgesinnten Bekannten in Gefahr gekommen wäre.

In Köln wurde ich im obersten Stock einer Restauration, die von einem eifrigen Demokraten geführt wurde, bequem und sicher einquartiert. Mein Freund, »der rote Becker«, Redakteur der demokratischen Zeitung, war dort mein besonderer Beschützer und Vertrauter. Ich hatte ihn auf der Universität kennengelernt. Seinen Spitznamen »der rote Becker« hatte er der Eigentümlichkeit seiner Erscheinung zu verdanken. Er hatte dünnes goldrotes Haar und einen dünnen goldroten Vollbart.

Mich hatte politische Gesinnungsgenossenschaft mit ihm zusammengeführt und eng verbunden. Er war zurzeit nicht allein Redakteur des demokratischen Blattes, sondern auch Führer des demokratischen Vereins in Köln, und ich konnte mit Sicherheit darauf rechnen, daß, wenn irgendeine Absicht gehegt würde, Kinkel während des Siegburger Prozesses zu befreien, er gewiß davon unterrichtet sei. Becker erzählte mir denn auch mit der größten Offenherzigkeit, was man alles darüber geredet und geplant habe, und daß alle Welt davon spreche, »etwas müsse getan werden«. Es war mir klar, daß, da alle Welt davon sprach, ein solcher Versuch unmöglich gelingen könne, und ich freute mich zu hören, daß Becker diese Überzeugung entschieden teilte. Ich war also darüber beruhigt, daß man in Köln nichts tun werde, das geeignet war, spätere Versuche zu erschweren.

Preparations for Freeing Kinkel

Without delay I began my preparations. I wrote to my cousin, Heribert Jüssen, in Lind, near Cologne, whose outward appearance corresponded with mine in all essential points, asking him to procure a passport from the police, made out in his name and valid for travel inside and outside of Germany, and to send it to me. Within a few days the passport was in my hands, and I could now travel without difficulty like an ordinary unsuspicious mortal, at least wherever I was not personally known. For my undertaking I now had to make advantageous use of my connections with the other refugees, but without giving my friends the slightest intimation of my plans. I gave the officers of our club to understand that I was prepared to visit various places in Germany as an emissary, for the purpose of organizing secret branch clubs and putting them into communication with our committee in Switzerland. This offer was favorably received, and together with minute instructions, I obtained a long list of dependable persons in Germany. Now all was ready for my departure, and as I was going on a secret expediton as an emissary, my friends found it quite natural that I suddenly disappeared from Zürich around the middle of March without any farewells.

I visited a number of cities, Wiesbaden, Kreuznach, Birkenfeld, Trier, where I found like-minded comrades and made new connections. I found people everywhere who hoped that secret organizations could be instrumental in bringing about a new revolutionary upheaval. This is not an unusual aftereffect of thwarted popular uprisings. I traveled down the Moselle to Coblenz, where I spent the day quietly, and then took the night mail coach to Bonn. All went well, without accidentally meeting any differently minded acquaintances, which might have been dangerous.

In Cologne I found comfortable and safe quarters in the upper story of a restaurant which was kept by a zealous democrat. My friend, the "Red Becker", editor of the democratic newspaper, was my special protector and confidant there. I had met him at the university. He owed his nickname, the "Red Becker", to his unusual appearance: he had thin, golden red hair and a thin, golden red beard.

Our common political views had brought us together and kept us close friends. At the moment he was not only editor of the democratic paper, but also leader of the democratic club in Cologne, and I could be positive that if anybody had any intention of trying to liberate Kinkel during the Siegburg trial, Becker would surely have known about it. He most candidly informed me of everything people were saying and planning regarding the trial, and that it was common talk that "something had to be done." It was clear to me that the very fact that everyone was talking about it would alone make such an attempt impossible, and I was happy to hear that Becker definitely shared my conviction. My mind was thus set at rest in the assurance that no one in Cologne would do anything which might make later attempts more difficult.

»Rundgemaelde von Europa im August 1849«, Lithographie von F. Schroeder, Düsseldorf, 1849. Die Szenerie Europas wird von der Konterrevolution bestimmt: Deutsche Revolutionäre werden von der preußisch-klerikalen Reaktion in die Schweiz gekehrt, französische von Louis Bonaparte nach Amerika verschifft. Vergebens versucht das Volk von Österreich und Ungarn, dem habsburgischen Feudalregime in den Arm zu fallen, während im übrigen Europa – siehe Warschau – das Licht schon ausgegangen ist. In England floriert unter Queen Victoria der Handel, in Dänemark triumphiert der König. In Frankfurt aber verkümmert eine parlamentarische Vogelscheuche und in München döst ein pfäffischer Bierseidel.

"Panorama of Europe in 1849". Lithography by F. Schroeder, Düsseldorf, 1849. The borders of Europe were determined by counter-revolutionaries: German revolutionaries are shown here being swept by the forces of Prussian-clerical reaction into Switzerland, Louis Napoleon Bonaparte sends his off in boats to America. The peoples of Austria and Hungary try in vain to upset the applecart of the Habsburg monarchy, while in the rest of Europe – see Warsaw – the lights have already gone out. In England, trade flourishes under the reign of Queen Victoria, while the King of Denmark does a little jig of delight. But in Frankfurt, a parliamentary scarecrow goes to rack and ruin, while in Munich, a priestly beer mug snoozes contentedly.

Bald wurde das Geheimnis meiner Anwesenheit von meinen nächsten Freunden mit echt kölnischer Gemütlichkeit so vielen anderen mitgeteilt, und man wollte mich so oft zum Besuch öffentlicher Vergnügungsorte am hellen Tage bereden, daß ich glaubte, das Weite suchen zu müssen. So reiste ich denn mit einem Nachtzuge über Aachen nach Brüssel und von dort nach Paris. Es war mir hauptsächlich darum zu tun, an einem sicheren Platz still zu sitzen, bis der Siegburger Prozeß in Köln mit seinen Aufregungen vorüber und Kinkel nach Naugard oder einer anderen Strafanstalt transportiert sein würde, so daß ich ihn an einem bestimmten Orte finden und dort die vielleicht langwierige Arbeit beginnen könnte.

Die Eindrücke, die ich am Tage meiner Ankunft in Paris empfing, werden mir immer gegenwärtig bleiben. Vom Bahnhofe ging ich in das nächste kleine Hotel, ließ mir ein Zimmer anweisen und streckte mich auf dem Bette aus, um die verlorene Nachtruhe nachzuholen. Aber der Gedanke, daß ich nun wirklich in Paris sei, ließ den Schlaf nicht kommen. Ich stand auf und wanderte, mit einem Stadtplan bewaffnet, hinaus. Mit Begierde las ich die Straßennamen an den Ecken. Da waren sie denn, diese Schlachtfelder der neuen Ära, die meine erregte Phantasie sofort mit den historischen Gestalten bevölkerte, – hier der Platz der Bastille, wo das Volk seinen ersten Sieg erfocht; da der Temple, wo die königliche Familie gefangen gewesen; da das Faubourg St. Antoine, welches an den Tagen großer Entscheidung die Massen der Blusenmänner auf den Kampfplatz geschickt; da das Karree St. Martin, wo die ersten Barrikaden des Februar gestanden; da das Hotel de Ville, wo die Kommune gesessen und Robespierre mit blutendem Kopf auf einem Tisch gelegen; da das Palais Royal, wo Camille Desmoulins, auf einem Stuhl stehend, seine feurige Rede gehalten und ein grünes Blatt als Kokarde an seinen Hut gesteckt; da der Karussellplatz, wo an dem berühmten 10. August das Königtum Ludwigs XVI. fiel.

Mein Aufenthalt in der französischen Hauptstadt dauerte etwa vier Wochen. Meine erste Sorge war, mich in der Landessprache zu üben. Ich hatte nämlich in Brüssel schon bemerkt, daß der französische Unterricht, den ich auf dem Gymnasium genossen, mich kaum in den Stand setzte, mir ein Frühstück zu bestellen. So fing ich denn sofort an, mit einem Wörterbuch in der Hand Zeitungen zu lesen, die Anzeigen einbegriffen, um dann jede Gelegenheit zu benützen, um im Gespräch mit dem Concierge meines Hauses, oder dem Kellner, der mich im Restaurant bediente, oder mit irgend jemandem, dessen ich habhaft werden konnte, die gewonnenen Worte und Redensarten zu verwerten. Schon nach wenigen Tagen fand ich, daß ich mir in alltäglichen Lebensangelegenheiten einigermaßen durchhelfen konnte.

Einen großen Teil meiner Zeit brachte ich damit zu, die in Paris aufgehäuften Kunstschätze zu sehen, die mir eine bis dahin ungeahnte Welt eröffneten.

The secret of my presence in Cologne was communicated by my closest friends to so many others with such typical Rhenish *Gemütlichkeit* and unconcern, and I was so often asked to join them at public recreation places in bright daylight, that I thought it was time to leave. Therefore I took a night train by way of Aachen to Brussels, and from there to Paris. It was my intention simply to sit still in some secure place until the Siegburg trial in Cologne, with all its excitement, was over, and Kinkel had been transported back to Naugard or some other penitentiary, so that I could find him at some definite place, and there begin my venturesome work.

My impressions of Paris on the day of my arrival will always remain unforgettable for me. I went directly from the station to the nearest little hotel, took a room, and stretched out on the bed to catch up on lost sleep. But the thought of really being in Paris made sleep impossible. I got up and went out, armed with a city map. I eagerly read the street names on the corners. There they were, these battlegrounds of the new era, immediately filling my excited imagination with pictures of historical events: the Place de la Bastille, where the masses achieved their first victory; the Temple, where the royal family was held prisoner; the Faubourg St. Antoine, which sent its masses of *sans-culottes* into the fight at the decisive moment; the Carré St. Martin, where the first barricades of February stood; the Hôtel de Ville, where the commune met, and Robespierre lay on a table, his head bleeding; the Palais Royal, where Camille Desmoulins stuck a green leaf on his hat as a cockade and gave his impassioned speech standing on a chair; the Carrousel, where, on that famous 10th of August, Louis XVI's kingdom fell.

I stayed in the French capital about four weeks. My first concern was to improve my knowledge of the language. In Brussels I had already discovered that the French I had learned in school hardly sufficed to order breakfast. So I immediately began reading the newspapers, including the advertisements, with the help of a dictionary; then I took advantage of every opportunity I could of using the words and phrases I had learned: in conversation with the concierge in my hotel or the waiter in the restaurant, or just anybody I could find. In a few days I was already able to get along in French, at least as far as everyday matters were concerned.

I spent a great part of my time going to see the art treasures so abundantly assembled in Paris; they opened my eyes to an as yet unknown world.

54

Bekränzung der Julisäule zu Paris am 23. Februar.«
Die Abbildung aus der »Illustrierten Zeitung«, 1849,
zeigt französische Bürger, die der Gefallenen der Juli-
Revolution von 1830 gedenken.

Die französische Revolution von 1789, ihrerseits nicht unbeeinflußt vom amerikanischen Unabhängigkeitskampf, hatte bewiesen, daß Veränderung möglich war: Ihr Beispiel wirkte bis zu den gescheiterten deutschen Revolutionsversuchen von 1848 fort. Zeitgenössische Darstellung des Sturms auf die Bastille am 14. Juli 1789.

The French Revolution of 1789 could probably not have taken place without the precedent of the American War of Independence. Both these successful battles proved that change was indeed possible, and set an example until the abortive German revolution of 1848. Contemporary illustration of the storming of the Bastille on July 14, 1789.

The Columns of July are decked with wreaths on February 23rd". This picture from the "Illustrierte Zeitung" shows French citizens hanging wreaths to honor the memory of the fallen in the July Revolution of 1830.

Sturm auf das Palais Royal in Paris am 24. Februar 1848:
Das Fanal für die europäischen Aufstände.

The storming of the Palais Royal in Paris on February 24, 1848 touched off the rebellions which swept Europe in that year.

Rückkehr nach Deutschland

Wie vorauszusehen gewesen, hatten die Behörden jede mögliche Vorsichtsmaßregel ergriffen, um einem Befreiungsversuch in Köln aufs wirksamste vorzubeugen. Die Regierung hatte auch unterdes beschlossen, Kinkel nicht wieder in das Zuchthaus zu Naugard, sondern in das zu Spandau zu bringen, wahrscheinlich weil in Naugard, wie in Pommern überhaupt, sich warme Sympathien für den Unglücklichen offenbart hatten.

Nachdem die durch die Prozeßepisode verursachte Aufregung sich gelegt und Kinkel, still im Spandauer Zuchthause sitzend, zeitweilig aufgehört hatte, die öffentliche Aufmerksamkeit in Anspruch zu nehmen, reiste ich von Paris nach Deutschland zurück. Ich hatte unterdessen neue Instruktionen von dem Züricher Komitee erhalten, die ich getreulich ausführte. Zu diesem Zwecke besuchte ich mehrere Plätze im Rheinland und in Westfalen und wohnte sogar einer Zusammenkunft demokratischer Führer bei, die im Juli in Braunschweig stattfand. Anfangs August kehrte ich nach Köln zurück und hatte dort noch eine Zusammenkunft mit Frau Kinkel. Sie berichtete mir, daß die für die Befreiung ihres Gatten verfügbare Summe um ein ansehnliches gewachsen sei, und freute sich zu hören, daß ich diese Summe für hinreichend hielt, um nun ans Werk zu gehen. Wir verabredeten, daß das Geld an eine vertraute Person in Berlin geschickt werden sollte, von der ich es nach Bedarf in Empfang nehmen könne. Auch erzählte sie mir, daß sie eine Methode gefunden habe, Kinkel auf unverfängliche Weise Nachricht zu geben, wenn etwas für seine Befreiung geschähe. Sie habe ihm über ihre musikalischen Studien geschrieben und in ihren Briefen spielten lange Auseinandersetzungen über die »Fuge« eine große Rolle. Kinkel habe ihr nun in einer ihr verständlichen, aber den Gefängnisbeamten, welche die Briefe revidierten, unverständlichen Weise angedeutet, daß er die Bedeutung des Wortes »Fuge« (lateinisch »fuga«, deutsch »Flucht«) sich gemerkt habe und begierig sei, über dieses Thema mehr zu hören.

Am 11. August kam ich in Berlin an. Da mein auf Heribert Jüssen lautender Paß in bester Ordnung war, wie die Pässe politischer Dunkelmänner gemeinhin zu sein pflegen, so ließ mich die Polizei, die sonst alle Reisenden scharf beobachtete, ohne Schwierigkeiten in die Stadt ein. Zunächst suchte ich einige meiner Universitätsfreunde auf, die von Bonn nach Berlin übergesiedelt waren. Ihnen vertraute ich mich an – d.h. meine Person, nicht das Geheimnis meines Planes. Bei zweien von ihnen, Müller und Rhodes, ehemaligen Mitgliedern der Bonner Frankonia, die nun in Berlin studierten und ein Quartier auf der Markgrafenstraße bewohnten, fand ich Obdach und herzliches Willkommen. Mit ihnen ging ich aus und ein, so daß die Polizisten, die in jenem Bezirk Dienst hatten, mich für einen der Berliner Universität angehörenden Studenten hielten. Und wie es damals in Berlin Sitte war, und vielleicht teilweise noch ist, daß der Einwohner eines Miethauses nicht selbst einen Hausschlüssel führt, sondern, wenn er nachts nach Hause kommt, sich vom Nachtwächter der Straße das Haus aufschließen läßt, so rief auch ich, wenn ich spät von meinen Gängen zurückkehrte, den Nachtwächter herbei, damit er mir das gastliche Haus öffne. Daß ich, der steckbrieflich Verfolgte, der Flüchtling, von der Berliner Polizei, die für so allwissend galt, so willig bedient wurde, gab uns häufig Stoff zum Lachen und war in der Tat scherzhaft genug.

Return to Germany

As we had expected, the authorities had taken every possible measure to prevent any attempt at freeing Kinkel in Cologne. In the meantime, the government had resolved not to return Kinkel to the penitentiary at Naugard, but to imprison him in Spandau, probably because signs of sympathy for his plight had been seen in Naugard and throughout all of Pomerania.

When the excitement stirred up by the trial in Cologne had subsided, and Kinkel, now incarcerated at Spandau, had for the moment ceased to occupy public attention, I returned to Germany from Paris. In the meantime I had received new instructions from the committee in Zürich, and had faithfully carried them out, for which purpose I visited several places in the Rhineland and in Wesphalia, and even attended a gathering of democratic leaders in Brunswick in July. At the beginning of August I returned to Cologne, where I had another meeting with Mrs. Kinkel. She reported that the sum of money collected for the liberation of her husband had grown considerably, and was happy to hear that I considered the amount sufficient to begin work on the plan. We agreed that the money should be sent to a trustworthy person in Berlin, from whom I would receive it according to my requirements. She also told me that she had found a method of conveying information to Kinkel in an unsuspicious manner, if anything were undertaken to free him. She had written to him about her musical studies, including a long explanation about the "fugue". In his answer, Kinkel had given her to understand – in a manner which would be unintelligible to the prison officials who censored his letters – that he appreciated the significance of the word "fugue" (in Latin, "fuga", meaning "flight"), and would like to hear more about the subject.

I arrived in Berlin on the 11th of August. My passport, bearing the name of my cousin, Heribert Jüssen, was perfectly in order, as the passports of political offenders venturing upon dangerous ground usually are, and thus I had no difficulty entering the city, although all travelers were closely watched by the police. I first visited some of my university friends who had moved from Bonn to Berlin. I put myself into their hands; that is to say, my well-being, – not my secret plans. Two of them, Müller and Rhodes, former members of the Franconia Fraternity in Bonn, were now studying in Berlin and occupied a small apartment on Markgrafen Strasse. They gave me a hearty welcome and invited me to share their quarters; as I went in and out with them, police officers on that beat no doubt regarded me as one of the Berlin University students. As it was the custom in Berlin in those days, and perhaps still is, for the occupants of an apartment house not to carry a key to the downstairs door themselves, but when they came home at night to have the street's night watchman unlock the door for them, I too used to call the night watchman when I came home late, and have him let me into the house. That I, a fugitive on the wanted list, should be so willingly served by the supposedly omniscient Berlin police, often gave us a good laugh, and indeed had a comical aspect.

»Ansicht von Berlin, vom Kreuzberge aus gesehen«; Stahlstich von Johann Poppel nach C. Wuerbs, Mitte des 19. Jahrhunderts.

"View of Berlin, seen from the Kreuzberg". Steel engraving by Johann Poppel based on C. Wuerbs, mid-19th Century.

Die 1809 gegründete Friedrich-Wilhelm-Universität Unter den Linden (heute Humboldt-Universität in Berlin (Ost)); Stich von Laurens und Dietrich nach Calau. Zur Zeit von Schurz' Berliner Aufenthalt lehrten hier u.a. Alexander von Humboldt sowie Jacob und Wilhelm Grimm.

The Frederick William University Unter den Linden, founded in 1809 (today known as the Humboldt University in East Berlin). Engraving by Laurens and Dietrich after Calau. At the time of Schurz' stay in Berlin, Alexander von Humboldt, Jacob and Wilhelm Grimm were among the teachers at this university.

Fluchtvorbereitungen in Berlin

Flight Preparations in Berlin

Sogleich nach meiner Ankunft in Berlin setzte ich mich mit mehreren Personen in Verbindung, die mir teils von Frau Kinkel, teils von demokratischen Gesinnungsgenossen als zuverlässig bezeichnet worden waren. Ich teilte nur einem mein Geheimnis mit, dem Doktor Falkenthal, einem Arzt, der in der Vorstadt Moabit wohnte, dort einen Junggesellenhaushalt führte, und der mir seinem Charakter und seinen Umständen nach am geeignetsten schien, an dem beabsichtigten Wagestück teilzunehmen. Auch hatte er schon mit Frau Kinkel in Briefwechsel gestanden. Falkenthal hatte eine ziemlich ausgedehnte Bekanntschaft in Spandau und brachte mich dort mit dem Gastwirt Krüger zusammen, für den er sich als einen durchaus vertrauenswerten und tatkräftigen Mann verbürgte. Herr Krüger nahm in Spandau eine sehr geachtete Stellung ein. Er hatte seiner Gemeinde mehrere Jahre als Ratsherr würdig gedient, führte das beste Gasthaus in der Stadt, war wegen seines ehrenhaften Charakters und seiner Leutseligkeit allgemein beliebt und auch in seinen Vermögensverhältnissen gut gestellt. Obgleich er viel älter war als ich, so entwickelte sich doch zwischen ihm und mir bald ein Gefühl wahrhafter Freundschaft. Ich fand in ihm nicht nur ein mir sehr sympathisches Wesen, sondern einen ungemein klaren Verstand, große Diskretion, festen Mut und eine edle, opferwillige Hingebung an Zwecke, die er für gut erkannte. Er bot mir sein Haus an zum Hauptquartier meines Unternehmens.

Ich zog es jedoch vor, nicht in Spandau zu wohnen, da die Anwesenheit eines Fremden in einer so kleinen Stadt nicht lange geheim bleiben konnte. Der Aufenthalt in dem großen Berlin schien mir weniger gefährlich, wenigstens während der voraussichtlich langwierigen Vorbereitungen zu dem Schlußakt.

Herr Krüger war über das innere Getriebe des Spandauer Zuchthauses wohl unterrichtet, und was er nicht wußte, das konnte er durch seine Bekanntschaft mit den Beamten der Anstalt leicht erfahren. Die erste zu erwägende Frage war, ob es möglich sein werde, Kinkel mit Gewalt zu befreien. Ich überzeugte mich bald, daß es eine solche Möglichkeit nicht gebe. Nun wußten wir von Fällen, in denen selbst noch schärfer bewachte Gefangene vermittelst Durchsägen von Gitterstäben und Durchbrechen von Mauern aus ihren Kerkern entkommen und dann von helfenden Freunden in Sicherheit gebracht worden waren. Aber auch gegen einen solchen Plan erhoben sich große Bedenken, unter denen Kinkels Ungeübtheit in handlichen Verrichtungen nicht das geringste war. Auf alle Fälle schien es geraten, zuerst zu versuchen, ob nicht einer oder mehrere der Zuchthausbeamten zur Mithilfe gewonnen werden konnten.

Schurz verhandelte auf Krügers Rat mit drei verschiedenen Gefangenenwärtern, die zwar dazu bereit waren, Kinkel stärkende Lebensmittel zuzustecken, nicht aber zu einem Befreiungsversuch.

Immediately after my arrival in Berlin I contacted several persons whose trustworthiness had been assured me by Mrs. Kinkel or by my democratic friends. But I shared my secret only with one of them, Dr. Falkenthal, a physician who lived the life of an old bachelor in the suburb of Moabit, and whose character and way of life made him seem to me to be the one most suitable to participate in the planned venture. He had also already been in correspondence with Mrs. Kinkel. Falkenthal had a wide circle of acquaintances in Spandau and introduced me to an innkeeper there by the name of Krüger, for whom he vouched as a thoroughly reliable and energetic man. Mr. Krüger was held in high esteem in Spandau. For several years he had served on the town council; he ran the best hotel in town; he was a man of some means, and was also well-liked by everyone on account of his upstanding character and aimiable disposition. Although he was much older than myself, a feeling of true friendship developed between us. I not only found his qualities of heart and soul thoroughly sympathetic, but also admired his clear judgement, great discretion, unflinching courage, and his noble, self-sacrificing devotion to causes he considered worthy. He offered me his hotel as headquarters for my enterprise.

I preferred, however, not to live in Spandau, as the presence of a stranger in such a small town could not long remain a secret. To dwell in the large city of Berlin appeared to me much less dangerous, at least during the long time of preparation which my undertaking would probably require.

Mr. Krüger was well acquainted with the inner workings of the Spandau penitentiary, and anything he did not know, he could find out through his acquaintanceship with the guards at the institution. The first point to be considered was whether it would be feasible to liberate Kinkel by force. I was soon convinced that there was no such possibility . We did know of cases in which prisoners, even more closely watched than Kinkel was, had escaped by sawing through barred windows and tunneling through walls, and then being taken to safety with the help of their friends. But this, too, seemed hardly possible for several reasons, among which Kinkel's lack of skill in the use of his hands was not the least serious. In any event, it seemed advisable first to find out whether one or more of the penitentiary guards could be induced to help us.

On Krüger's adrice, Schurz talked to three different officers, who all expressed willingness to smuggle nourishing food in to Kinkel, but not to assist him escape.

AUSSICHT VOM MOABITER BERG NAHE BEŸ BERLIN.

Der Blick vom Moabiter Berg auf einer zeitgenössischen Kreidelithographie.

View from the hill in Moabit near Berlin. Contemporary chalk lithography.

»Das Zellengefängniß«: Außenansicht des Zuchthauses von Spandau. Anonymer Holzschnitt.

"The Prison": exterior of the Spandau penitentiary. Anonymous woodcut.

Nun schien es mir geraten, die Angelegenheit ruhen zu lassen, wenigstens bis wir ganz gewiß sein konnten, daß die drei beunruhigten Gemüter im Zuchthaus reinen Mund gehalten. Auch begann mein Aufenthalt in Berlin mir unbehaglich zu werden. Die Zahl der Freunde, die um meine Anwesenheit in der Hauptstadt wußten, war etwas zu sehr angewachsen, und die Frage, was ich denn eigentlich dort vorhabe, begegnete mir zu häufig. Einer meiner Freunde erhielt nun den Auftrag, den andern für mich Lebewohl zu sagen. Ich reiste ab, um nicht wiederzukommen, – wohin, wußte niemand. In der Tat fuhr ich auf ein paar Wochen nach Hamburg.

Vor Ende September kehrte ich zu meiner Arbeit zurück, schlug jedoch nicht in Berlin selbst, sondern in der Vorstadt Moabit bei Dr. Falkenthal mein Quartier auf. In Spandau wurde mir berichtet, daß dort alles ruhig geblieben sei. Überhaupt war mein Geheimnis gut bewahrt worden. Meinen Freunden in Berlin war ich in unbekannte Fernen verschwunden. Aber auch nach meiner Rückkehr von Hamburg wollte es mir nicht sogleich glücken, unter den Zuchthausbeamten den richtigen Mann zu finden. Ein vierter wurde mir vorgeführt, doch auch dieser wollte sich zu nichts mehr verstehen, als Kinkel einige Lebensmittel und etwa Briefe zuzuführen. Ich fing an, die Ausführbarkeit des bis dahin verfolgten Planes ernstlich zu bezweifeln, denn die Liste der Unterbeamten des Zuchthauses mußte nahezu erschöpft sein. Da fand ich plötzlich, was ich so lange vergeblich gesucht hatte. Meine Spandauer Freunde machten mich mit dem Gefangenenwärter Brune bekannt.

Im ersten Augenblick empfing ich von Brune einen Eindruck sehr verschieden von dem, den seine Kollegen mir gegeben hatten. Auch er war Unteroffizier gewesen; auch er hatte Frau und Kinder und ein spärliches Gehalt wie die andern. Aber in seinem Wesen war nichts von der unterwürfigen Demut der Subalternnatur. Als ich ihm von Kinkel sprach und von meinem Wunsche, daß sein Elend wenigstens durch kräftigere Nahrung etwas erleichtert werde, machte Brune nicht das kläglich verlegene Gesicht eines Menschen, der zwischen seinem Pflichtgefühl und einer Zehntalernote mit sich unterhandelt. Brune trat fest auf wie ein Mann, der sich dessen nicht schämt, was er zu tun willig ist.

Die schwierigste Aufgabe, die ich vor der entscheidenden Stunde noch zu lösen hatte, bestand darin, für Transportmittel nach einem sicheren Zufluchtsort zu sorgen. Die Grenzen der Schweiz, Belgiens und Frankreichs waren zu weit entfernt. Die lange Landreise konnten wir nicht wagen. Es blieb also nichts übrig, als irgendwo die Seeküste zu gewinnen und dann zu Schiff nach England zu fliehen. In Rostock hatten wir in dem hervorragenden Advokaten und Präsidenten des Abgeordnetenhauses Moritz Wiggers, den ich auf dem Demokratenkongreß in Braunschweig persönlich hatte kennen lernen, einen einflußreichen und treuen Freund. Auch war Rostock zu Wagen am schnellsten zu erreichen – denn den Eisenbahnen durften wir uns nicht anvertrauen – und die Reise dahin bot noch den Vorteil, daß, wenn wir Spandau um Mitternacht verließen, wir hoffen durften, vor Tagesanbruch die mecklenburgische Grenze zu erreichen und so der unmittelbarsten Verfolgung durch preußische Polizei zu entgehen.

Now it seemed prudent to let matters rest for a while, at least until we could be perfectly assured that the three disquieted souls in the penitentiary had kept silent. My stay in Berlin, had begun to grow uncomfortable. The number of friends who knew of my presence in the Prussian capital had grown a little too large, and I was too often confronted with the question of why I had come there. I therefore requested one of my friends to bid good-bye to the others on my behalf. I had departed for good; where I went, nobody knew. In fact, I went to Hamburg for a week or two.

By the end of September I returned to my work, but not to Berlin proper, thinking it safer to stay with my friend, Dr. Falkenthal, in the suburb of Moabit. At Spandau I received the report that everything had remained quiet. In all respects my secret had been well kept. To my friends in Berlin I had disappeared into regions unknown. After my return from Hamburg I was still not able to find the man I wanted at once among the penitentiary officials. A fourth was introduced to me, but he too was not willing to undertake anything more than smuggling food, and perhaps a letter or two, into Kinkel's cell. I began to entertain serious doubts as to whether the plan I had pursued so far could successfully be carried out, for the list of the turnkeys was nearly exhausted. Then suddenly I found the helper I had so long been looking for. My Spandau friends introduced me to Officer Brune.

The first impression I had of Brune was quite different from that which his colleagues had made on me. He too had been a non-commissioned officer in the army; he too had a wife and children and a miserable salary like the others. But in his bearing there was none of the humble servility so often found among subalterns. When I talked to him about Kinkel and my desire to alleviate his misery at least by providing him with additional fare, Brune's face expressed none of the pitiful embarrassment of the man who is vacillating between his sense of duty and a tenthaler note. Brune stood firmly upright like a man who is not ashamed of what he is willing to do. The most difficult task which I still had to perform before the decisive hour was to arrange for transportation to a safe place of refuge. The frontiers of Switzerland, Belgium and France were too far away. We could not risk such a long journey through a hostile country. There was no alternative but to try to reach the seacoast somewhere and flee to England by ship. We had an influential and faithful friend in Rostock: Moritz Wiggers, the eminent lawyer and president of the house of delegates, whom I had met personally at the democratic congress in Brunswick. Rostock was also the closest port we could reach by coach – for we could not take the risk of traveling by railroad – and that route furthermore offered the advantage that if we left Spandau about midnight, we might hope to cross the border into Mecklenburg before daybreak and thus be beyond immediate pursuit by the Prussian police.

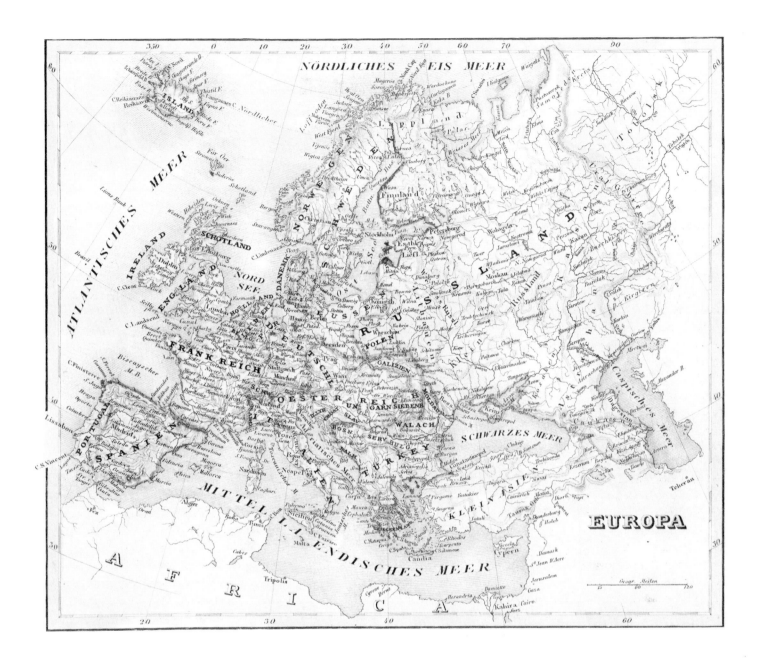

Diese Karte aus Meyers »Neuestem Zeitungs-Atlas für Alte & Neue Erd-
kunde« von 1850 gibt das Staatenbild Europas in den Jahren wieder, die
Schurz' Auswanderung in die »Neue Welt« vorausgingen.

This map from Meyers "Latest Newspaper Atlas for Geography, Ancient
& Modern", printed in 1850, shows the national territories of Europe in
the years which preceded Schurz' emigration to "The New World".

Erster Befreiungsversuch   The First Rescue Attempt

Ich hatte Kinkel vor einiger Zeit durch Brune mit kräftigenden Speisen versehen lassen, um ihn in gutem körperlichen Zustande zu halten. Um Mitternacht waren meine Leute auf ihren Posten, und nachdem der Nachtwächter die Straße hinunter passiert war, näherte ich mich dem Tor des Zuchthauses. Ich hatte Gummischuhe über die Stiefel gezogen, um meinen Schritt unhörbar zu machen. Ein zweites Paar Gummischuhe für Kinkel führte ich bei mir. Im Gürtel unter dem Rock trug ich die Pistolen, die Falkenthal mir gegeben hatte. In einer Tasche hatte ich ein scharfes Jagdmesser, und in einer andern einen fußlangen Lederstock mit schwerem Bleiknopf, einen sogenannten Totschläger, um Kinkel für den Fall der Not damit zu bewaffnen. Um die Schultern hatte ich einen weiten Mantel mit Ärmeln geworfen, der Kinkel als erste Verhüllung dienen sollte. So ausgerüstet öffnete ich leise das Pförtchen und trat in den Torweg des Gefängnisses. Das Pförtchen ließ ich angelehnt und den Schlüssel draußen im Schloß stecken. Der Torweg war durch eine von der Decke herabhängende Laterne matt erhellt. Rechts sah ich die Tür, die in das Quartier des Zuchthausdirektors Jeserich führte; links die Tür der Wachtstube. Es war mein Geschäft, das Öffnen dieser Türen von innen zu verhindern, indem ich mit einer starken Schnur die äußeren Türklinken an die Schellenzüge festband. Nichts regte sich. Mein Blick war auf das gegenüberliegende Ende des Torwegs geheftet, wo Brune mit Kinkel erscheinen sollte. So wartete ich. Eine Minute nach der andern verging – alles blieb totenstill. Ich mochte bereits eine Viertelstunde gewartet haben – noch immer regte sich nichts. Was bedeutete das? Aller Berechnung nach hätten sie längst herunter sein können. Meine Lage fing an, mir sehr bedenklich zu scheinen. War Brune doch untreu? Ich zog eine meiner Pistolen aus dem Gürtel und hielt sie schußfertig in der linken Hand, mein Jagdmesser in der rechten. Doch nahm ich mir vor, auf meinem Posten zu bleiben, bis ich mir sagen könnte, die letzte Chance des Gelingens sei vorüber. Es mochte schon eine halbe Stunde vergangen sein, und noch alles still wie das Grab. Plötzlich hörte ich eine leise Bewegung, und an dem andern Ende des Torwegs sah ich eine dunkle Gestalt erscheinen, als wäre sie, wie ein Gespenst, aus der Mauer herausgetreten. Meine Hände schlossen sich fester um meine Waffen. Im nächsten Augenblick erkannte ich im matten Licht Brune. Da war er endlich, aber allein. Er legte den Finger auf den Mund und näherte sich mir. Ich erwartete ihn, auf alles gefaßt. »Ich bin unglücklich«, flüsterte er kaum hörbar mir zu. »Ich habe alles versucht. Es ist mißlungen. Die Schlüssel waren nicht auf dem Spinde. Kommen Sie morgen zu mir und holen das Geld wieder.« Ich antwortete nichts, sondern löste schnell die Schnüre an den Türklinken und trat dann durch das Pförtchen zurück, schloß es ab und steckte den Schlüssel in die Tasche. Kaum waren wir auf der Straße, als meine beiden Freunde zu mir eilten. Mit wenigen Worten erzählte ich ihnen im Davongehen, was geschehen war. Bald hatten wir Krügers Gasthaus erreicht, wo Hensel mit seinem Wagen bereit stand, Kinkel und mich hinweg zu führen. Die Enttäuschung, die meinem Bericht folgte, war entsetzlich. »Aber es gibt diese Nacht noch etwas zu tun«, sagte ich. »Meine Relais stehen auf der Landstraße bis tief nach Mecklenburg hinein. Die müssen wir abbestellen.« Es war eine traurige Reise.

For some time now I had Brune provide Kinkel with a plentiful supply of nourishing food to keep him in good physical condition. At midnight all my people were at their posts, and after the night watchman had passed down the street I approached the door of the penitentiary. I had put rubber shoes over my boots, to make my steps inaudible. I brought a second pair of rubber shoes with me for Kinkel. In my belt I carried the pistols which Dr. Falkenthal had given me; in one pocket, a sharp hunting knife, and in another, a foot-long leather club with a heavy metal head, with which to arm Kinkel in case of emergency. I had thrown a wide cloak with sleeves around my shoulders, which was to serve Kinkel as a first wrap. So equipped I quietly opened the little back gate and stepped into the gateway of the prison. I left the little gate ajar and the key sticking in the lock on the outside. The gateway was dimly lighted by a lantern hanging from the ceiling. To the right I saw the door leading to prison director Jeserich's quarters; to the left, the door to the guardroom. My first task was to prevent these doors from being opened from the inside, which I did by tying the doorhandles to the iron fastenings of the bell ropes with heavy string. My eyes were riveted to the opposite end of the passageway, where Brune was to appear with Kinkel. I waited with bated breath. One minute passed after another, but everything remained deathly still. I must have waited a full quarter of an hour, but nothing stirred. What did that mean? According to my calculations, they should long since have been down to join me. The situation began to look very precarious to me. Was Brune unreliable after all? I took one of my pistols out of my belt and held it in my left hand ready to fire, and my hunting knife in my right hand. But I resolved to stay at my post until I was absolutely sure that there was no longer any chance of success. Half an hour must have gone by already, and everything was still as quiet as a tomb. Suddenly I heard a faint rustle, and at the other end of the gateway I saw a dark figure appear like a ghost out of the wall. My hands closed more tightly on my weapons. The next moment I recognized Brune in the dim light. There he was at last, but alone. He put his finger on his lips and approached me. I awaited him, ready for the worst. "I'm sorry," he whispered almost inaudibly. "I tried everything, but I failed. The keys were not in the locker. Come to me tomorrow and get your money back." I said nothing in reply, but quickly untied the string from the doorhandles, then stepped out through the back gate, locked it, and put the key in my pocket. I was hardly on the street when my two accomplices hastened to join me. As we hurried away, I told them what had happened in a few words. We soon reached Krüger's hotel, where Hensel stood ready with his carriage to take Kinkel and me away. The disappointment that followed my report was terrible. "But there is still something that has to be done tonight," I said, "for my relays are waiting on the road deep into Mecklenburg, and they have to be canceled." It was a depressing trip.

Fotomontage zur Erinnerung an die Befreiung Gottfried Kinkels durch Schurz, wahrscheinlich aus den achtziger Jahren des 19. Jahrhunderts. Oben die Straße vor dem Zuchthaus, Mitte links die Dachluke, aus der Kinkel von Brune abgeseilt wurde. Unten Außen- und Innenansicht von Kinkels Zelle.

Photomontage (probably from the 1880's), commemorating Schurz' rescue of Gottfried Kinkel. The street in front of the prison (above); the dormer window from which Brune let Kinkel down on the rope (left, middle); exterior and interior views of Kinkel's cell (bottom).

Befreiung aus dem Spandauer Gefängnis
6. November 1850

Mit der Rückfahrt nach Spandau hatten wir keine Eile. Wir hielten es sogar für geraten, erst mit dem Abenddunkel dort einzutreffen, und so setzten wir uns dann erst nachmittag in langsamem Trab in Bewegung. In Spandau angekommen, erfuhr ich von Krüger, daß alles ruhig geblieben war. Sofort ging ich zu Brunes Wohnung. Ich fand ihn in seiner Stube. Er hatte mich offenbar erwartet. Das Zigarrenkästchen mit dem Geld stand auf dem Tisch. »Das war eine verdammte Geschichte letzte Nacht«, sagte er. »Ich konnte nicht dafür. Alles war in der schönsten Ordnung, aber als ich das Spinde in der Revierstube aufschloß, fand ich die Schlüssel zur Zelle nicht. Ich suchte und suchte, aber sie waren nicht da. Heut morgen hörte ich, daß der Inspektor Semmler sie ganz zufällig, statt sie in das Spind zu legen, aus Vergeßlichkeit in der Tasche mit nach Hause genommen hatte.«

Brune schlug einen zweiten, halsbrecherischen Befreiungsversuch für die folgende Nacht vor. Schurz willigte ein und traf die nötigen organisatorischen Vorbereitungen.

Um Mitternacht stand ich, ausgerüstet wie in der vorigen Nacht, wohlverborgen in der tiefen, dunklen Türnische dem Zuchthause gegenüber. Die Straßenecken zur Rechten und Linken waren der Abrede gemäß besetzt, aber die Leute hielten sich abseits. Ein paar Minuten später kam der Nachtwächter in gemächlichem Schritt die Straße herab. Gerade vor mir drehte er seine Schnarre und rief die zwölfte Stunde aus. Dann schlurfte er ruhig weiter und verschwand. Was hätte ich um ein tüchtiges Unwetter mit Sturmgebraus und klatschendem Regen gegeben! Aber die Nacht war unheimlich still. Mein Auge war fest auf das Dach des Gefängnisses gerichtet, auf dem ich die Luken in der Dunkelheit kaum unterscheiden konnte. Die spärlichen Straßenlichter flimmerten matt. Plötzlich erschien oben ein heller Schein, der mich den Rahmen einer Dachluke erkennen ließ. Der Schein bewegte sich dreimal auf und ab. Das war das gehoffte Signal. Ich warf einen schnellen Blick auf die Straße rechts und links. Nichts näherte sich. Rasch gab ich, mit Stahl und Stein sprühende Funken schlagend, meinerseits das vereinbarte Zeichen. Eine Sekunde später verschwand das Licht aus der Dachluke und dann gewahrte ich einen dunklen Körper, der sich langsam über die Mauerkante herunterbewegte. Mein Herz klopfte heftig, und der Schweiß trat mir auf die Stirn. Da geschah, was ich befürchtet hatte. Dachschiefer und Mauerziegel, von dem rutschenden Seil gelöst, regneten mit lautem Geklapper auf das Pflaster. Nun, gütiges Schicksal, steh uns bei! In demselben Augenblick kam Hensels Wagen auf dem holprigen Pflaster rasselnd herangerollt. Man hörte das Geräusch der fallenden Ziegel nicht mehr. Aber werden diese nicht Kinkels Kopf treffen und ihn betäuben? Nun hatte der dunkle Körper beinahe den Boden erreicht. Mit wenigen Sprüngen war ich zur Stelle. Jetzt faßte ich ihn an; es war mein Freund, und da stand er lebendig auf seinen Füßen. »Das ist eine kühne Tat!« war das erste Wort, das er mir sagte. »Gott sei Dank!« antwortete ich. »Nun schnell das Seil ab und dann fort!«

I Rescue Kinkel from Spandau Prison
November 6, 1850

We were in no hurry on the return trip to Spandau. We even thought it advisable not to arrive there until dark, so we didn't start till afternoon at a slow trot. Arriving in Spandau, I learned from Krüger that everything had remained quiet. I immediately went to Brune, who was in his living room, evidently expecting me. The cigar box with the money in it was on the table. "That was damn bad luck last night," he said, "but it was not my fault. Everything was going well, but when I opened the locker in the Revier room I could not find the keys to the cell. I searched and searched, but they were not there. This morning I found out that Inspector Semmler, instead of placing them in the locker, had accidentally put them in his pocket and taken them home with him."

Brune proposed a second perilous rescue attempt for the following night. Schurz consented and organized the necessary preparations.

Shortly before midnight I stood, as on the night before, well hidden in the dark recess of the house door opposite the penitentiary. The street corners to the right and left were, according to agreement, properly watched, but our men kept themselves concealed. A few minutes later the night watchman came ambling down the street, and when immediately in front of me rattled his ratchet wheel and called out the hour of twelve. Then he shuffled quietly on and disappeared. What I would have given for a roaring storm and splashing rain! But the night was uncannily still. My eyes were riveted to the roof of the penitentiary building, but in the darkness I could hardly even distinguish the dormer windows. The street lights flared dimly. Suddenly a light appeared up high by which I could make out the frame of one of the dormer windows. The light moved up and down three times. That was the signal I was hoping for. I quickly glanced up and down the street; nothing was stirring, so I gave the signal agreed upon, striking sparks with steel on stone. A second later the light above disappeared and I perceived a dark form slowly moving across the edge of the wall. My heart beat violently and drops of sweat appeared on my forehead. Then something I was afraid would happen actually started: tiles and bricks, loosened by the rubbing rope, began raining down on the pavement with a loud clatter. "Now, Heaven help us!" At the same moment Hensel's carriage came rumbling over the cobblestones. The noise of the falling bricks could no longer be heard. But could one hit Kinkel's head and benumb him? Now the dark figure had almost reached the ground. I jumped forward and grasped him; it was indeed my friend, alive and on his feet. "This is a bold deed," were the first words he said to me. "Thank God!" I answered. "Now off with the rope and away!"

Kinkel wird aus dem Spandauer Zuchthaus abgeseilt.

Kinkel's descent from the dormer window of the Spandau Prison.

Flucht nach England

The Flight to England

Es war schon heller Tag, als wir den mecklenburgischen Grenzpfahl begrüßten. Sicher fühlten wir uns da noch keineswegs, wenn auch ein wenig sicherer als auf preußischem Gebiet, denn in Mecklenburg war die Polizei harmloser. Aber der Trab unserer Pferde wurde langsamer und langsamer. Eines davon schien im höchsten Grade ermattet zu sein. So mußten wir denn am ersten mecklenburgischen Wirtshause, das wir fanden, in Dannenwalde, wieder Rast machen. Hensel wusch die Pferde mit warmem Wasser. Das half ein wenig, aber nur für kurze Zeit. Erst nachmittag, nach einer Fahrt von mehr als dreizehn deutschen Meilen, erreichten wir Strelitz, wo wir an dem Stadtrichter Petermann einen begeisterten Freund und Beschützer hatten, der bereits in der vorhergegangenen Nacht an der Aufstellung der Relais beteiligt gewesen war.

Mittlerweile ging die Nachricht von Kinkels Flucht durch die Zeitungen und erregte allenthalben das größte Aufsehen. Unsere Freunde in Rostock unterrichteten sich mit größter Sorgfalt von allem, was über die Sache gedruckt, gesagt und gerüchteweise gemunkelt wurde. Den von der preußischen Regierung gegen Kinkel erlassenen und in den Blättern veröffentlichten Steckbrief brachten sie uns zum Tee mit, und er wurde unter großer Heiterkeit mit allerlei unehrerbietigen Randglossen vorgelesen. Von meinem Anteil an Kinkels Befreiung wußten damals die Behörden und das Publikum noch nichts. Besonderes Vergnügen machten uns die Zeitungsberichte, die Kinkels Ankunft an den verschiedensten Orten zu gleicher Zeit anzeigten.

Doch fanden wir, trotz aller Gemütlichkeit, nicht geringe Beruhigung in der Nachricht, daß der Nordostwind sich gelegt habe, daß der Segler »Anna« bereits bei Warnemünde vor Anker liege, und daß alles zu unserer Abfahrt am 17. November bereit sei. Einige unserer Freunde blieben bei uns, bis der kleine Schleppdampfer, welcher der »Anna« vorgespannt war, uns eine kurze Strecke in die offene See hinausbugsiert hatte. Dann stiegen unsere Freunde in den kleinen Dampfer, und dankbaren Herzens riefen wir ihnen Lebewohl zu. Zum letzten Abschied feuerten sie ein Salut mit ihren Pistolen und dampften dann nach Warnemünde zurück.

Kinkel und ich blieben an der hinteren Schanzkleidung des Schiffes stehen und sahen dem Dampfer nach, der unsere guten Freunde davontrug. Dann ruhten unsere Blicke auf der heimatlichen Küste, bis der letzte Streifen davon in der Abenddämmerung verschwunden war. So nahmen wir stillen Abschied vom Vaterlande. In unserer wortkargen Unterhaltung tauchte mehr als einmal die Frage auf: »Wann werden wir wohl zurückkehren?«

Anfangs ließ sich die Seereise lustig an. Eine leichte Brise schwellte die Segel, und das Schiff glitt mit sanfter Bewegung durch die nur wenig erregte Flut. Aber gegen Morgen wurden Wind und See lebhafter, und als es Zeit zum Aufstehen war, meldete sich Kinkel seekrank. Der Wind blies immer heftiger, die See wogte immer höher, und Kinkel wurde immer kränker. Er raffte sich zusammen, um aufs Deck zu steigen, suchte aber bald wieder seine Koje auf. Ich bemühte mich ihn aufzumuntern –

The sun was already up when we passed the Mecklenburg boundary post. Even there we did not feel completely safe, although a little safer than on Prussian territory, for the Mecklenburg police were less vicious. The trot of our horses became slower and slower. One of them appeared untterly exhausted, so we had to stop at the nearest Mecklenburg inn, in Dannenwalde. Hensel washed the horses with warm water, which helped a little, but only for a short time. We did not reach Strelitz until afternoon, after a ride of over fifty miles. There we had an enthusiastic friend and protector in the person of Judge Petermann, a city magistrate, who had already been on the road with one of the relay carriages the night before.

In the meantime the news of Kinkel's escape was in all the papers, and gave rise to great excitement everywhere. Our friends in Rostock informed us in great detail of everything which was printed, said and rumored about the affair. The wanted circular with Kinkel's picture, issued by the Prussian government and printed in the newspapers, was read to us while we were having tea; it was received with great hilarity and all sorts of disrespectful comments. At that time neither the authorities nor the general public yet knew of my part in liberating Kinkel. We were particularly amused by the articles reporting Kinkel's simultaneous arrival in various far-removed places.

Despite the fine time we were having, it was reassuring to get the news that the northeast wind had quieted down, that the schooner "Little Anna" was already lying at anchor at Warnemünde and that everything was in readiness for our departure on the 17th of November. Some of our friends remained with us until the steam tug hitched to the "Little Anna" had carried us a short distance into the open sea. Then they descended into the tug, and we took leave of them with grateful hearts. As a final farewell they fired a salute with their pistols and steamed back to Warnemünde.

Kinkel and I remained on the poopdeck of the schooner, gazing after the little steamboat that carried our good friends away. Then our eyes rested on the shore of our homeland until the last vestige had disappeared in the dusk. That was our silent farewell to our native country. In our halting conversation, the question came up more than once, "When will we ever return?"

At first the sea voyage was quite enjoyable. A gentle breeze filled the sails, and the ship glided along pleasantly through the calm waters. But as morning broke, the wind and sea became more lively, and when it was time to get up, Kinkel reported himself seasick.

Zeitgenössische Ansicht von Rostock. Anonymer Stahlstich.

Contemporary view of Rostock. Anonymous steel engraving.

Warnemünde, der Vorhafen von Rostock. Hier schifften sich Schurz und Kinkel nach England ein.

Warnemünde, the outer port of Rostock. This is where Kinkel and Schurz boarded the ship for England.

8. November 1850

— Der im Zuchthause zu Spandau detinirte Professor Kinkel ist in der Nacht von vorgestern zu gestern (wie es scheint etwa um Mitternacht) entflohen. Die näheren Details dieser Flucht sind bis jetzt nicht bekannt geworden, es sollen aber schon vor mehreren Tagen von außen her Versuche entdeckt worden sein, welche darauf berechnet waren, eine solche Flucht zu ermöglichen.

9. November 1850

— Die Flucht Kinkels aus dem Zuchthause zu Spandau hat hier sowohl bei den Behörden als auch beim Publikum große Sensation gemacht, da man solche für völlig unmöglich gehalten hat und da die Direction des Zuchthauses in Spandau vorher sogar ausdrücklich gewarnt gewesen sein soll. Sobald die Nachricht von der Flucht hier eintraf, entwickelte sich bei den Polizeibehörden eine besondere Thätigkeit, es wurde auf allen Eisenbahnhöfen und überhaupt an allen sonst geeigneten Orten eine sorgfältige Visitation beobachtet, und eine Abtheilung reitender Schutzmänner ritt sofort nach Spandau, um die Umgegend zu untersuchen u. s. w. Bis jetzt ist von einer Wiederergreifung des Flüchtlings nichts bekannt geworden. Es fehlt bisher an sicheren Nachrichten über die Art und Weise, in welcher diese merkwürdige Flucht gelungen ist. Dem Vernehmen nach haben zu Kinkels Zelle zwei Schlüssel existirt, von denen der eine in einem Schranke des Zuchthauses verwahrt wurde. Dieser Schrank soll erbrochen gefunden sein und soll außerdem ein Fenster auf einem Corridor Spuren der aus solchem unternommenen Flucht mittelst eines Strickes gezeigt haben. Da dieser Strick aber nicht gefunden ist, so scheint diese Art der Flucht fast nur eine fingirte zu sein. Ein gestern vielfach verbreitetes aber allerdings nicht zu verbürgendes Gerücht behauptet, daß die Flucht in der That in folgender Weise bewirkt worden sei: Einer der Gefangenwärter sei durch Bestechung von außen her vermocht worden die Flucht zu vermitteln, es habe dieser in die Zelle Kinkels eine vollständige Officiers-Uniform mit Hut u. s. w. hineingelegt und mit dieser bekleidet soll Kinkel in der Nacht unter den Masken eines Ronde-Officiers, der die Schwachen inspicirt hat, das Zuchthaus unangefochten verlassen haben. Daß sonst noch verbreitete Gerücht, daß der Gefangenwärter mit Kinkel zugleich entflohen sei, scheint nicht begründet, es muß aber allerdings wohl ein Beamter der Anstalt mit im Spiel gewesen sein und soll auch ein Wärter bereits arretirt worden sein. Da die Flucht erst am Morgen entdeckt ist, wo man die Zelle des Gefangenen in einer unzerstörlichen Weise leer fand, und da jedenfalls schon Fuhrwerk bereit gestanden hat, um den Flüchtling aufzunehmen, so hat derselbe unfehlbar einen bedeutenden Vorsprung gehabt. Es sollen schon seit längerer Zeit sehr bedeutende Geldsummen beschafft worden sein, um die Flucht zu ermöglichen.

Berichterstattung und Spekulationen der »Königl. privilegierten Berlinischen Zeitung« über Kinkels Flucht. Der Beamte, dessen Festnahme erwähnt wird, war Brune. Er wurde zu drei Jahren Gefängnis verurteilt, konnte sich später jedoch mit dem Geld, das er von Schurz erhalten hatte, eine neue Existenz aufbauen. Brune starb 1891. Trotz losen Briefkontakts kam es zu keinem Wiedersehen mit Schurz mehr.

Report and speculation in the "Royal Privileged Berlin Newspaper" concerning Kinkel's escape. The officer, whose arrest is mentioned, was Brune. He was sentenced to three years in prison, but he was able to start a new life later with the money he received from Schurz. Brune died in 1891; although they did maintain a casual correspondence, he and Schurz never met again.

12. November 1850

— Wir können aus zuverlässiger Quelle versichern, daß die allgemein verbreitete Nachricht, es sei ein Beamter des Zuchthauses in Spandau zugleich mit Kinkel entflohen, durchaus ungegründet ist, es fehlt keiner der dortigen Beamten, und ist nur einer derselben wegen des Verdachts, die Flucht in Folge von Bestechung begünstigt zu haben, verhaftet worden.

Sonnabend den 16. November,

— Kinkel ist glücklich in Paris angelangt, hat sich aber sofort auf den Rath seiner Freunde nach London begeben, um den Verfolgungen der hiesigen Polizei aus dem Wege zu gehen. Sein Gesundheitszustand ist leider nicht der beste.

— Eine andere Nachricht über Kinkel lautet: Bei einem ihm zu Ehren gegebenen Bankette wurden verschiedene revolutionäre Toaste ausgebracht und von hiesigen Demokraten ihre Freude über seine gelungene Flucht ausgesprochen. Der Polizeipräfekt soll bereits die Weisung erhalten haben, Paris und Frankreich zu verlassen. Er dürfte sich in Havre nach Amerika einschiffen.

17. November 1850

— In Folge der Untersuchungen, welche über die Flucht Kinkels stattgefunden haben, sind in Spandau mehrere Personen verhaftet worden, die der Unterstützung derselben verdächtig geworden. Vor Allem erscheinen zwei nächtliche Wächter gravirt. Bei dem einen sind 20 Friedrichsd'or gefunden worden.

umsonst. Nach einigen Stunden argen Leidens wurde er ganz verzweifelt in seiner Qual. Er fühlte, daß er sterben müsse. Er hatte Lust, den Kapitän zu bitten, daß er ihn im nächsten Hafen absetzen möge. Diese Marter erschien ihm unerträglich. War er dem Gefängnisse entronnen, um hier jetzt so elend zu verenden? Kinkel war mehrere Tage seekrank, lernte jedoch nach und nach einsehen, wieviel Seekrankheit ein Mensch vertragen kann, ohne zu sterben. Allmählich verschwand sein Leiden; er stieg mit mir aufs Deck, würdigte die Poesie der Meerfahrt und verzieh mir dann, daß ich an den tödlichen Charakter seiner Seekrankheit nicht hatte glauben wollen.

Nach dem zehnten Tage unserer Fahrt klärte sich endlich der Himmel und die erste regelrechte Observation zeigte, daß unsere Berechnungen nicht gar so falsch gewesen waren, und daß drei oder vier weitere Tage uns an die englische Küste bringen würden. So steuerten wir denn fest auf den Hafen von Newcastle los. Da warf sich plötzlich der Wind nach Süden, und der Kapitän erklärte, daß wir bei diesem Winde nur durch langwieriges Kreuzen den Hafen von Newcastle erreichen könnten. Der Navigationsrat trat also wieder zusammen, und wir beschlossen, in nördlicher Richtung nach Leith, dem Hafen von Edinburgh, zu steuern. Das geschah, und am nächsten Abend erblickten wir die mächtigen Felsen, die den Eingang zum Hafen von Leith bewachen. Da fiel der Wind zu unserem lebhaften Ärger und die Segel hingen schlaff. Nachdem wir verdrießlich schlafen gegangen waren, erhob sich eine leichte Brise, die uns mit unmerklicher Bewegung dem ersehnten Hafen zutrieb, und als wir am nächsten Morgen erwachten, lag die »Kleine Anna« vor Anker.

Es war ein schöner, sonniger Wintermorgen. Welche Lust war es, als wir die Hauptstraße von Leith hinaufwanderten, zu fühlen, daß wir nun wieder festen Boden unter den Füßen hatten und als freie Menschen jedem ins Antlitz schauen durften! Endlich alles überstanden, alle Gefahren glücklich vorüber, keine Verfolgung mehr, ein neues Leben vor uns! Es war über alle Beschreibung herrlich. Wir hätten jauchzen und springen mögen, besannen uns aber und wanderten in raschem Gang aus der Hafenstadt in die Straßen von Edinburgh hinauf. Wir sahen das berühmte Scott-Denkmal und einige imposante Gebäude und gingen dann auf die Burg hinauf, wo uns der erste Anblick von Soldaten in dem prächtigen schottischen Hochlandkostüm zuteil wurde. Auch genossen wir von dort aus nach Herzenslust die wundervolle Aussicht über die Stadt und ihre malerische Umgebung. Kurz, wir fanden Edinburgh über die Maßen schön.

Da Kinkel einen Brief von Frau Johanna empfing, in dem sie den Tag ihres Eintreffens in Paris bestimmte, so begaben wir uns nach einigen Tagen höchst anstrengenden Vergnügens auf den Weg nach der französischen Hauptstadt. Das Wiedersehen der durch hartes Schicksal so lange getrennten Gatten war mir eine kaum geringere Freude als ihnen selbst. Aber mit dieser Freude brachte unsere Ankunft in Paris mir auch eine schwere Bürde, und diese Bürde bestand in meiner plötzlichen »Berühmtheit«.

The wind increased, the waves grew higher, and Kinkel grew more and more miserable. He gathered himself together and came up on deck, but soon returned to his berth. I tried to cheer him up, but in vain. After a few hours of suffering, his torment became so acute, he felt sure he was going to die. He felt like telling the captain to take him to the nearest port. His agony seemed unbearable to him. Had he escaped from prison to die such a wretched death? Kinkel remained seasick for several days, but gradually learned just how much seasickness a human can bear without dying. Little by little his suffering let up; he joined me on deck, able to appreciate the poetic aspect of a sea journey and to forgive me for not believing in the fatal character of his seasickness.

On the tenth day of our trip the sky cleared at last, and the first actual observations showed that our estimate had not been so very wrong and that three or four days would bring us to the English coast. We were heading for the port of Newcastle, but then the wind turned toward the south and the captain declared that we would have to cruise against it for a considerable time in order to reach Newcastle. The navigation council therefore met again and resolved to steer north toward Leith, the harbor of Edinburgh. We changed course, and the next evening we saw the mighty rocks that guard the entrance to the port of Leith. Then the wind suddenly died away and our sails sagged. After we had gone to bed in a somewhat surly state of mind, a light wind arose that carried us with the most gentle movement toward the long-wished-for port, and when we awoke, the "Little Anna" lay at anchor.

It was a beautiful sunny winter morning. What a pleasure it was to wander down the main street of Leith, to feel the solid ground underneath our feet and to look people in the face as free men! The mission was accomplished, all dangers overcome; a new life, free from persecution, lay before us.
It was an indescribably wonderful feeling. We wanted to jump and shout for joy, but we took hold of ourselves and walked out of the port town at a fast pace and into the streets of Edingburgh. We saw the famous Scott monument and several imposing buildings, and then went up to the castle, where we had our first glimpse of the soldiers in their splendid Scottish Highland garb. We were also able to enjoy the wonderful view over the city and its picturesque surroundings to our heart's delight. In short, we found Edinburgh beautiful beyond words.

As Kinkel had received a letter from his wife Johanna in which she specified the date of her arrival in Paris, after a few days of overfatiguing pleasure we were on our way to the French capital. To witness the meeting of Kinkel and his wife, after so long and painful a separation, was hardly less a joy to me than it was to them. But along with this joy, our arrival in Paris brought with it a heavy burden for me: sudden "fame".

Edinburgh: Blick über die Stadt auf den Burgfelsen. Zeitgenössischer Stich.

Edinburgh: view of the city and the Castle cliffs; contemporary engraving.

Das sechzig Meter hohe, neogothische »Scott Monument« auf der Edinburgher Princes Street war vier Jahre alt, als Schurz und Kinkel es besichtigten.

The two hundred foot high, neo-Gothic »Scott Monument« on Princes Street in Edinburgh was four years old when Schurz and Kinkel viewed it.

Die Kinkels beschlossen, sich in England niederzulassen. Ich zog vor, noch einige Zeit in Paris zu bleiben, teils weil ich hoffte, dort meine geschichtlichen Lieblingsstudien am besten fortsetzen zu können, teils auch, weil damals noch Paris als der Herd liberaler Bewegungen auf dem europäischen Kontinent galt, und ich glaubte, da, wo die Schicksale der Welt geschmiedet würden, auch den geeignetsten Platz für mich als Zeitungskorrespondenten zu finden. So trennten wir uns denn, und damit war die Periode der aufregenden Abenteuer und der darauffolgenden Festtage zu Ende.

Ich mußte mir aber bald selbst gestehen, daß mir die Atmosphäre von Paris nicht behagte, und mit großem Vergnügen nahm ich eine Einladung der Familie Kinkel an, die mich bat, sie in London zu besuchen und einige Tage in ihrem glücklichen Heim zuzubringen. Kinkel hatte in der Vorstadt St. Johns Wood ein kleines Haus gemietet, und dort wurde ich als Gast begrüßt von dem wiedervereinigten Ehepaar und seinen vier Kindern. Kinkel hatte bereits einen ziemlich einträglichen Wirkungskreis als Lehrer gewonnen, und Frau Kinkel gab Musikstunden. Ich fand die Familie in sehr heiterer Stimmung, und wir verlebten einige glückliche Tage zusammen. Es behagte mir in der Tat so gut dort, daß Kinkel mich ohne Mühe überreden konnte, meinen Aufenthalt in Paris aufzugeben und nach London überzusiedeln.

Gegen Mitte Juni kam ich in London an. Kinkel hatte bereits in einem Hause auf St. Johns Wood Terrace, nahe bei seiner Wohnung, Zimmer für mich gefunden, die ich um ein Billiges mieten konnte, und er wies mir auch Unterrichtsstunden in der deutschen Sprache und in der Musik zu, deren Ertrag für meine bescheidenen Bedürfnisse mehr als hinreichte.

Die Dankbarkeit Kinkels und seiner Frau war so aufrichtig und unermüdlich, daß sie mich oft in Verlegenheit setzte. Sie suchten beständig nach etwas, das sie mir zuliebe tun könnten. Frau Johanna drang in mich, mir von ihr weiteren Klavierunterricht geben zu lassen, und mit neuer Lust nahm ich meine musikalischen Studien wieder auf. Meine Lehrerin ließ mich Beethoven, Schubert und Schumann genießen und führte mich durch die Zaubergärten der Chopinschen Musik. Natürlich führten mich die Kinkels auch in die gesellschaftlichen Kreise ein, die ihnen offen waren. Freilich stand mir dabei meine Unkenntnis der englischen Sprache sehr im Wege. Aber ich hatte doch das Glück, mit einigen englischen Familien, in denen man Deutsch oder Französisch sprach, in ein Verhältnis zu treten, das man hätte freundschaftlich nennen können. Ich habe da verstehen lernen, wieviel aufrichtige Wärme des Gefühls in dem scheinbar so steifen und förmlichen Engländer versteckt sein kann.

The Kinkels decided to settle in England. I preferred to stay in Paris, at least for a while; partly because I felt I could best pursue my studies of history, my favorite subject, there; but also because Paris was then considered to be the center of liberal movements on the European continent, and I believed that the place where the destinies of the world were forged would be the ideal spot for me to start work as a newspaper correspondent. So we separated, which marked the end of a period of stirring adventures and of the celebrations which followed.

But I soon had to admit that I did not find the atmosphere in Paris congenial, and it was with great pleasure that I accepted the Kinkel family's invitation to visit them im London and spend some days in their happy home. Kinkel had rented a small house in the suburb of St. John's Wood, and I was received there by the reunited couple and their four children. Kinkel had already found profitable employment as a private teacher, and Mrs. Kinkel gave music lessons. I found the family in a cheerful mood, and we spent a number of happy days together. In fact, I liked it so much there that it was not hard for Kinkel to persuade me to give up my domicile in Paris and move to London.

I made the move to London toward the middle of June. Kinkel had already found inexpensive rooms for me in a house on St. John's Wood Terrace, near his own home, and had arranged for me to give lessons in German and music, from which I earned more than enough to cover my modest needs.

The gratitude which Kinkel and his wife showed me was so sincere and untiring that it often embarrassed me. They were constantly trying to think up favors they could do for me. Johanna Kinkel urged me to let her give me advanced piano lessons, and it was with renewed pleasure that I resumed my musical studies. My teacher taught me to appreciate Beethoven, Schubert and Schumann, and led me through the enchanted gardens of Chopin's music. Naturally the Kinkels also introduced me to the distinguished social circles which were open to them. Of course my inability to speak English was a great hindrance. But I had the good fortune to find friendly acceptance among several English families in which German or French was also spoken. It was there I learned how much sincere warmth of feeling can be hidden inside the seemingly stiff and formal English.

Kinkel und Schurz 1852 in London. Obwohl Schurz in seinen Erinnerungen private Aspekte hervorhebt, dürfte er Kinkel nach England gefolgt sein, weil er sich von seinem populären Freund die politische Einigung der deutschen Flüchtlinge erhoffte.

Kinkel and Schurz in 1852 in London. Although Schurz stresses personal aspects in his »Reminiscences«, he certainly must have followed Kinkel to England expecting his friend to bring about political
unity among German refugees.

Nach den gescheiterten europäischen Revolutionen waren Paris und
London zu Hauptstädten der Emigration geworden. Der Staatsstreich Louis Napoleons im Dezember 1851 ließ nur noch London
übrig. Zeitgenössischer Stich von W.Henshall nach C.Marshall.

After the failure of the European revolutions, Paris and London became the principal cities of immigration. After Louis Napoleon's
coup d'état in December 1851, only London was left. Contemporary
engraving by W. Henshall after C. Marshall.

71

Hochzeit und Überfahrt nach Amerika

Nun trat ein Ereignis ein, welches die Stimmung der Flüchtlingschaft furchtbar verdüsterte und auch meinem Schicksal eine entsprechende Wendung gab. Am 2. Dezember 1851 kam die Nachricht, daß Louis Napoleon tatsächlich den vorausgeahnten Staatsstreich ins Werk gesetzt habe.

Ich hatte das Flüchtlingsleben als öde und entnervend erkannt. Ich fühlte einen ungestümen Drang in mir, nicht nur mir eine geregelte Lebenstätigkeit zu schaffen, sondern für das Wohl der Menschheit etwas Wirkliches, wahrhaft Wertvolles zu leisten. Aber wo? Das Vaterland war mir verschlossen. England war mir eine Fremde und würde es immer bleiben. Wohin dann? »Nach Amerika!« sagte ich zu mir selbst. Die Ideale, von denen ich geträumt und für die ich gekämpft, fände ich dort, wenn auch nicht voll verwirklicht, doch hoffnungsvoll nach ganzer Verwirklichung strebend. In diesem Streben werde ich tätig mithelfen können. Es ist eine neue Welt, eine freie Welt, eine Welt großer Ideen und Zwecke. In dieser Welt gibt's wohl für mich eine neue Heimat. »Ubi libertas, ibi patria.«

Und nun geschah etwas, das über meine anscheinend trübe und gedrückte Lage einen heiteren und warmen Sonnenschein ergoß und meinem Leben einen ungeahnten Inhalt verlieh. Ein paar Wochen vor dem Staatsstreich Louis Napoleons hatte ich ein Geschäft bei einem Mitverbannten auszurichten und machte diesem in seiner Wohnung in Hampstead einen Besuch. Ich erhob mich schon, um zu gehen, als er in ein anstoßendes Zimmer hineinrief: »Margarete, komm doch einmal herein. Hier ist ein Herr, den Du kennen lernen solltest.« – »Es ist meine Schwägerin«, setzte er zu mir gewandt hinzu. »Sie ist von Hamburg hierher zu Besuch gekommen.« Ein Mädchen von etwa 18 Jahren trat herein, von stattlichem Wuchs mit schwarzem Lockenkopf, kindlich schönen Zügen und großen, dunklen, wahrhaftigen Augen. Wir wurden in der Tat sehr gut miteinander bekannt – freilich nicht an jenem Tage – aber bald nachher; und am 6. Juli 1852 wurden wir in der Pfarrkirche von Marylebone in London fürs Leben vereinigt. Ich habe ausführlich aufgeschrieben, wie das alles sich zutrug. Aber dieser Teil meiner Geschichte gehört natürlich nur meinen Kindern und dem intimsten Freundeskreise.

Im Sommer 1852 jedoch lag die Zukunft Europas in düsteren Wolken vor uns. In Frankreich schien Louis Napoleon fest und sicher auf dem Nacken seines unterwürfigen Volkes zu sitzen. Die britische Regierung unter Lord Palmerston schüttelte ihm freundschaftlich die Hand. Auf dem ganzen europäischen Kontinent feierte die Reaktion gegen die liberalen Bestrebungen der letzten vier Jahre Orgien des Triumphes. Wie lange diese Reaktion unwiderstehlich sein würde, konnte niemand wissen. Daß einige ihrer Vorkämpfer in Deutschland selbst die Führer des nationalen Geistes werden könnten, würde selbst der hoffnungsseligste Sanguiniker nicht vorauszusagen gewagt haben.

Meine junge Frau und ich schifften uns im August in Portsmouth ein und landeten an einem sonnigen Septembermorgen im Hafen von New York. Mit dem heiteren Mut jugendlicher Herzen begrüßten wir die neue Welt.

Marriage and Crossing to America

An event which then transpired not only dampened the spirits of the community of exiles, but also changed the entire course of my life. On December 2nd, 1851, news was received that Louis Napoleon had actually undertaken the *coup d'état* which had been anticipated.

I had come to find life as an exile boring and enervating. I felt a burning urge within me not only to occupy myself with some regular professional activity, but in so doing, as well perform some genuine and worthwhile service to humanity. But where? My fatherland was closed to me. England was alien to my spirit, and would always remain so. Where, then? "To America!" I answered myself. There I would find the ideals of which I had dreamed, and for which I had fought; perhaps not yet fully realized, but hopefully striving toward complete realization. I could actively participate in that struggle. It was a new world, a free world, a world of great aspirations toward great goals. It must be possible for me to find a new home in that world. "Ubi libertas, ibi patria."

The next turn of events unexpectedly cast a bright and cheerful ray of sunshine on my situation, which had seemed so dark and dismal before, and gave my life new meaning. A few weeks before Louis Napoleon's *coup d'état*, I had some business to discuss with a fellow exile, and went to visit him at his home in Hampstead. Afterward, I had already got up to leave, when he called out into an adjacent room, "Margarete, come in; there is a gentleman here I'd like you to meet." Turning to me, he explained, "This is my sister-in-law, visiting us from Hamburg." A girl of about eighteen entered the room; tall, with black curly hair, with pretty, childlike features and large, dark soulful eyes. In the succeeding months we grew very close to each other, and on July 6th, 1852, we were married in the parish church of Marylebone in London. Though I have written in detail about that part of my life, that chapter of my story is of course only meant for my children and my closest friends.

In the summer of 1852, the future of Europe, however, lay before us shrouded in dark clouds. In France, Louis Napoleon seemed firm in the saddle upon the backs of his subjugated people. The British government under Lord Palmerston gave him a warm handshake. The entire European continent saw the forces of reaction indulging in veritable orgies of triumph over the liberal aspirations of the past four years. No one could know how long the reactionaries' power would remain unbreakable. Not even the most sanguine, confidently hopeful optimists would have dared to predict that some of the very champions of reaction would themselves one day become the leaders of the national spirit in Germany.

My young wife and I embarked from Portsmouth in August, and landed in the New York harbor on a sunny September morning. We greeted the new world with youthful hearts full of hope for bright prospects.

Was ist des Deutschen Vaterland?

Zeitgenössische Karikatur der politisch motivierten Amerikasehnsucht. Der Federhut weist den Dargestellten als Anhänger der demokratischen Bewegung aus.

Contemporary caricature of the politically motivated longing to go to America. The feathered hat indicates that the wearer is a member of a democratic movement.

Margarethe Meyer entstammte einer jüdischen Hamburger Kaufmannsfamilie.

Margarethe Meyer was descended from a Jewish merchant family in Hamburg.

Der Dreiundzwanzigjährige: Bleistiftzeichnung, von Carl Schurz eigenhändig mit »St. Johns Wood 8. August 1852« datiert.

Schurz at 23: pencil drawing, dated in Carl Schurz' own hand: "St. John's Wood, 8th August, 1852".

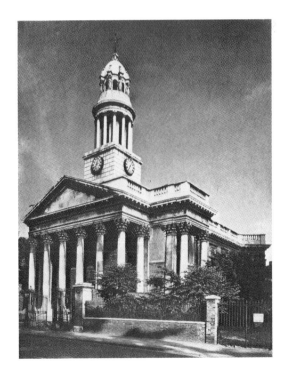

Die Pfarrkirche von St. Marylebone, wo am 6. Juli 1852 die Eheschließung stattfand.

St. Marylebone Parish Church, where Schurz and his wife were married on July 6th, 1852.

Erste Eindrücke von Amerika 1852

Am 17. September 1852 fuhren meine junge Frau und ich, nach einer Reise von 28 Tagen, an Bord eines prächtigen Paketschiffes »Citty of London« in den Hafen von New York ein.

Ich erinnere mich sehr wohl an unseren ersten Spaziergang, »um die Stadt zu sehen«, wie uns das bunte Getriebe auf den Hauptstraßen auffiel, die ernsten und gedankenvollen Mienen der alten und jungen Männer, die sich mit energischer Geschwindigkeit bewegten, das geschäftige, gesetzte und verständig erscheinende Wesen der Frauen, wenn auch manche von ihnen in auffallend grelle Farben gekleidet waren – rot, grün, gelb oder blau –, die überraschende Ähnlichkeit der Menschen sowohl in Zügen und Ausdruck wie im Anzug, obgleich sie verschiedenen Gesellschaftsklassen angehören mußten. Man sah keine militärischen Wachtposten vor den öffentlichen Gebäuden, keine Soldaten in den Straßen, keine Kutscher oder Diener in Livree, keine Uniformen, ausgenommen bei der Polizei. Wir bemerkten ungeheure Banner über die Straßen gespannt, auf denen die Namen Pierce und King als die demokratischen und Scott und Graham als die Whig-Kandidaten für die Präsidentschaft und Vize-Präsidentschaft in großen Lettern aufgezeichnet waren, Namen, welche für mich damals noch keine Bedeutung hatten oder nur insofern, als sie das Bevorstehen einer Präsidentschaftswahl und eines Kampfes zwischen wetteifernden, politischen Parteien ankündigten.

Wir brachten zwei oder drei Tage damit zu, solche »Sehenswürdigkeiten« zu besuchen, wie sie die Stadt zu bieten hatte, und fanden, daß es weder Museen, Bildergalerien noch bemerkenswerte öffentliche oder Privatgebäude gab. In den Schaufenstern am Broadway bemerkten wir nichts Außergewöhnliches; die Theater konnten wir nicht genießen, da ich kein Englisch verstand. Die geschäftigen Menschenmassen, welche sich in den Straßen wälzten, waren immer interessant, aber sehr fremdartig; uns begrüßte kein bekanntes Gesicht. Ein Gefühl der Einsamkeit fing an, uns zu beschleichen.

Dann wurde meine junge Frau krank. Ich rief einen alten amerikanischen Arzt hinzu, der im Hotel wohnte. Er schien mir ein fähiger Mann zu sein, jedenfalls war er wohlwollend und gütig. Er verstand etwas Französisch, und so konnten wir uns unterhalten. Da die Krankheit meiner Frau im Hotel bekannt wurde, zeigte sich unter den Gästen ein hilfreicher Geist, der mich überraschte und tief rührte, jene amerikanische Hilfsbereitschaft, die damals und, wie ich fest glaube, auch jetzt noch einer der schönsten und bezeichnendsten Züge dieses Volkes ist.

In dem kleinen Park am Union Square gönnte ich mir meine Erholungspausen – gewöhnlich in der Abenddämmerung. Diese Stunden gehörten zu den melancholischsten meines Lebens. Da war ich nun in der großen Republik, dem Ziel meiner Träume, und fühlte mich so gänzlich einsam und verlassen. Die Zukunft schien wie in eine undurchdringliche Wolke gehüllt vor mir zu liegen.

First Impressions of America, 1852

After a journey of four weeks aboard the splendid packet-ship "City of London", my wife and I arrived at the New York harbor on September 17th, 1852.

I well recall the first walk we took to "see the city"; how striking we found the colorful crowds on the main streets: the serious, thoughtful expressions on the faces of the old and young men, energetically going their various ways, the nature of the women appearing to be busy, prudent and sedate, even though some of them were dressed in loud colors – reds, greens, yellows or blues –, the astonishing similarity in facial expressions, features and dress among all the people, although they must have represented various levels of society. No military guards in front of public buildings, no soldiers on the streets, no liveried coachmen or servants, no uniforms, except for the police. We noticed huge banners stretched across the streets. on which the names of Pierce and King, the Democratic presidential and vice-presidential candidates, and Scott and Graham, the Whig candidates, were drawn in large letters. Those names meant nothing to me then, except that they indicated an approaching presidential election with its contest between two competing political parties.

We spent two or three days seeing such "sights" as the city had to offer, but found that there were neither any museums nor picture galleries, nor any noteworthy public or private buildings. We saw nothing extraordinary in the store windows on Broadway; there was no point in attending the theater, as I could not understand English. We always found the busy masses crowding the streets interesting, but quite foreign; there were no familiär faces to greet us. A feeling of loneliness began to creep up on us.

Then my wife became ill. I called an elderly American doctor who lived in our hotel. He seemed to be a well-qualified man; in any case, he was kind and amiable. As he understood some French, we were able to converse. When the hotel guests learned of my wife's illness, they displayed a readiness to help which surprised and deeply moved me; that American eagerness to be of assistance which was then, and I firmly believe, is still today one of the finest and most typical characteristics of the American people.

I used to take a pause to rest in the little park on Union Square, usually at twilight. Those were among the most melancholy hours of my life. There I was, in the great Republic, the goal of all my dreams, and I felt totally deserted and alone. The future seemed obscured, as if by some impenetrable cloud.

Nicht Werke amerikanischer Autoren, wie Washington Irving oder Nathaniel Hawthorne, waren Schurz' erste englischsprachige Lektüre, sondern Bücher, die er schon aus London kannte.

Schurz' first encounter with English literature was not the works of American authors, such as Washington Irving or Nathaniel Hawthorne, but rather books he had brought with him from London.

Sir Walter Scott (1771 - 1832), ein Meister des historischen Romans.

Sir Walter Scott (1771 - 1832), a master of the historical novel.

Charles Dickens (1811 - 1870). Soeben war »David Copperfield« erschienen (1850).

Charles Dickens (1811 - 1870). "David Copperfield" had just been published. (1850)

Market Street.

Girard College.

Arch Street.

Ansicht von Philadelphia von Independence-Hall aus gesehen.

Chestnut Street, von Independence-Hall gesehen.

Chestnut Street von der Ninth Street aus gesehen.

Philadelphia und seine Sehenswürdigkeiten auf einem zeitgenössischen Stich. Bis zum Beginn der Masseneinwanderungen um die Jahrhundertmitte hatte die Stadt, die Schurz nach New York besuchte, den größten deutsch-amerikanischen Bevölkerungsanteil.

Tiring of New York, Schurz went to visit Philadelphia, where the largest concentration of German immigrants made their home. Contemporary etching.

Mein erster Eindruck von der politischen Hauptstadt dieser großen amerikanischen Republik war ein ziemlich trostloser. Washington sah damals aus wie ein großes, langausgestrecktes Dorf. Die zerstreuten Häusergruppen wurden von einigen öffentlichen Gebäuden überragt. Da war erstens das Kapitol, von dem nur der jetzige Mittelbau in Gebrauch war, da an den Flügeln, in welchem jetzt Senat und Repräsentantenhaus ihre Sitzungen abhalten, noch gearbeitet wurde; dann das Schatzamt, dem auch noch die jetzigen Flügel fehlten, das »Weiße Haus« und das Patentamt, welches zugleich das Ministerium des Innern beherbergte. Die Ministerien der auswärtigen Angelegenheiten, des Kriegs und der Marine waren in kleinen, unscheinbaren Häusern untergebracht, die aussahen, als könnten sie die prunklosen Wohnungen wohlhabender Kaufleute sein. Die Straßen, wenn überhaupt, schlecht gepflastert, waren beständig mit Schmutz oder Staub bedeckt. Sehr wenige Kongreßmitglieder führten einen eigenen Hausstand. Die meisten von ihnen nahmen ihre Mahlzeiten gemeinschaftlich ein, indem sie sich zu diesem Zweck zu Klubs verbanden. In vielen der Straßen machten noch Gänse, Hühner, Schweine und Kühe ihre unbestrittenen Wegerechte geltend. Die Stadt hatte durchaus ein ungepflegtes, wenig unternehmungslustiges oder fortschrittliches Aussehen und versprach noch nicht im geringsten, die schöne Hauptstadt zu werden, die sie heute ist.

Der Journalist Francis Grund eröffnete mir den ersten Blick in die Tiefen der großen »Amerikanischen Regierungsinstitution«, die ich in der Folge mit dem Namen »Beutesystem« zu bezeichnen lernte. Daß die Amerikaner jedesmal, wenn eine andere Partei ans Ruder kam, jeden Postmeister im Lande wechselten, hatte ich allerdings schon gehört, ehe ich hierher kam, und es hatte mich dies als besonders unsinnig berührt – daß aber fast alle Ämter unter der gegenwärtigen Regierung als »öffentliche Beute« betrachtet werden sollten, und daß Staatsmänner, die in den Kongreß geschickt wurden, um Gesetze zum Besten des ganzen Landes zu machen, ihre Zeit und Arbeitskraft dazu verwandten, diese öffentliche Beute zu erlangen und zu verteilen, und daß ein freies intelligentes Volk sich dem fügen sollte – das überstieg alle Begriffe. Ich mußte an das preußische Beamtentum denken, das immer den Ruf strengster offizieller Ehrenhaftigkeit genossen hat, und war sehr entsetzt.

Spätere Erfahrungen und eine längere Bekanntschaft mit öffentlichen Männern und Angelegenheiten überzeugten mich, daß die Bilder, die Herr Grund zu meiner Belehrung gezeichnet hatte, im wesentlichen richtig waren. Das Beutesystem war in voller Blüte, hatte aber noch nicht die schlimme Frucht gezeigt, wie wir sie heute kennen. In mancher Beziehung war jedoch der Zustand der öffentlichen Meinung, den das System erzeugt hatte, noch schlimmer als der heute bestehende. Es gab noch keine aktive Opposition gegen das Beutesystem im allgemeinen, wenn auch einige ältere Mitglieder des Senats und des Repräsentantenhauses zuweilen ihren Abscheu dagegen ausdrückten.

My first impression of the political capital of the great American Republic was rather dismal. At that time Washington looked like a large sprawling village. The scattered groups of houses were dwarfed by a few public buildings. First of all there was the Capitol; but only what is now the central part was in use, because the two wings in which the Senate and House of Representatives now meet, were still under construction. Then there was the Treasury, also still without its side wings, the White House, and finally the Patent Office, which also housed the Department of the Interior. The State Department, and the Departments of War and the Navy were accomodated in little unpretentious houses which could just as well have been the unostentatious homes of prosperous shopkeepers. The streets were badly paved, if at all, and always covered with dust or mud. Very few members of Congress maintained their own households. Most of them took their meals together, for which purpose they formed "mess clubs". On many streets, geese, chickens, pigs and cows still had the undisputed right of way. The city had an unkempt appearance, neither indicative of enterprise nor of progress, nor promising in the slightest to become the beautiful capital it is today.

The journalist Francis Grund gave me my first glimpse into the depths of that large-scale "American institution of government" which I subsequently learned to call the "spoils system". To be sure, even before coming here I had already heard that with every change of the party in power, every postmaster in the country changed, and that already struck me as remarkably absurd – but that nearly all the offices under the present government should be thought of as "public plunder", and that statesmen who are sent to Congress to pass laws for the good of the entire country should spend their time and energy in procuring and distributing that public plunder, and that a free and intelligent people should permit this – that was beyond my comprehension. I recalled Prussian officialdom's unwavering reputation of strictest honor and integrity, and I was appalled.

Later experiences and a long acquaintanceship with public figures and matters convinced me that the picture which Mr. Grund painted for me was basically correct. The spoils system was in its heyday, but had not yet borne the evil fruits which we know today. Yet in certain respects, the state of public opinion which had brought forth that system, was even worse than it is today. There was not yet any general active opposition to the spoils system then, even though a few older members of the Senate and House of Representatives at times expressed their abhorrence of it.

Kapitol und Pennsylvania Avenue zur Zeit von Schurz' erstem Besuch in Washington. Die zeitgenössische Illustration zeigt das Parlamentsgebäude noch mit der ursprünglichen Holzkuppel, die wenige Jahre später der riesigen Eisenkuppel, dem heutigen Wahrzeichen der Bundeshauptstadt, Platz machte.

On Schurz' first visit to Washington, the old wooden dome of the capitol was about to be pulled down and replaced with the dome installed shortly after Lincoln's first inauguration. Contemporary view of Pennsylvania Avenue and the old capitol building.

Franklin Pierce (1804 - 1869) wurde von der Demokratischen Partei als Kompromißkandidat aufgestellt und am 2. November 1852 zum vierzehnten Präsidenten der USA gewählt. Seine Amtszeit (1853 - 1857) brachte die ersten der Unruhen, die sich später zu einem blutigen Bürgerkrieg entwickelten.

Franklin Pierce (1804 - 1869) was nominated as a compromise candidate at the Democratic convention and elected fourteenth President on November 2, 1852. His administration (1853 - 1857) marked the first stirrings of what would later flare into violent civil war.

Ich besuchte fleißig die Galerien des Senats und des Repräsentantenhauses, um den Debatten zuzuhören. Ich kann nicht sagen, daß das Aussehen dieser Körperschaften mir einen imposanten Eindruck machte.
Ich hatte einmal als Zuschauer einer Sitzung des deutschen Parlaments
von 1848 in Frankfurt a. M., mehreren Sitzungen der französischen Natio-
nal-Versammlung in Paris im Jahre 1850 und einer des Britischen House
of Commons im Jahre 1852 beigewohnt. Von diesen parlamentarischen
Körperschaften schien mir das Frankfurter Parlament das würdevollste
und das geregeltste, die französische Versammlung die stürmischste und
das House of Commons das geschäftsmäßigste. Der amerikanische
Kongreß, den ich im Jahre 1854 sah – wie ich jetzt darauf zurückblicke
und auf viele Kongresse, die diesem vorangingen und ihm folgten – war
der repräsentativste; er repräsentierte getreu den Durchschnitt der Wähler-
schaften in bezug auf ihre Fähigkeiten, ihre Bildung, ihre Sitten und
ihren Charakter.

Nachdem im Senat am Morgen des 4. März 1854 die Kansas-Nebraska-
Bill durchgegangen war, kehrte ich von Washington nach Philadelphia
zurück. Ich nahm mächtige Eindrücke mit. Ich hatte gesehen, wie das
Sklaventum von einigen seiner hervorragendsten Vertreter offiziell reprä-
sentiert wurde, ich sah, wie diese Vertreter hochfahrend, trotzig, gebie-
terisch sich gebärdeten, leidenschaftlich eine unbegrenzte Ausbreitung
für ihre Prinzipien verlangten und um ihrer eigenen Existenz willen die
heiligsten Grundprinzipien freier Institutionen bedrohten, das Recht freier
Untersuchung, das Recht freier Sprache, ja die Union und die Republik
selbst. Im Bündnis mit dem Sklaventum sah ich nicht nur weitgehende
materielle Interessen und einen aufrichtigen, aber leicht eingeschüchterten
Konservatismus, sondern auch einen egoistischen Parteigeist und ein
schlaues und gewissenloses Demagogentum, die alle vereint eine gewaltige Anstrengung machten, das moralische Gefühl des Nordens zu ver-
wirren. Gegen diese Verbündeten sah ich eine kleine Minorität getreulich
den Kampf führen für Freiheit und Zivilisation. Ich sah, wie die ent-
scheidende Schlacht immer näher rückte, und ich fühlte den unwiderstehlichen Drang, mich vorzubereiten, um an dem Kampfe, wenn auch
in noch so bescheidener Weise, teilzunehmen.

Ich verfolgte mit erneutem Eifer meine Studien der politischen Geschichte
und der sozialen Zustände der Republik, sowie der Theorie und der
Praxis ihrer Institutionen. Zu diesem Zweck fand ich es nötig, mehr vom
Lande zu sehen und mir eine ausgedehntere Erfahrung in Bezug auf den
Charakter des Volkes anzueignen. Ich sehnte mich besonders danach,
die frische Luft jenes Teils der Union zu atmen, von dem ich glaubte,
daß er das »wirkliche Amerika« sei, jenes großen Westens, wo neue
Staaten heranwuchsen und wo ich den Werdeprozeß neuer politischer
Gemeinwesen beobachten konnte, wie sie sich aus dem Rohmaterial ent-
wickelten. Ich hatte einige Verwandte und einige deutsche Freunde in
Illinois, Wisconsin und Missouri und zog im Herbste 1854 aus, um sie
zu besuchen.

I regularly visited the galleries of the Senate and the House of
Representatives to listen to the debates. I cannot say that the appearance
of these bodies made an imposing impression on me. I had once been a
spectator at a session of the Frankfurt Assembly of 1848, as well as several
sessions of the French National Assembly in Paris in 1850 and one of the
British House of Commons in 1852. Of these parliamentary bodies, the
Frankfurt Assembly impressed me as the most dignified and orderly; the
French Assembly, the stormiest; and the House of Commons, the most
businesslike. But the American Congress I saw in 1854 – as I now think
back upon it, and upon many Congresses which preceeded and followed
it – was the most representative; it accurately reflected a cross section of
its constituencies as far as ability, culture, manners and character were
concerned.

Following the passage by the Senate of the Kansas-Nebraska bill on the
morning of March 4th, 1854, I returned from Washington to Philadelphia,
taking some deep impressions with me. I had seen the institution of slavery
officially represented by some of its leading advocates, and also the defiant,
despotic manner in which they imperiously and passionately demanded
unlimited expansion of the practice, and to that end were threatening the
most sacred basic principles of free institutions, the right to free inquiry
and to free speech, and even the very existence of the Union and the
Republic. In connection with slavery I saw not only far-reaching material
interests and a sincere but easily intimidated conservatism, but also an
egotistic party spirit and a sly and unscrupulous demagogy, which all
together were making a tremendous effort to disconcert the moral
sensibility of the North. Against this alliance I saw a small minority
faithfully leading the struggle for freedom and civilization. I saw the
decisive battle drawing ever nearer, and I felt an irresistible urge to prepare
myself to take part in that battle, as modest as that part might be.

With renewed fervor I continued my study of the political history and
social conditions of the Republic, and its institutions in theory and practice.
To that purpose I felt I needed to see more of the country and acquire
a broader knowledge of the character of its people. I had a particular desire
to breathe the fresh air of that part of the Union which I believed to be the
"real America", the great West, where new States were growing, and where
I could observe new political communities emerging. I had some relatives
and German friends in Illinois, Wisconsin and Missouri, and in the autumn
of 1854 I set out to visit them.

Seit der Kansas-Nebraska-Akt den beiden neugebildeten Territorien 1854 die Sklavenhaltung freigestellt hatte, obwohl sie nördlich der 1820 festgelegten Skavereigrenze lagen, war der amerikanische Kongreß gespalten. Selbst Routineangelegenheiten gerieten zu Machtproben zwischen Nord und Süd, so 1856 die Wahl eines Sprechers des Repräsentantenhauses, die erst nach einem neunwöchigen Abstimmungspatt entschieden werden konnte. Die Illustration zeigt Nordstaatler, die die endlich gelungene Wahl eines Abgeordneten aus ihren Reihen bejubeln.

On February 2, 1856, after a nine week deadlock in the House of Representatives, a Massachusetts Free Soiler was elected Speaker over a Southern planter. In this contemporary engraving, the Northerners cheer the election of one of their own - that this normally perfunctory procedural matter should have taken so long to decide shows the heat of passions on the slavery issue and its penetration to every area of congressional activity.

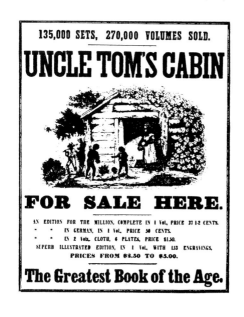

Harriet Beecher Stowe (1811 - 1896). Ihr Roman »Onkel Toms Hütte« (1851), der größte Bucherfolg des Jahrhunderts, trug entscheidend zur Polarisierung der öffentlichen Meinung in der Sklavenfrage bei.

Harriet Beecher Stowe (1811 - 1896). Her novel "Uncle Tom's Cabin" (1851), the most successful book of the century, was full of amazing inaccuracies (Eliza escaping over the ice floes in South Carolina is often cited), but still proved so influential that President Lincoln, on meeting her, said: "So you're the little lady that started the great war."

81

Deutsche Einwanderer   German Immigrants

Zwei Perioden politischer Erhebung in Deutschland: die von 1830 und den unmittelbar darauffolgenden Jahren und die von 1848 und 1849 hatten ganze Scharen talentvoller und charaktervoller Männer aus dem Vaterland vertrieben, und das deutsche Element von St. Louis und der Nachbarschaft hatte seinen vollen Anteil an diesen Einwanderungen erhalten. Einige der hervorragenden Männer der frühen 30er Jahre, die Engelmanns, Hilgards, Tittmanns, Bunsens, Follenius, Körners, Münchs ließen sich in und um Belleville in Illinois, in der Nähe des Mississippi gegenüber St. Louis nieder, um dort Mais und Wein zu ziehen. Diejenigen von ihnen, die sich trotz ihrer Universitätsbildung dem Ackerbau widmeten, wurden, halb scherzend, halb respektvoll, unter den Deutschen die »lateinischen Farmer« genannt. Einer von ihnen, Gustav Körner, der als Advokat in Belleville seinen Beruf ausübte, errang sich als Richter, als Vize-Gouverneur des Staates Illinois und als Gesandter der Vereinten Staaten in Spanien hohe Auszeichnung. Ein anderer, Friedrich Münch, der edelste, vortrefflichste Typus eines »lateinischen Farmers«, lebte bis zu einem hohen, ehrwürdigen Alter in Gasconade County, Missouri, und blieb fast bis zum Tage seines Todes als Schriftsteller für Zeitungen und Zeitschriften unter dem Namen »Far-West« tätig. Diese Männer betrachteten St. Louis als ihre Metropole und gehörten im weiteren Sinne zum Deutschtum der Stadt.

Es wurde ihnen neue Kraft zugeführt durch die deutsche Einwanderung von 1848, welche sich in jener Gegend in beträchtlicher Zahl niederließ. Sie brachte Männer mit sich wie Friedrich Hecker, den revolutionären Anführer von Südwestdeutschland, der eine Präriefarm in Illinois gegenüber von St. Louis kaufte, und Dr. Emil Preetorius, Dr. Börnstein, Dr. Däntzer, Bernays, Dr. Weigel, Dr. Hammer, Dr. William Taussig mit seinem Bruder James, Franz und Albert Sigel und andere, die in St. Louis selbst ihre Wohnung aufschlugen. Der Zufluß solcher Elemente gab der deutschen Bevölkerung von St. Louis und der Nachbarschaft die Kraft, schnell, intelligent, energisch und patriotisch aufzutreten, als die große Krisis von 1861 eintrat, und so die Pro-Sklaverei-Aristokraten nicht wenig in Erstaunen zu setzen.

Carl Schurz sprach mit dem deutschen Revolutionär Friedrich Hecker auf dessen Präriefarm bei Belleville, Illinois, und fuhr von dort über Chicago nach Wisconsin, wo er in Milwaukee und Watertown Freunde und Verwandte besuchte.

Mir war die anregende Atmosphäre des Westens so sympathisch, daß ich beschloß, meinen Wohnort im Mississippital aufzuschlagen. Was ich vom Staate Wisconsin und seinen Menschen gesehen hatte, sprach mich so ungemein an, daß ich diesen Staat allen anderen vorzog, und da mehrere meiner Verwandten sich in Watertown angesiedelt hatten und meine Eltern und Schwestern inzwischen von Europa herübergekommen waren und sich natürlich freuen würden, mit anderen Mitgliedern der Familie zusammenzuleben, kaufte ich dort ein Grundstück mit der Absicht, mich dauernd niederzulassen.

Two different times of political upheaval in Germany, that of 1830 and the years immediately following, and that of 1848 and 1849, had driven hosts of men of talent and character out of their old fatherland, and the German community in St. Louis and vicinity had its full share of both of these periods of immigration. Some of the notable men of the early '30's like Engelmann, Hilgard, Tittmann, Bunsen, Follenius, Körner, or Münch had settled in and around Belleville, Illinois, near the Mississippi opposite St. Louis, to raise corn and grapes for wine. Those of them who devoted themselves to agriculture despite their university education, were called among the Germans, half in jest, half respectfully, the "Latin farmers". One of them, Gustav Körner, who practiced law in Belleville, rose to eminence as a judge, as lieutenant governor of Illinois, and as United States envoy to Spain. Another, Friedrich Münch, the noblest and finest type of "Latin farmer", lived to a venerable old age in Gasconade County, Missouri, and remained active almost to the day of his death as a writer for newspapers and magazines under the name of "Far West". These men regarded St. Louis as their metropolis, and in a broad sense belonged to the German community of that city.

They were strongly reinforced by the German immigration of 1848, which settled down in that region in considerable number, bringing such men as Friedrich Hecker, the revolutionary leader in Southwest Germany, who bought a prairie farm in Illinois, opposite St. Louis; and Dr. Emil Preetorius, Dr. Boernstein, Dr. Däntzer, Mr. Bernays, Dr. Weigel, Dr. Hammer, Dr. William Taussig and his brother James, the Sigels, Franz and Albert, and others, who made their homes in the city of St. Louis itself. The addition of such ingredients gave the German population of St. Louis and vicinity a capacity for prompt, intelligent, and vigorous patriotic action which, when the great crisis of 1861 came, made the proslavery aristocrats take notice.

Carl Schurz visited the German revolutionary Friedrich Hecker on his prairie farm near Belleville, Illinois, then went by way of Chicago to Wisconsin to visit friends and relatives in Milwaukee and Watertown.

I found the stimulating atmosphere of the West so congenial that I decided to establish my home in the Mississippi valley. I liked what I had seen of the State of Wisconsin and its people so much that I preferred it to any other State; and, as several of my relatives lived in Watertown, and my parents and sisters had in the meantime come over from Europe and would naturally be glad to live near other members of the family, I bought some property there with a view to settling down there permanently.

Von allen »Achtundvierzigern«, die in die USA emigrierten, war Friedrich Hecker wahrscheinlich der populärste. Die Kreidelithographie zeigt seine Ankunft in New York, wo ihn Zehntausende deutscher Auswanderer begrüßten.

Friedrich Hecker was probably the most prominent of the '48 revolutionaries to emigrate to the United States. This chalk lithography shows him on his arrival, greeted by a throng that was estimated in the tens of thousands.

Friedrich Heckers (1811 - 1881) politischer Kampf in Deutschland und den USA: Oben links als badischer Landtagsabgeordneter, rechts als Führer der badischen Revolution; unten links als Offizier der Unionstruppen im amerikanischen Bürgerkrieg, rechts als politischer Redner in seinen späten Jahren.

Friedrich Hecker's (1811 - 1881) political battles in Germany and America: upper left as a member of the regional legislature in Baden, right as leader of the Baden revolution; below left as a Union Officer in the American Civil War, right as a political speaker in his later years.

über den Mississippi auf St. Louis. Zeitgenössischer Holzschnitt. Der Fluß te die Grenze zwischen dem Sklavenstaat Missouri und Illinois, wo sich die infarmer« als Gegner der Sklaverei niederließen.

across the Mississippi to St. Louis. Contemporary woodcut. The river formed the er between the slave state, Missouri, and Illinois, where the "Latin Farmers" d in as oppenents of slavery.

Ehe diese Niederlassung aber zur Ausführung kommen konnte, mußte ich wegen der Gesundheit meiner Frau eine Reise nach Europa unternehmen. Wir brachten einige Zeit in London zu. Welch' wunderlicher Szenenwechsel zwischen den zwei so verschiedenen Welten! Der alte Kreis politischer Flüchtlinge, den ich vor drei Jahren zurückgelassen, hatte sich aufgelöst. Die gute Baronin Brüning, die so vielen von ihnen eine milde, hilfreiche Freundin gewesen war, hatte an einem Herzleiden sterben müssen. Die meisten derer, die um ihren gastfreien Herd versammelt gewesen, waren entweder nach Amerika ausgewandert oder sonst von der Bildfläche verschwunden. Meine nächsten Freunde, die Familie Kinkel, lebten noch in London. Sie hatten Erfolg gehabt; er mit seinen Vorträgen über Kunstgeschichte, sie als Musiklehrerin; sie bewohnten ein größeres Haus.

Bei Gelegenheit dieses Besuchs in London machte ich die Bekanntschaft von Alexander Herzen, dem natürlichen Sohn eines russischen Edelmannes von hohem Rang. Er war selbst ein russischer Patriot im liberalen Sinne, der, als »gefährlicher Mann«, gezwungen war, sein Geburtsland zu verlassen, und der jetzt durch seine Schriften, die über die Grenze geschmuggelt wurden, daran arbeitete, den russischen Geist aufzuklären und anzuregen. Malvida von Meysenbug, die Erzieherin seiner Töchter, brachte uns zusammen, und wir wurden bald gute Freunde. Herzen, wenigstens zehn Jahre älter als ich, war Aristokrat von Geburt und Instinkt, aber Demokrat aus philosophischer Überzeugung; eine feine, edle Natur, ein Mann von Kultur, von warmem Herzen und weitreichenden Sympathien. In seinen Schriften sowohl wie in seiner Unterhaltung ergoß er seine Gedanken und Gefühle mit einer impulsiven, oft poetischen Beredsamkeit, welche manchmal außerordentlich bezaubernd wirkte. Ich konnte ihm stundenlang zuhören, wenn er in seiner rhapsodischen Weise von Rußland und vom russischen Volke sprach, von diesem ungeschlachten, erst halbbewußten Riesen, der allmählich seine oberflächliche, vom Westen erborgte Zivilisation mit einer Zivilisation nationalen Charakters vertauschen würde. Er glaubte, daß das Erwachen des Riesen der schwerfälligen Autokratie, deren tötendes Gewicht jetzt noch allen freien Aufschwung erdrückte, ein Ende machen und seine aus geheimnisvollen Tiefen hervorgebrachten neuen Ideen viele der Probleme lösen würden, welche jetzt die westliche Welt verwirrten.

Als wir im Mai 1856 in Amerika ankamen, schien sich die öffentliche Stimmung in einem Zustand großer politischer Aufregung zu befinden. Die Hotels, die Eisenbahnwaggons und die Verdecke der Schiffe hallten wieder von eifrigen Diskussionen über die Sklavereifrage und die bevorstehende Präsidentschaftskampagne. Nicht selten griffen dann die Demokraten mit besonderer Bitterkeit ihre abtrünnigen Gesinnungsgenossen an, die der neuen republikanischen Organisation beigetreten waren, welche jetzt zum erstenmal an dem nationalen Kampf teilnahm.

Before we could settle in Wisconsin, however, I had to take a trip to Europe on account of my wife's health. We spent some time in London. What a weird change of scene it was between the two worlds! The old circle of political exiles which I had left there three years earlier was dispersed. The gracious Baroness Brüning, who had been such a dear and helpful friend to so many of them, had died of heart disease. Most of those who had gathered in her hospitable home had either emigrated to America or had left for unknown destinations. My closest friends, the Kinkel family, still lived in London. Professionally successful, he with his lectures on art history, and she as a music teacher, they had moved into a larger house.

It was on the occasion of this trip to London that I made the acquaintance of Alexander Herzen, a natural son of a Russian nobleman of high rank, himself a Russian patriot in the liberal sense, who had been forced to leave his native country as a "dangerous person", and who now strove to enlighten, stimulate and inspire the Russian mind through his writings, which were smuggled across the frontier. Malvida von Meysenbug, who supervised the education of his daughters, brought us together, and we soon became friends. Herzen, at least ten years older than I, was an aristocrat by birth and instinct, but a democrat by his philosophical convictions, a fine, noble nature, a man of culture, warmth of heart and wide-ranging interests. In his writings as well as in conversation he poured forth his thoughts and feelings with an impulsive, sometimes poetic eloquence, which at times was exceedingly fascinating. I could listen to him hour after hour when, in his rhapsodic way, he talked of Russia and the Russian people, that uncouth and only half-conscious giant that would gradually exchange its surface civilization borrowed from the West for one of national character. He believed that the awakening of that giant would put an end to the stolid autocracy, the deadening weight of which held down every free aspiration, and would then evolve new ideas and forces from its mysterious depths, which might solve many of the problems now perplexing the Western world.

When we returned to America in May, 1856, the people's mood seemed to be in a state of high political animation. The hotels, the railroad cars and the steamboat decks were buzzing with agitated discussions of the slavery question and the impending presidential campaign. There were often particularly bitter attacks made by the Democrats on the renegades from their ranks who had joined the young Republican party, which was taking part in national elections for the first time.

Malvida Freiin von Meysenbug (1816 - 1903), die später auch mit Wagner und Nietzsche befreundete Vorkämpferin der Arbeiter- und Bauernemanzipation.

Malvida Freiin von Meysenbug (1816 - 1903), later a friend to both Nietsche and Wagner, one of the early fighters for the emancipation of the workers and peasants.

Der russische Revolutionär und Publizist Alexander Herzen (1812 - 1870) lebte seit 1852 im Londoner Exil. Seine Schrift »Vom anderen Ufer« (1850) war eine bittere Abrechnung mit dem unpolitischen Romantizismus der gescheiterten Revolutionen von 1848. (Gemälde von Gay).

The Russian revolutionist and journalist Alexander Herzen (1812 - 1870) was an exile in London from 1852. His essay, "From the Other Shore" (1850) was a bitter critique of the apolitical romanticism of the failed 1848 revolution. (Painting by Gay)

»Das Urteil des Volkes«: George Caleb Bingham (1811 - 1879) malte diese Szene aus der Auseinandersetzung um die Einführung der Sklaverei in Kansas und Nebraska 1855.

"The Verdict of the People": George Caleb Bingham (1811 - 1879) painted this scene about the dispute over the introduction of slavery in the Kansas and Nebraska territories in 1855.

Erstes Engagement in der amerikanischen Politik 1856

Ich war begierig darauf, mich an diesem Kampfe zu beteiligen. Gleichzeitig überkamen mich aber peinliche Zweifel, ob ich dieser Aufgabe gewachsen sei. Ich hatte allerdings die Sklavereifrage von ihren verschiedenen Gesichtspunkten aus nach besten Kräften studiert, aber jeder Schritt, den ich tat, um mein Wissen zu erweitern, überzeugte mich schmerzlich, daß mir noch viel zu lernen übrig blieb. Ich hatte keine Erfahrung in amerikanischer Politik, und meine Bekanntschaft mit den Männern im öffentlichen Leben war äußerst beschränkt. Während ich mich in diesem beunruhigten Gemütszustande befand, überraschte mich der Besuch eines Herrn, von dem ich nie gehört hatte. Es war Mr. Harvey, ein Mitglied des Staatssenats von Wisconsin, einer der republikanischen Führer. Ich fand in ihm einen Herrn von gefälligem Wesen und gewinnender Sprache, der mir in schmeichelnder Weise sagte, er habe von mir als von einem Manne von Bildung gehört, der mit der Anti-Sklaverei-Frage sympathisiere, und er glaube, ich könne in der bevorstehenden Kampagne wertvolle Dienste leisten. Er fragte mich, ob ich nicht eine kurze deutsche Rede halten wolle bei einer Massenversammlung, die in einigen Tagen in Jefferson, einem nahe gelegenen Landstädtchen, stattfinden werde. Nein, ich konnte nicht daran denken, denn ich war nicht vorbereitet. Würde ich dann nicht wenigstens hinkommen, um ihn in dieser Versammlung reden zu hören? Ja, gewiß würde ich das mit vielem Vergnügen tun.

So ging ich hin, ohne die geringste Ahnung zu haben von dem, was mir dort bevorstehen würde. Mr. Harvey sprach mit ungewöhnlicher Beredsamkeit, seine Argumente waren logisch, klar und kraftvoll, und er endete mit überaus eindrucksvollen Schlußsätzen. Als der Applaus, der seiner Rede folgte, sich gelegt hatte, stand der Vorsitzende der Versammlung ganz kaltblütig auf und sagte: »Ich habe jetzt das große Vergnügen, Ihnen Carl Schurz von Watertown vorzustellen, der in seinem Geburtslande für menschliche Freiheit gekämpft hat und der zu uns gekommen ist, um dasselbe in seinem Adoptivlande zu tun usw. usw. Er wird seine Mitbürger deutscher Geburt in ihrer Muttersprache anreden.« Ja, was nun! Ich konnte fühlen, wie ich errötete, aber was konnte ich tun? Ich stammelte einige einleitende Worte über die gänzlich unerwartete Ehre und sprudelte dann eine halbe Stunde lang heraus, was mir zufällig in den Sinn kam, über die Sklavereifrage, über die Bedeutung der Entscheidung, die getroffen werden sollte, über die Pflicht, die wir als amerikanische Bürger dieser Republik und als Weltbürger der Menschheit schuldig seien. Nach den ersten Sätzen flossen die Worte leicht, und meine Zuhörer schienen befriedigt zu sein.

Dieses war meine erste politische Rede in Amerika. Das Eis war gebrochen; Mr. Harvey hatte über meine Zaghaftigkeit triumphiert. Von allen Seiten strömten Einladungen, bei Versammlungen zu reden, auf mich ein, die mich während der ganzen Kampagne in Bewegung hielten. Ich traute es mir noch nicht zu, eine öffentliche englische Rede zu halten, und beschränkte mich daher in dieser Kampagne darauf, nur vor deutschem Publikum in deutscher Sprache zu sprechen.

First Activities in American Politics, 1856

I was eager to take part in the contest. But at the same time I had the feeling that I was still sadly incompetent for the task. I had indeed studied the slavery question in its various aspects to the best of my ability, but as my knowledge increased, I became painfully aware that I still had a great deal more to learn. I had no experience in American politics, and my acquaintance with men in public life was extremely limited. While I was in that troubled state of mind, I was surprised by the visit of a gentleman I had never heard of. It was Mr. Harvey, a member of the Wisconsin State Senate, one of the Republican leaders. I found him to be a gentleman of pleasant manners and a persuasive way of speaking; he told me in most winning tones that he had heard I was a person of education sympathizing with the anti-slavery cause, and he felt I could render valuable service in the pending campaign. He asked me whether I would not make a short speech in German at a mass meeting to be held in a few days at Jefferson, a nearby country town. No, I would not think of it, for I was not prepared. Wouldn't I then at least come and hear him speak at that meeting? Of course I would, with great pleasure.

So I went, without an inkling of what was in store for me. Mr. Harvey spoke with extraordinary eloquence; his arguments were lucid, logical and strong, and he closed with an exceedingly impressive summary. When the applause following his speech had subsided, the chairman of the meeting coolly rose and said: "I now have the great pleasure of introducing Mr. Carl Schurz of Watertown, who fought for liberty in his native country and who has come to us to do the same in his adopted homeland, etc., etc. He will address his fellow citizens of German birth in their own native language." Well, well! I felt myself blushing, but what could I do? I stammered a few initial words about the entirely unexpected honor, and then, for half an hour or more, I blurted out what happened to come into my mind about the slavery question, about the significance of the decision to be rendered, and about the duty we had to perform as American citizens to this Republic, and as citizens of the world to mankind. After the first sentences the words came easily and my listeners seemed to be well pleased.

That was my first political speech in America. The ice was broken; Mr. Harvey had triumphed over my diffidence. Invitations to address meetings poured in upon me from all sides and kept me busy during the entire campaign. I did not yet trust myself to make a public speech in English, and therefore addressed only German audiences in their own language in that campaign.

Schurz' Farm in Watertown, großenteils von ihm selbst entworfen und erbaut.

Schurz' farm in Watertown, largely designed and constructed by Schurz himself.

»Karl Schurz aus Wisconsin« ist der Titel dieses undatierten Stichs, der den etwa Dreißigjährigen zeigt.

"Karl Schurz from Wisconsin" is the title of this undated engraving, showing Schurz at about 30 years of age.

Karikatur aus dem Präsidentschaftswahlkampf von 1856. Das Blatt zeigt den Kandidaten der Demokratischen Partei, James Buchanan (Mitte) auf dem Parteitag in Cincinnati unter dem Druck der nördlichen Anti-Sklaverei-Staaten, während Vizepräsidentschaftskandidat Breckinridge (links) sich auch mit Lügen nicht mehr zu helfen weiß. Im Vordergrund die brennenden politischen Probleme, u.a. mit bürgerkriegsähnlichen Zuständen in Kansas (rechts). Unter dem Motto »Verfassung, Freiheit, Einheit« symbolisiert ein Adler die neugegründete Republikanische Partei, für deren Kandidaten John C. Frémont und William Dayton (Vizepräsident) auch Carl Schurz agitierte. Obwohl sich Frémont bei der Wahl am 4. November erwartungsgemäß in den meisten nordöstlichen Staaten durchsetzen konnte, gewann Buchanan mit den Stimmen der südlichen Sklavenstaaten.

Caricature from the presidential campaign in 1856. The picture shows the Democratic candidate, James Buchanan (center) at the party convention in Cincinnati, weighed down by the pressure of anti-slavery States, while vice-presidential candidate Breckinridge (left) has run out of lies. In the foreground, the burning political issues of the day, such as the conditions in Kansas, a kind of pseudo-civil-war situation (right). Perched above the motto "Constitution, Liberty, Union", an eagle symbolizes the newly-formed Republican Party. Carl Schurz actively campaigned for the Republican candidates, John C. Frémont, for President, and William Dayton, for Vice-President. Although Frémont managed to win most of the Northeastern States in the election on November 4th, Buchanan took the slave-owning States and won the election.

Im ganzen war mir die Kampagne von 1856 eine sehr befriedigende Erfahrung während der Kampf im Gange war. Es liegt eine belebende Inspiration in dem Bewußtsein, eine gute Sache im Kampfe zu vertreten, auf der rechten Seite zu stehen und dieser Sache in etwas, wenn auch nur in geringem Maße, Dienste zu leisten. Ich vertraute so zuversichtlich auf die unwiderstehliche Macht der Wahrheit, die wir auf unserer Seite hatten, daß ich nicht an Frémonts Erfolg zweifelte. Wie konnte eine Sache wie die unsrige unterliegen? Es konnte nicht sein! Und dennoch war es so. Als nach der Novemberwahl die ersten Berichte über das Resultat eingelaufen waren, wollte ich doch die Hoffnung nicht aufgeben, bis ich sie alle gesehen hatte und der Niederlage sicher war. Es war mir, als habe ich ein unermeßliches, persönliches Unglück erlitten.

Ich fuhr fort, die Frische und Einfachheit und die anregende Freiheit des westlichens Lebens zu lieben und zu genießen, und war glücklich, zu sehen, daß meine Frau, Margaretha, die in so ganz anderer Umgebung aufgewachsen war, sich nicht nur diesen Verhältnissen anpaßte, sondern sich mit heiterster Laune darein fand. Unser Wohnort war damals ein in jeder Beziehung typisch westliches Städtchen, das aus einer dicht angebauten Geschäftsstraße mit Läden, Werkstätten, Wirtshäusern, einigen Trinklokalen und ziemlich zerstreut liegenden Wohnhäusern bestand. Meistens waren diese Häuser von kleinen Gärten umgeben und wiesen sehr bescheidene Anfänge von Verschönerungsversuchen auf.

Ich hatte mir ein bescheidenes, aber recht behagliches Häuschen auf der kleinen Farm erbaut, die ich in der Nähe der Stadt gekauft hatte. Meine Frau, die liebenswürdigste und anmutigste Wirtin, machte unser Haus zu einer Art geselligen Mittelpunkts für den großen Kreis unserer Verwandten und für eine Anzahl unterhaltender Menschen, die wir um uns versammelt hatten. Zuweilen suchten uns auch Freunde vom Osten auf. So fehlte es uns nie an Gesellschaft, sogar während des strengen Wisconsiner Winters.

Mit einem Gefühl frommer Andacht nahm ich an der Feier des 4. Juli teil, dessen Hauptakt damals in dem festlichen Verlesen der Unabhängigkeitserklärung vor versammelter Menge bestand. Auch lag für mich der Hauptreiz der Anti-Sklaverei-Bewegung in der Tatsache, daß sie sich zur Aufgabe stellte, die in dieser Erklärung niedergelegten Grundsätze nicht nur theoretisch zu verkünden, sondern sie in ihrer Allgemeinheit praktisch anzuwenden. Hier fand ich endlich die Verwirklichung des Ideals, das ich aus den unglücklichen Kämpfen für freie Regierung in meinem Heimatlande mitgebracht hatte.

So fuhr ich mit meinem juristischen und politischen Studium fort und vertiefte mich in die Geschichte sozialer und ökonomischer Zustände des Landes, mit der Erwartung, in nicht langer Zeit als Jurist meinen Beruf auszuüben und der guten Sache auf dem Felde der Politik zu dienen.

On the whole, the campaign of 1856 was a very satisfying experience for me. There is an inspiring exhilaration in the awareness of standing for a good cause, of being on the right side in the fight, and of doing some service, be it ever so little. I trusted so firmly in the invincible power of truth, which was on our side, that I was absolutely convinced Frémont would win. How could a cause like ours lose? Impossible! Out of the question. And yet it happened. When the first results of the November election came in, I still didn't want to give up hope until the final reports of the defeat were confirmed. It was as though I had suffered an immeasurable personal misfortune.

I continued to love and relish the refreshing and uncomplicated, but invigorating freedom of life in the West, and was happy to see that my wife, Margaretha, who had grown up in such a totally different environment, not only adapted to the circumstances, but did it with the brightest of spirits. We lived in what was a typically Western town in every respect in those days, comprised of a densely built-up business street with shops, inns, workshops and a few saloons, and sparsely settled residential sections. The houses usually had little gardens, and there was evidence of the first modest efforts at beautification.

I had built a simple but quite comfortable little house on the farm which I had bought close to the town. My wife, the kindest, most pleasant hostess imaginable, made our home a sort of social center for our large clan of relatives and a number of entertaining people who came to our gatherings. Sometimes friends from the East came to visit, and there was never a lack of company, not even during the severe Wisconsin Winters.

I devoutly participated in the Fourth of July celebrations, the main event of which was the reading of the Declaration of Independence to the assembled multitude. The anti-slavery movement basically appealed to me because it made a point of not only proclaiming the theoretical principles of the Declaration, but also of putting them into general pratice. This is where I at last could find the realization of the ideals I had brought with me from my native country following the unsuccessful struggle for a free government.

I continued with my studies of law and politics, and delved into the history of social and economic conditions in the country, expecting to practice the legal profession in the not too distant future, and be of service to a good cause in the political field.

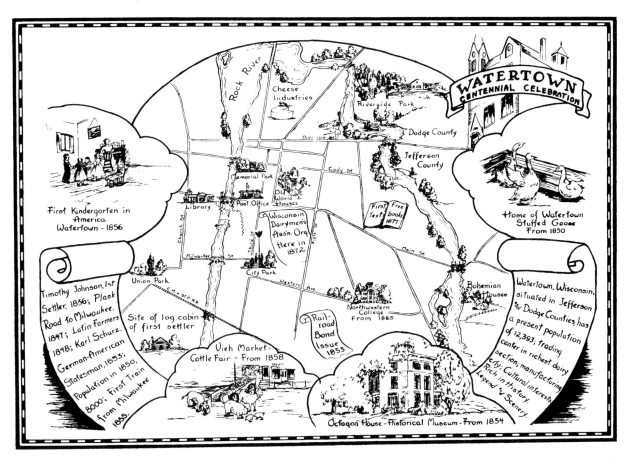

Gedenkblatt zum hundertjährigen Bestehen der Stadt Watertown. Links oben der erste amerikanische Kindergarten, den Margarethe Schurz hier 1856 eröffnete.

Commemorative poster celebrating Watertown's Centennial. Above left, the first American kindergarten, opened here by Margarethe Schurz in 1856.

Friedrich Fröbel, der Vater der Kindergartenidee, 1840. Während sein pädagogisches Konzept in Preußen verboten war, machten ausgewanderte »Achtundvierziger« es in den USA populär. Rechts Modell des ersten Kindergartens in den USA, den Margarethe Schurz in Watertown, Wisconsin, eröffnete.

Friedrich Fröbel had postulated that children should grow like flowers in a garden, which so irritated the Prussian authorities that kindergartens were banned by law. The first of these pre-schools was formed by Margarethe Schurz in Watertown, Wisconsin, where this model still stands. It is refreshing to note that the kindergarten is now as much a German institution as an American one.

Erste Begegnung mit Lincoln 1858

Das republikanische Staatskomitee von Illinois bat mich 1858, in seiner Kampagne einige Reden zu halten, und diesem Rufe folgend, fand ich mich zum erstenmal auf einem hervorragenden Felde der Tätigkeit. Ich sollte zuerst bei einer Massenversammlung in Chicago erscheinen und Englisch sprechen. Die Sache war mir sehr ernst, und ich nahm mir vor, mein Bestes zu leisten. Ich appellierte nicht an die sentimentalen Sympathien der Zuhörer, indem ich mich über die Ungerechtigkeit und Grausamkeit des Sklavensystems und die Leiden der Geknechteten verbreitete, sondern ich suchte in gemessener Sprache die naturgemäße Unverträglichkeit der Sklaverei mit freien Regierungsformen darzulegen, die unausbleiblichen und weittragenden Kämpfe, welche die Existenz der Sklaverei notgedrungen hervorrufen mußte, und die Notwendigkeit, die politische Macht der Sklaverei in unserer Republik zu zerstören, wenn der demokratische Charakter ihrer Regierungsform Bestand haben sollte. Die Rede war in ihren Grundideen nicht originell, aber meine Art und Weise, die Frage zu behandeln, wurde als neu aufgefaßt, und sie wurde nicht nur von der Chicagoer Presse, sondern auch von mehreren östlichen Blättern veröffentlicht – eine Auszeichnung, auf die ich sehr stolz war. Ich sprach noch in ähnlicher Tonart und meistens in deutscher Sprache vor mehreren Versammlungen im Innern des Staates. Eine von meinen Verpflichtungen dem Komitee gegenüber rief mich an dem Tage nach Quincy, an welchem dort gerade eine von den großen Debatten zwischen Lincoln und Douglas stattfinden sollte, und bei dieser Gelegenheit war es mir beschieden, Lincoln persönlich kennenzulernen.

Ich muß gestehen, daß ich von seiner Erscheinung etwas überrascht war. Da stand er, alle, die ihn umringten, um mehrere Zoll überragend. Obgleich ich selbst etwas über sechs Fuß messe, mußte ich doch, um ihm ins Gesicht zu sehen, meinen Kopf zurückwerfen. Das dunkle Gesicht mit seinen kräftigen Zügen, seinen tiefen Falten und seinen wohlwollenden, melancholischen Augen ist jetzt jedem Amerikaner durch zahllose Bilder vertraut geworden. Man kann sagen, daß die ganze zivilisierte Welt es kennt und liebt. Zu dieser Zeit war es noch bartlos und sah sogar noch hagerer, eingefallener und gramvoller aus als später, da es vom Bart umrahmt war. Er begrüßte mich wie einen alten Bekannten, mit einer zwanglosen Herzlichkeit, da man ihm mitgeteilt hatte, daß ich an der Kampagne teilnehme, und wir setzten uns nebeneinander. Mit einer Stimme von hoher Tonlage, aber von angenehmer Klangfarbe fing er an, mit mir zu sprechen, und erzählte mir viel von den Streitpunkten, die er und Douglas in ihren Debatten bei verschiedenen Versammlungen erörtert hatten, und die er in Quincy am nächsten Tage zu diskutieren gedenke. Als er mich, den Anfänger in der Politik, dann mit vollkommener Unbefangenheit befragte, was ich über dieses und jenes dächte, hätte ich mich durch sein Vertrauen sehr geehrt fühlen können, wenn mir sein Wesen erlaubt hätte, ihn als großen Mann zu betrachten. Aber er sprach in so einfacher, vertraulicher Weise, und sein Auftreten und seine schlichte Ausdrucksweise waren so gänzlich frei von jedem Schein anspruchsvollen Selbstbewußtseins, daß mir bald zumute war, als habe ich ihn mein ganzes Leben gekannt und als wären wir schon lange gute Freunde gewesen.

First Meeting with Lincoln, 1858

Upon request of the Republican State Committee of Illinois to make some speeches in their campaign, I found myself on a conspicuous field of political action for the first time. I was to appear first at a mass meeting in Chicago, and speak in English. I took the matter very seriously, and resolved to do my best. I did not appeal to the sentimental sympathies of the audience by expounding on the injustice and cruelties of the system and the suffering of the slaves, but, in calm language, I tried to explain the inherent incompatibility of slavery with free institutions of government, the inevitable and far-reaching conflicts which the existence of slavery in a democratic republic was bound to produce, and the necessity of destroying the political power of slavery in our republic if the democratic character of its institutions was to endure. The speech was not original as far as its basic ideas were concerned, but its manner of treating the subject was acclaimed as something new, and it was published in full not only by the Chicago press but also by several Eastern papers – a distinction of which I was very proud. I then addressed several meetings in the same tenor, but mostly in German, in the interior of the State. One of the committee's assignments took me to Quincy on the very day when one of the great debates between Lincoln and Douglas was to take place there, and on that occasion I was to meet Abraham Lincoln myself.

I must confess that I was somewhat startled by his appearance. There he stood, overtopping all those surrounding him by several inches. Although I am over six feet tall myself, I had to throw my head back in order to look into his eyes. That swarthy face with its strong features, its deep furrows, and its benign, melancholy eyes, is now familiar to every American through countless pictures. It may be said that the entire civilized world knows and loves it. At that time it was clean-shaven, and looked even more haggard and careworn than later when it was framed by the beard. He greeted me with an informal cordiality, like an old acquaintance, having been told that I was participating in the campaign, and we sat down next to each other. In a somewhat high-pitched but pleasant voice he began telling me about the points he and Douglas had made in various debates, and about those he intended to make the next day in Quincy. When, in a tone of perfect ingenuousness, he asked me – a young beginner in politics – what I thought about this or that, I would have felt very honored by his confidence, had he permitted me to regard him as a great man. But he spoke in so simple and familiar a way, and his bearing and straightforward manner of expressing himself were so absolutely free from any semblance of self-consciousness or pretention to superiority, that I soon felt as if I had known him all my life and we had long been close friends.

Abraham Lincoln (1809 - 1865). Diese Fotografie von Mathew Brady, die ihn noch ohne den charakteristischen Bart zeigt, wurde wahrscheinlich im Februar 1860 in New York aufgenommen.

Abraham Lincoln (1809 - 1865). This photograph by Mathew Brady, which still shows him without the famous beard, was probably taken in New York in February of 1860 – he grew the beard during the 1860 presidential campaign, when a little girl suggested in a letter it would help him become President.

Zwei Illustrationen aus dem Wahlkampf um den Senatssitz von Illinois, in dem Lincoln 1858 (wie im Präsidentschaftswahlkampf 1860) Stephen A. Douglas gegenüberstand. Douglas, der den fatalen Kansas-Nebraska-Akt eingebracht hatte, wird von Schurz als »parlamentarischer Faustkämpfer« geschildert – genau wie auf der Karikatur, die Lincoln einen Neger als Sekundanten zur Seite stellt.

Two illustrations of the 1858 Illinois senatorial campaign, in which Lincoln ran against Stephen A. Douglas (as he did again for President in 1860). Douglas, who had sponsored the fatal Kansas-Nebraska Act, was described by Schurz as a "political fist-fighter" – as in the caricature, in which Lincoln's second is depicted as a black man.

Als die Wahlfeldzüge von 1858 vorüber waren, glaubte ich, es sei hohe Zeit, mich dauernd dem Beruf hinzugeben, für den ich mich vorbereitet hatte. Ich beantragte meine Zulassung als Rechtsanwalt im Circuit Court in Jefferson County, Wisconsin, und mein Antrag wurde ohne weiteres genehmigt. Das Verfahren war sogar im äußersten Grade einfach. Es bestand in der Überreichung meines Gesuches durch einen Advokaten von Watertown, einem Lächeln und Kopfnicken des Richters, einem Händeschütteln, der Unterschreibung eines Papieres und schließlich in einem mäßigen Trunk und einem heiteren Austausch von juristischen Witzen im nahegelegenen Dorfwirtshaus.

Ich habe oftmals bedauert, nicht der Verlockung öffentlicher Tätigkeit widerstanden zu haben, denn sie unterbrach immer wieder den Versuch, mich meiner juristischen Praxis hinzugeben. Aber es kann vielleicht als Entschuldigung gelten, daß jedesmal, wenn ein öffentlicher Ruf an mich erging, mein Freund und Associé, Mr. Paine, mich in der Großmut seines Herzens stets wieder ermutigte, dem Rufe zu folgen.

Unter den republikanischen Parteihäuptern, die über den Zustand der Dinge besonders beunruhigt waren, zeichnete sich Henry Wilson, einer der Bundessenatoren von Massachusetts, aus. Senator Wilson beriet sich mit Edward L. Pierce, der viele Jahre später eine bedeutende Biographie von Charles Sumner schrieb und mir ein warmer und lieber Freund wurde, und die beiden Männer kamen überein, mich nach Massachusetts einzuladen, um ihnen in ihrem Kampfe gegen den Nativismus behilflich zu sein. Die vorgebliche Veranlassung meines Besuches war ein öffentliches Bankett zur Feier des Geburtstags von Thomas Jefferson, dessen staatsrechtliche Prinzipien in dem jüngsten Kampf gegen das Gesetz über entflohene Sklaven wieder aufgelebt waren. Der wirkliche Zweck des Festes bestand jedoch darin, hervorragende Antisklavereimänner zu einer öffentlichen Kundgebung gegen die gefährliche nativistische Strömung zusammenzubringen.

Am 18. April 1859, kurz nach dem Jefferson-Bankett, wurde mir zu Ehren von einigen der Teilnehmer ein öffentlicher Empfang in Faneuil Hall veranstaltet. Senator Wilson präsidierte. Der altertümliche Saal war von einem typischen Bostoner Publikum angefüllt. Hier sollte ich nun meinen Streich führen gegen den Nativismus und die Politik schlauer Kniffe und kleinlicher Berechnung. Allem Anschein nach war meine Rede von guter Wirkung. Ich sprach mit großem Feuer und betonte hauptsächlich den Gedanken, der während meiner ganzen öffentlichen Laufbahn in Amerika mein Leitmotiv gewesen ist: Die wichtige Stellung, die diese Republik in dem Fortschritt der Menschheit zu demokratischen Regierungsformen einnimmt, und die daraus erwachsende große Verantwortung des amerikanischen Volks der ganzen zivilisierten Welt gegenüber. Es mag unwahrscheinlich und fast lächerlich anmaßend klingen, daß fremdgeborene amerikanische Bürger feuriger, aufrichtiger in ihrem amerikanischen Patriotismus sein können, als viele eingeborene es sind, und doch haben meine Erfahrungen mir das bestätigt.

When the campaigning of 1858 was over, I felt it was time to devote myself fully to the profession I had prepared myself for. I applied for admission to the bar at the circuit court in Jefferson County, Wisconsin, and it was granted without ado. The procedure was as simple as could be imagined. It consisted of a lawyer from Watertown submitting my application, the judge nodding his head and smiling, a handshake, signing a paper, and in conclusion, a round of drinks at the nearby village tavern and the rollicking exchange of jokes concerning the legal profession.

I have often regretted not being able to resist the temptation of public service activities, as they time and time again interrupted my practice of law. But perhaps in the way of an excuse, I can attest that every time I received a call to public service, my friend and associate, Mr. Paine, in the goodness of his heart, encouraged me to follow it.

Among the Republican leaders who became especially alarmed at the state of things was Henry Wilson, one of the United States Senators from Massachusetts. Senator Wilson consulted with Edward L. Pierce, who many years later wrote a notable biography of Charles Sumner, and became a warm and dear friend of mine, and the two joined in inviting me to come to Massachusetts and help them in their fight against "Nativism", The ostensible occasion was a public dinner to celebrate the anniversary of Thomas Jefferson's birthday – a celebration which was in harmony with the recent revival of Jeffersonian States' rights principles in the agitation against the fugitive slave law. But the real object was to rally prominent anti-slavery men for a demonstration against the mischievous nativistic tide.

On April 18th, 1859, shortly after the Jefferson banquet, several of the participants held a public reception in my honor in Faneuil Hall. Senator Wilson presided. The old-fashioned hall was filled with a typical Boston audience. Here I was to strike my blow at Nativism and the politics of sly tricks and petty scheming. My speech seemed to have a good effect. I spoke with great passion and mainly emphasized the concept which was my guiding principle throughout my entire political career in America: the important part which this republic has to play in the progress of humanity toward democratic forms of government, and the resulting enormous responsibility of the American people to the entire civilized world. It may sound unlikely and almost ridiculously presumptuous to assert that foreign-born American citizens can be more impassioned and sincere in their patriotism for America than many native-born ones are, and yet my experience showed that to be the case.

Zeitgenössischer Kupferstich von Boston und seinen Sehenswürdigkeiten. Oben links Faneuil Hall, die historische »Wiege der amerikanischen Unabhängigkeit«. Hier hielt Schurz seine berühmte »Nativismus-Rede«, die zur Ablehnung eines Gesetzentwurfs beitrug, der die politischen Rechte der Einwanderer in Massachusetts einschränken sollte.

Contemporary etching of the city of Boston, where, in Faneuil Hall, the "Cradle of American Independence", Schurz gave his famous "nativism" speech which contributed to the defeat of a bill before the legislature which would have curtailed the political rights of immigrants in Massachusetts.

Ich besuchte nach jenen Tagen des Jahres 1859 Boston noch öfters und hatte dann manchmal das Glück, als Gast an demselben Tische mit Mitgliedern des berühmten Kreises von Boston oder vielmehr von Amerika zu sitzen – Männern von großem Ruf, wie Longfellow, Emerson, Lowell, Agassiz, Holmes, Norton, Fields, Sumner und andere, die zu diesem Freundeskreis gehörten – und war Hörer wie sie miteinander sprachen, nicht mit der Absicht, Bedeutendes zu sagen, sondern mit der natürlichen, anspruchslosen, aber darum um so mehr gewinnenden Einfachheit wahrhaft großer Geister.

Ich fühlte mich zu keinem anderen Mitglied dieses berühmten Kreises mehr hingezogen als zu Longfellow, und er schien mich auch mit freundlichen Augen zu betrachten. Er lud mich liebenswürdigerweise ein, ihn immer zu besuchen, wenn ich in erreichbarer Nähe sei. Wie genußreich waren diese Stunden, die ich von Zeit zu Zeit in der gemütlichen Intimität seines alten, im Kolonialstil gebauten Hauses, des historischen Hauptquartiers von Washington in Cambridge zubrachte! Dann sprach er von deutscher Dichtung und deutschen Dichtern und von der Antisklavereisache, an der er ein warmes, wenn auch stilles Interesse nahm, und von Charles Sumner, den er innig liebte, ebenso wie ich.

Ich bekam auch um diese Zeit zum erstenmal die Bitterkeit politischer Angriffe und Verleumdung zu kosten. Mit einer Art starren Staunens sah ich mich eines Tages von einer demokratischen Zeitung angeklagt, im Solde der preußischen Regierung zu stehen, um das Treiben der deutschen Flüchtlinge in Amerika auszuspionieren.

Dies war jedoch nur der Anfang meiner Erfahrungen als Opfer ungerechter Schmähungen. Ich weiß jetzt und wußte auch damals schon, daß jeder Mann im öffentlichen Leben mehr oder weniger der gewissenlosen Verleumdung seiner Gegner ausgesetzt ist. Als ich jedoch auf dem politischen Felde tätiger wurde, mehrten sich die Angriffe auf meinen Charakter so schnell, so massenhaft und wurden so erstaunlich rücksichtslos, daß es mir oft schien, als habe ich mehr als mein Teil zu ertragen. Vielleicht glaubten diese Kanaillen der Presse, sie könnten, da ich nur ein Adoptivbürger, ein »Ausländer« sei, mit weniger Schonung mir gegenüber verfahren, als sie sich sicherlich einem Einheimischen gegenüber gestatten durften. Jedenfalls wäre ich eher für das Zuchthaus reif gewesen, als für die Gesellschaft ehrenhafter Männer, wenn nur der zehnte Teil von dem wahr gewesen wäre, das über mich gesagt und gedruckt wurde. Im Laufe meiner öffentlichen Tätigkeit wurde ich allmählich gegen diese Art von Widerwärtigkeiten abgestumpft und nahm sie hin als eine unvermeidliche Begleiterscheinung politischer Kriegsführung. Ich machte es mir zur Regel, nur diejenigen Anklagen einer Antwort zu würdigen, die sich mit meinem öffentlichen Verhalten befaßten.

I visited Boston often after those days of 1859, and I sometimes had the good fortune of being a guest at the same table with the members of the famous circle of Boston's, or rather America's great celebrities – Longfellow, Emerson, Lowell, Agassiz, Holmes, Norton, Field, Sumner, and others of their companions – and of hearing them converse among themselves, not with an effort of saying significant things, but with the natural, unpretentious, and therefore most charming simplicity of truly great minds.

To no member of that famous circle did I feel myself more attracted than to Longfellow, and he too seemed to look upon me with a friendly eye. He kindly invited me to visit him whenever I might come within hailing distance. And how delightful were those hours I spent with him from time to time in the cozy intimacy of his old colonial-style house in Cambridge, Washington's historic headquarters. He used to bring in a bottle of old Rhine wine and talk about German poetry and poets, and of the anti-slavery cause for which he cherished a warm, although quiet, interest, and of Charles Sumner, whom he loved dearly as I did.

It was at this time that I also got my first bitter taste of political attacks and slander. I was dumbfounded one day to see myself accused by a democratic newspaper of being paid by the Prussian government to spy on the activities of German refugees in America.

That however was only the first of my experiences of being the innocent victim of malicious defamation. I am aware, and was even then, that everybody in public life is more or less exposed to unscrupulous slander by their opponents. However, as I became more active in the political field, the smears on my character began increasing so fast, so massively, and were so amazingly relentless, that I often felt I was having to bear more than my share. Maybe these scoundrels from the press believed they could treat me, a naturalized citizen, a "foreigner", with less mercy than they would surely show toward a native. In any case, even if only a tenth of what was said and printed about me had been true, I would sooner be fit for prison than for society. In the course of my public life I gradually became hardened against this sort of malicious treatment and came to regard it as an unavoidable side effect of political warfare. I made it a rule only to answer those attacks which were concerned with my public conduct.

»Washington Irving und seine literarischen Freunde« – ein imaginäres Gruppenbild, 1863 von Christian Schüssele (1826 - 1879) gemalt. Aus Schurz' Bostoner Bekanntenkreis sind der Arzt und Autor Oliver Wendell Holmes (1809 - 1894, zweiter von links), der Lyriker Henry Wadsworth Longfellow (1807 - 1882, siebter von links) und der Dichter und Philosoph Ralph Waldo Emerson (1803 - 1882, fünfter von rechts) vertreten.

"Washington Irving and his Literary Friends" – an imaginary group portrait, painted in 1863 by Christian Schüssele (1826 - 1879). Some of Schurz' Boston friends in this picture were the physician and poet Oliver Wendell Holmes, sr. (1809 - 1894, second from left – his son and namesake was the equally famous Supreme Court Justice), the poet Henry Wadsworth Longfellow, (1807 - 1882 – seventh from left) and the poet-philosopher, Ralph Waldo Emerson (1803 - 1882, fifth from right).

Das Longfellow-Haus in Cambridge, Mass., in dem der Dichter seit 1837 lebte. 1775/76 Hauptquartier George Washingtons im Unabhängigkeitskampf.

The Longfellow House in Cambridge, Massachusetts, in which the poet had lived from 1837. The building had also served as Washington's headquarters in the American Revolution in the years 1775/76.

Vorahnungen des Bürgerkrieges 1860

Kaum waren die Wahlen vorüber, als ich schon wieder zu einer ausgedehnten Vortragsreise aufbrechen mußte, um durch ihren Ertrag die Verluste wett zu machen, die ich während meiner politischen Tätigkeit durch Ausgaben und Vernachlässigung meiner Privatangelegenheiten erlitten hatte; auch wollte ich gerne schon etwas für die künftige große Kampagne der Präsidentenwahl von 1860 zurücklegen.

Es gab kaum ein Städtchen von mehr als 3000 Einwohnern, das nicht während des Winters seinen regelmäßigen Vortragskursus aufzuweisen hatte, und diese Veranstaltungen dienten mehr dem Zweck der Belehrung als dem der bloßen Unterhaltung. Viele der besten Köpfe und der beredtesten Zungen des Landes, wie z. B. George William Curtis, Henry Ward Beecher, Ralph Waldo Emerson, Wendell Phillips, Charles Sumner, Horace Greeley, der Temperenzapostel John B. Gough und eine große Anzahl hervorragender Professoren und Geistlicher wurden beständig begehrt, um über Themata zu sprechen, die für intelligente, wißbegierige Menschen von Interesse waren. Die Beobachtungen, die ich während meiner Vortragsreisen jener Jahre machte, gehören zu den belehrendsten und ermutigendsten meiner frühen amerikanischen Erfahrungen. Ich sah, was man die Kultur der Mittelklasse nennen könnte, in ihrem Bildungsprozesse begriffen.

Eine Pause zwischen meinen Vorträgen benutzte ich, um einen kurzen Besuch in Washington zu machen. Der Kongreß war damals in einem Zustand der Aufregung, desgleichen man sich jetzt kaum vorstellen kann. Am Morgen nach meiner Ankunft frühstückte ich mit meinem Freunde Mr. John F. Potter, Kongreßmitglied von Wisconsin. Er lud mich ein, ihn zum Kapitol zu begleiten, und versprach mir, mich womöglich in den Sitzungssaal mitzunehmen. Bevor wir aufbrachen, sah ich, wie er sich einen Gürtel mit einer Pistole und einem Jagdmesser unter seine Kleider schnallte. Er erklärte mir, daß die nördlichen Sklavereigegner jeden Augenblick eines Angriffs gewärtig sein müßten, weniger von Seiten der südlichen Abgeordneten selbst als von einer Bande südlicher Tollköpfe, die sich vielleicht auf den Galerien versammeln könnte.

Es gelang Mr. Potter, mich in den Sitzungssaal des Repräsentantenhauses einzuführen, und ich hatte die Befriedigung, eine Debatte zu hören, die, was auch Gegenstand der Tagesordnung gewesen sein mag, sehr bald die Repräsentanten des sklavereifeindlichen Nordens und des sklavereifreundlichen Südens in heftigem Wortwechsel einander gegenüberstellte. Die Nordländer blieben verhältnismäßig ruhig in der Diskussion, die südlichen Heißsporne dagegen wurden trotzig, anmaßend, auffahrend, warfen ihren Gegnern Feigheit und Kleinlichkeit vor und ließen mit größter Verwegenheit in der Debatte Worte über die Auflösung der Union fallen, als sei das etwas, das man eher herbeiwünschen als fürchten müsse.

Ich mußte am nächsten Tage Washington verlassen und schied mit der Überzeugung, daß die Zeit der Kompromisse in der Tat vorüber sei. Es schien mir, daß der Norden der Herausforderung des Südens eine Kundgebung seines Mutes und seiner Entschlossenheit entgegenstellen müsse.

Premonitions of the Civil War, 1860

No sooner were the elections over than I had to start out on an extensive lecture tour to make up for money spent and private affairs neglected during the political season that year, and to accumulate something in advance for the great presidential campaign coming up in 1860. There was hardly a town with a population of over three thousand which didn't regularly present a lecture series every winter; these evenings served the purpose of education more than of entertainment. Many of the best minds and most eloquent tongues in the country, as for example George William Curtis, Henry Ward Beecher, Ralph Waldo Emerson, Wendell Phillips, Charles Sumner, Horace Greeley, the apostle of temperance John B. Gough, and a large number of outstanding professors and clergymen, were in constant demand for lecturing on topics of interest to audiences which were intelligent and thirsty for knowledge. The observations which I made during my lecture tours in those years were among the most instructive and encouraging of my early experiences in America. I saw what could be called middle-class culture in the process of developing.

My lecturing engagements left me time for a short visit to Washington. Congress was in a state of excitement then, the like of which can hardly be imagined today. The morning after my arrival I had breakfast with my friend, Congressman John F. Potter from Wisconsin. He asked me to accompany him to the Capitol, where he promised to take me on the floor of the House of Representatives, if he could. Before we started I saw him buckle on a belt with a pistol and a bowie-knife under his clothes. He explained to me that the Northern anti-slavery men might expect an attack at any time, not so much from the Southern Representatives themselves on the floor, as from a gang of Southern desperados gathered in the galleries.

Mr. Potter managed to get me into the session of the House of Representatives, and I had the opportunity of hearing a debate which, no matter what subject on the agenda was up for discussion, soon turned into a vehement battle of words between the Representatives of the North, the opponents of slavery, and those of the South, the advocates of slavery. The Northerners remained relatively composed during the discussion, but the hotspurs from the South were arrogant, defiant and irascible, accusing their opponents of cowardice and pettiness, and using the debate to drop remarks with the greatest audacity about the dissolving of the Union, as if that were something to be wished rather than feared.

I had to depart from Washington the following day, and left with the conviction that the time for compromises had indeed come to an end. It seemed to me that the North now had to answer the challenge of the South with a manifestation of its courage and resolve.

Die politische Erregung über die Sklavenfrage nahm, wie Schurz schildert, selbst im Kongreß Formen an, die es geraten erscheinen ließen, das Hohe Haus nicht unbewaffnet zu betreten. Bereits in der Kansas-Nebraska-Debatte, mit der das Vorspiel zum Bürgerkrieg begonnen hatte, war der Sklaverei-Gegner Charles Sumner im Senat von einem Kontrahenten mit dem Spazierstock attackiert und so schwer verletzt worden, daß seine Gesundheit erst nach drei Jahren wieder voll hergestellt war. Der Angreifer, ein Abgeordneter aus South Carolina, kam mit einer Geldbuße von 300 Dollar davon.

Tempers were so hot over the slavery issue, Schurz tells us, members of both houses were afraid to go out on the floor without weapons. When prominent abolitionist Charles Sumner attacked a fellow Senator in the Kansas-Nebraska debate, that colleague's son-in-law, a Representative from South Carolina, elbowed his way onto the floor of the Senate and proceeded to flail at Sumner with a cane. While the Senator looks fairly unperturbed in this contemporary illustration, he nearly lost an eye in the attack and was disabled for three years after it. The assailant was let off with a $ 300 fine.

Delegierter
beim republikanischen Konvent 1860

Die Republikaner von Wisconsin waren mir sehr gewogen. Mit einer Majorität ihrer Legislatur hatten sie mich zum Mitglied des Aufsichtsrats der Staatsuniversität gemacht, welche in der Hauptstadt Madison gegründet wurde; jetzt im Frühling 1860 wählte mich ihr Staatskonvent, als einer ihrer Delegierten zum republikanischen Nationalkonvent im Mai nach Chicago zu gehen. Die Delegation erwählte mich zu ihrem Vorsitzenden, um ihre Stimme anzukündigen und sie zu repräsentieren, wenn solche Repräsentation nötig wurde. Wir traten einstimmig für Seward als republikanischen Kandidaten für die Präsidentschaft ein und gaben ihm den Vorzug vor allen anderen im Kampfe gegen die Sklaverei tätigen Staatsmännern.

Es war ein großartiger und erhebender Anblick, die vielen Mitglieder des Konvents und die Tausende von Zuschauern in dem riesigen Wigwam versammelt zu sehen. Ein freies Volk war da zusammengekommen, um über seine Politik zu beraten und um sich seinen Anführer auszuwählen. Mir war es wie die Erfüllung aller meiner Jugendträume. Die Historiker von Lincoln, Hay und Nicolay, berichten: »Blair, Giddings, Greeley, Evarts, Kelley, Wilmot, Schurz und andere wurden mit spontanem Applaus begrüßt, der, von einem Punkt des Saales ausgehend, von einer Seite zur andern, von Ecke zu Ecke des unermeßlichen Raumes wuchs und schwoll, bis die Augen jedes Anwesenden heller glänzten und ihr Atem schneller ging.« Diese Aufzeichnung, sowie andere, mit denen ich beehrt wurde, verdankte ich zweifellos der Tatsache, daß ich für den Vertreter und Wortführer der großen Zahl deutschgeborener Wähler galt, deren Unterstützung selbstverständlich von Wichtigkeit war.

Ich wurde zum Mitglied der Kommission ernannt, welche das republikanische Wahlprogramm verfassen sollte, und durfte hier den Paragraphen über die Naturalisationsgesetze schreiben, so daß die republikanische Partei vom Makel des Know-Nothingtums reingewaschen wurde. Dieser Paragraph war in mäßigem, jedoch unzweideutigem Ton abgefaßt und tat in dem Wahlfeldzug ausgezeichnete Wirkung.

Als am dritten Tage des Konvents das Abstimmen begann, war der Kampf eigentlich schon entschieden. Nach der ersten Stimmabgabe, welche von den verschiedenen Delegationen üblicherweise benutzt wird, den Lieblingskindern ihres Einzelstaates ihre Verehrung zu bezeugen, vereinigten sich, einem allgemeinen Impuls folgend, alle Elemente, die Seward Opposition gemacht hatten, auf Abraham Lincoln, und die dritte Abstimmung gab ihm die Majorität. Man hat oft behauptet, die ungestümen Demonstrationen auf den überfüllten Galerien hätten dieses Ergebnis zu Lincolns Gunsten herbeigeführt. Das ist aber nichts als Zeitungsgeschwätz. Geschichtliche Tatsache ist, daß dem Konvent, sobald er nicht das Risiko einer Nomination von Seward übernehmen wollte, nichts Besseres übrig blieb, als sich auf Lincoln zu einigen; denn er befriedigte die Ansprüche der ernsten Sklavereigegner, ohne die republikanische Partei den Gefahren auszusetzen, welche mit der Nomination Sewards unzertrennlich verbunden zu sein schienen.

As a Delegate
to the Republican Convention, 1860

The Republicans of Wisconsin were very kind to me. With a majority in their legislature, they had appointed me member of the Board of Regents of the State University which had been founded in Madison, the capital. In the spring of 1860, their State Convention named me as one of their delegates to the Republican National Convention to be held in Chicago in May. The delegation elected me its chairman to announce its votes and generally to represent it, making any statements or declarations that became necessary. We were unanimously for Seward as Republican presidential candidate, and preferred him to all the other active statesmen in the struggle against slavery.

It was an impressive and uplifting sight, seeing the many convention delegates and the thousands of spectators gathered together in the huge "wigwam". A free people had assembled to confer on their politics and to choose their leader. For me it was the realization of all my youthful dreams. Lincoln's biographers, Hay and Nicolay, report: "Blair, Giddings, Greeley, Evarts, Kelley, Wilmot, Schurz and others were greeted with spontaneous applause which, starting at one point in the hall, grew and swelled from one side to the other, filling the immense room from corner to corner until the eyes of everyone present glistened brighter and their hearts beat faster." I undoubtedly owed this honor, as other bestowed upon me, to the fact that I was considered to be the representative and spokesman for the great number of German-born voters, whose support was naturally important.

I was appointed a member of the Commitee on Resolutions that had to draw up the Republican platform, and was permitted to write the paragraph concerning the naturalization laws so that the Republican party be washed clean of the taint of Know-Nothingism. This was done in moderate but unequivocal terms, which produced an excellent effect in the campaign.

When the balloting began on the third day of the Convention, the contest was already decided. After the first ballot, which gave the several delegations the required opportunity of casting votes in honor of the "favorite sons" of their individual States, the opposition to Seward, following a common impulse, concentrated on Abraham Lincoln, and the third ballot gave him the majority. Much has been said about the wild shouting for Lincoln from the packed galleries and its effect upon the minds of the delegates having led to this result. But that is mere reporters' chatter. The historic fact is that, as the Convention would not take the risk involved in the nomination of Seward, it had no other alternative than to select Lincoln as the man who satisfied the demands of the serious anti-slavery men without subjecting the party to the risks thought to be inseparable form the nomination of Seward.

Der zweite Konvent der jungen Republikanischen Partei, in der sich die Sklavereigegner formiert hatten, fand 1860 in Chicago in einem »Wigwam« statt, das eigens aus diesem Anlaß errichtet worden war. Im dritten Wahlgang wurde der Außenseiter Abraham Lincoln vor den Favoriten William Seward und Salmon P. Chase zum Präsidentschaftskandidaten gewählt.

The second convention of the Republican Party was held in the Chicago "Wigwam" built especially for the occasion. On the third ballot, the Republicans nominated the relatively unknown Abraham Lincoln over the favorites, William Seward of New York and Salmon P. Chase of Ohio.

Stephen Arnold Douglas (1813 - 1861), der demokratische Kandidat im Präsidentschaftswahlkampf 1860, war in jeder Hinsicht Lincolns Gegensatz: Dreißig Zentimeter kleiner als sein hünenhafter Konkurrent, gebot er über die tiefe Baßstimme, die man eigentlich von dem in hoher Tenorlage sprechenden »langen Abraham« erwartet hätte.

Stephen Arnold Douglas (1813 - 1861), a marked contrast to his Republican opponent. Exactly one foot shorter than Lincoln, his deep rolling oratory style, as evidenced in the previous slavery debates, was in 1860 successfully checkmated by Lincoln's high tenor and home-spun, anecdotal wit.

Senator William Henry Seward (1801 - 1872) unterstützte Lincolns Wahlkampf, nachdem er bei der Nominierung unterlegen war. Der Präsident zeigte sich erkenntlich und machte ihn zu seinem Außenminister, in welcher Eigenschaft er dem russischen Zaren 1867 Alaska abkaufte - eine der besten Investitionen der Weltgeschichte, die ihm zu Lebzeiten jedoch nur Spott und Unverständnis einbrachte (»Sewards Eisschrank«).

Senator William Henry Seward (1801 - 1872) lost his bid for the nomination because the only States he could deliver in the election were in the East, and these were considered safely in the Republican column anyway. When Lincoln was nominated, Seward's supporters wept like children, but the Senator went on to campaign for the rail splitter and was awarded, along with Chase, by seats on Lincoln's cabinet.

Kampagne für Lincoln

Wenige Wochen nach dem Konvent war die Wahlkampagne schon in vollem Gange. Es wurden schon im Juni viele Gesuche an mich gerichtet, bei Versammlungen zu reden, und ich sprach Tag für Tag, oft mehr als einmal, bis zum Wahltage im November – zwei kurze Wochen im September ausgenommen, die ich notwendig zu meiner Erholung und Ruhe brauchte. Das ganze Land war von Rednern überlaufen, und jeder von denen, die auf unserer Seite standen, schien bestrebt zu sein, sein Möglichstes zu leisten, ohne Rücksicht auf Anstrengungen oder Ermüdung. Die Wahlkampagne schien gewissermaßen ganz von selbst zu gehen. Es war nicht nötig, das Publikum zu den Versammlungen durch besondere Reklamekünste oder außergewöhnliche Anziehungen herbeizulocken. Eine einfache Ankündigung genügte, um eine Menschenmenge zusammen zu bringen.

Während ich in Illinois Wahlreden hielt, hatte ich mich verpflichtet, bei einer Nachmittagsversammlung im Freien in den Anlagen des Kapitols von Springfield, Lincolns Wohnort, zu sprechen. Er lud mich zum Mittagessen in seinem Hause ein. Bei Tisch unterhielten wir uns über den Verlauf und die Begebenheiten der Wahlkampagne. Er war bei bester Laune, und wir lachten viel miteinander. Die unvermeidliche Blechmusik stellte sich aber bald vor dem Hause auf und spielte eine lustige Weise, um uns zu mahnen, daß die Zeit für das Geschäft des Tages gekommen sei. »Ich werde mit Ihnen zur Versammlung gehen«, sagte Lincoln, »und hören, was Sie zu sagen haben.«

Auf dem Versammlungsplatz angekommen, lehnte er einen Sitz auf dem Podium ab und setzte sich in die vorderste Reihe des Publikums. Er stimmte nicht in den Applaus ein, der mir dann und wann zuteil wurde, doch gelegentlich nickte er mir mit einem gutmütigen Lächeln zu.

Meine Hauptarbeit – meine Spezialität – bestand darin, deutschgeborene Wähler in ihrer und meiner Muttersprache anzureden. Diese Aufgabe führte mich in den Staaten Wisconsin, Illinois, Indiana, Ohio, Pennsylvania und New York nicht nur in die großen Städte, sondern auch in die kleinen Landstädtchen und Dörfer und zuweilen in entlegenere Dörfer, wo nur Ackerbau getrieben wurde. Hier fand ich oft meine Zuhörerschaft in Schulhäusern und in geräumigen Scheunen oder zuweilen im Freien versammelt, und das waren die Versammlungen, die mir mehr als alle anderen Freude machten. Es war mir ein wahrer Genuß, auf diese Weise mit meinen Landsleuten zusammenzukommen, die sich mit mir des gemeinsamen alten Vaterlandes erinnerten, wo unsere Wiege gestanden hatte; die von weither gekommen waren, um für sich und ihre Kinder in diesem neuen Lande der Freiheit und des Fortschritts eine neue Heimat zu gründen. Ich freute mich, ihnen so von Angesicht zu Angesicht gegenüber zu stehen, ohne den Lärm und die Förmlichkeiten einer großen Versammlung, und so mit ihnen im Plauderton, ohne oratorische Ausschmückung, sprechen zu können. Ich betonte den hohen Wert der Wohltaten, deren wir teilhaftig geworden seien und die wir uns erhalten müßten, und ich gemahnte sie, daß wir unserem alten Vaterlande keine höhere Ehre erweisen könnten, als dadurch, daß wir dem neuen Lande gewissenhafte und treue Bürger würden.

Campaigning for Lincoln

A few weeks after the Convention the election campaign was already in full swing. In June I had already received many requests to speak at gatherings, and I made speeches day after day, often more than one a day, until the election in November – except for two short weeks in September which I needed to rest and recuperate. The whole country was overrun by speakers, and those on our side seemed to be making a determined effort to do their best, regardless of the exertion or fatigue involved. The election campaign seemed to be running itself. It was not necessary to employ unusual advertising methods or provide any special attractions to draw crowds to the meetings.

While "stumping" in Illinois I had an appointment to address an afternoon open-air meeting on the capitol grounds in Springfield, Mr. Lincoln's place of residence. He invited me to lunch at his home. At the table we conversed about the course and the particulars of the campaign; he was in the best of humor, and we laughed a great deal. The inevitable brass band marched up in front of the house and struck up a lively tune, reminding us that the time for the business of the day had arrived. "I will go to the meeting with you," said Lincoln, "and hear what you have to say."

When we arrived at the meeting, he declined to sit on the platform, but took a seat in the front row of the audience. He did not join in the applause which I received from time to time, but occasionally he gave me a nod or a broad smile.

A large part of my work, my specialty, consisted in addressing meetings of German-born voters in their and my native language. This took me into the States of Wisconsin, Illinois, Indiana, Ohio, Pennsylvania, and New York – not only into the large cities, but into small country towns and villages, and sometimes into remote agricultural districts, where I found my audiences in schoolhouses and even in roomy barns or in the open air; and these were the meetings that I enjoyed most of all. It was a genuine delight to meet my countrymen in this way, those who remembered the same old fatherland that I remembered as the cradle of us all, and who had come from afar to find new homes for themselves and their children in this new land of freedom and betterment – to meet them face to face, without the noise and formality of a large assemblage, and to talk to them in a conversational, familiar way, without any attempt at oratorical flourish. I emphasized the high value of the blessings we enjoyed and had to preserve in the great Republic, and how we could do no greater honor to our old fatherland than by being conscientious and faithful citizens of the new.

Als Lincoln Springfield verließ, um ins Weiße Haus überzusiedeln, verabschiedete er sich mit einer melancholischen Rede von seinen Mitbürgern, die sich auf diesem naiven Holzschnitt am Bahnhof versammelt haben, um dem designierten Präsidenten das Geleit zu geben.

When President-elect Lincoln left Springfield on his way to the White House, he made a sad farewell speech to his fellow citizens, most of whom seem to have shown up at the station, in this contemporary primitive wood-cut, to take their leave of their neighbor.

ABRAHAM LINCOLN'S RESIDENCE.

Lincolns Haus in Springfield, in dem er von 1843 bis 1860 mit seiner Familie lebte und eine Anwaltspraxis betrieb.

Abraham Lincoln's home in Springield, Illinois, in which he lived with his family and practiced law from 1843 to 1860.

Amtsantritt Präsident Lincolns 1861   President Lincoln Takes Office, 1861

Die Nachricht vom Erfolge der republikanischen Partei hatte sich kaum über das Land verbreitet, als schon in einigen der südlichen Staaten Demonstrationen stattfanden, die deutlich zeigten, daß die Drohungen einer Sezession, an welche wir uns in den letzten Jahren gewöhnt hatten, allerdings mehr bedeuteten als eitel Prahlerei.

Da die südlichen Sezessionisten jeden Kompromiß zurückwiesen, weil sie auf der Gründung einer selbständigen südlichen Konföderation bestanden, und die republikanische Majorität andererseits darauf beharrte, daß die Minorität sich bedingungslos dem Wahlresultat fügen müsse, war jede Vergleichspolitik von vornherein aussichtlos. Obgleich die zeitweiligen Folgen dieses Mißlingens furchtbar waren, so war es doch im Grunde besser so. Der eine heftige Bürgerkrieg hat dem amerikanischen Volk einen Zustand chronischer Unruhen erspart, der gewiß bevorstand, wenn das gesetzmäßige Resultat einer Präsidentenwahl in Frage gestellt und nur bedingungsweise anerkannt worden wäre.

Die Wahl Lincolns hatte für mich jedoch Sorgen persönlicher Art zur Folge. Meine Tätigkeit in der Kampagne als Redner und Anführer hatte mir in der siegreichen Partei eine Stellung verschafft, welche mich in den Augen vieler Republikaner mehr als jemals zu einer einflußreichen Person machte. Man überschwemmte mich mit Briefen, worin ich um Empfehlungen für Ämter unter der neuen Regierung gebeten wurde.

Nach dem Amtsantritt kam ich wiederholt mit Lincoln zusammen, und er empfing mich stets mit größter Herzlichkeit. Wir begegneten uns in derselben offenen Weise wie vorher. Unsere Unterhaltungen drehten sich um politische Fragen und um die Eigenschaften und Befähigung von Amtsbewerbern, die ich vorgeschlagen hatte. Meine eigene Angelegenheit wurde nie zwischen uns erwähnt, bis er mir mit augenscheinlicher Befriedigung ankündigte, daß ich zu der Stellung des Gesandten der Vereinigten Staaten nach Spanien ernannt worden sei. Der Senat bestätigte ohne besondere Verzögerung meine Ernennung. Seward, der Außenminister, hatte jedoch, wie ich später von Mr. Potter erfuhr, einige Einwände dagegen vorgebracht. Er behauptete, daß ich, der ich mich noch vor verhältnismäßig kurzer Zeit an revolutionären Bewegungen in Europa beteiligt hätte, in diplomatischer Eigenschaft an einem europäischen Hof nicht gern gesehen sein würde, und daß dies zu einer kritischen Zeit, wie die jetzige, in der wir alle Ursache hätten, uns eines guten Einvernehmens mit auswärtigen Mächten zu bestreben, von Wichtigkeit sei. Lincoln entgegnete darauf – wie mir mein Berichterstatter mitteilte –, daß man mir diskretes Verhalten zutrauen dürfe, daß er mir jedenfalls sein Vertrauen schenke. Es komme übrigens dieser republikanischen Regierung nicht zu, sich von der Tatsache zu einer Ablehnung bestimmen zu lassen, daß ein Mann anderswo für die Freiheit gekämpft habe – womit jeder gute Amerikaner nur sympathisieren sollte; es sei vielmehr ganz gut, europäische Regierungen mit dieser Auffassung vertraut zu machen – und endlich – müsse die innere politische Bedeutung meiner Ernennung berücksichtigt werden.

The news of the Republican party's victory had hardly gone through the land when political demonstrations in some of the Southern States made it appear that the threats of secession, which we had become accustomed to in the past years, were more than mere bluster and gasconade after all.

As the Southern secessionists rejected any compromise because they insisted on the establishment of an independent confederacy of Slave States, and on the other hand, the Republican majority insisted that the minority unconditionally accept the results of the election, any political settlement was out of the question from the very beginning. Although the consequences of this failure were terrible for a period of time, it was actually for the best. That single violent civil war spared the American people a permanent condition of chronic unrest which would surely have come upon them, had the legal results of a presidential election been challenged or only conditionally accepted.

For me, Lincoln's election had problematic consequences of a personal nature. My activities as a speaker and leader in the campaign put me in a position in the victorious party which, more than ever before, made many Republicans think of me as an influential person. I was flooded with requests for recommendations for positions in the new government.

I saw President Lincoln repeatedly after he took office, and he always received me with great cordiality. We spoke together as freely as we had before he was President. Our conversations revolved on questions of policy and on the qualifications and personalities of applicants for office whom I had recommended. My own case was never mentioned between us until he, with evident satisfaction, announced to me that I had been nominated for the position of Minister of the United States to Spain. The Senate confirmed my nomination without unusual delay. But there had been, as I later learned from Mr. Potter, some objection on the part of Secretary of State Seward. He argued that, as I had comparatively recently been engaged in revolutionary movements in Europe, my appearance in a diplomatic capacity at a European court might not be favorably received, and that this was important at a critical time when we had special reason for conciliating the good will of foreign governments. Mr. Lincoln – as it was reported to me – replied that I could be trusted to conduct myself discreetly; at any rate, that he trusted me. The government of this Republic had no business discriminating against men for having made efforts in behalf of liberty elsewhere – efforts with which every good American at heart sympathized; furthermore, it might be well for European governments to realize this fact; and finally, the political significance of my appointment would be entitled to much consideration.

Präsident Lincoln im Mai 1861, aufgenommen im Atelier des Photographen Mathew Brady in Washington.

President Abraham Lincoln in May of 1861, taken in the studio of photographer Mathew Brady in Washington.

4. März 1861: Präsident Buchanan und Abraham Lincoln fahren durch die Pennsylvania Avenue zur Amtsübergabe auf dem Kapitol. Die gußeiserne Kuppel ist noch im Bau.

March 4th, 1861: President Buchanan and President-Elect Lincoln ride down Pennsylvania Avenue to the inauguration on the steps of the Capitol. The cast iron dome is still under construction in this picture.

103

Bürgerkrieg zwischen Norden und Süden

Ich muß gestehen, daß der Gedanke, mit allen Würden eines bevollmächtigten Ministers und außerordentlichen Gesandten der Vereinigten Staaten nach Europa zurückzukehren, wenige Jahre nur, nachdem ich mein Vaterland als politischer Flüchtling verlassen hatte, meinem Stolz, oder soll ich lieber sagen, meiner Eitelkeit außerordentlich schmeichelte. Als ich aber erfuhr, welche Diskussionen meiner Ernennung vorausgegangen waren, genoß ich den Triumph nicht so ungetrübt, wie ich erwartet hatte. In diesem Gemütszustand befand ich mich, als ich von Washington abreiste, um nach meinem Heim in Wisconsin zurückzukehren.

Ich war noch nicht lange dort, als die verhängnisvolle Nachricht vom Angriff der Rebellen auf Fort Sumter im Hafen von Charleston das Land in Schrecken setzte. Ein Aufruf des Präsidenten, in welchem er 75000 Freiwillige verlangte, erfolgte sogleich, und kaum eine Woche später der blutige Angriff einer Meute von Sezessionisten auf das 6. Massachusetts-Regiment, während es durch Baltimore marschierte. Es ist unmöglich, die zündende Wirkung zu beschreiben, die diese Begebenheiten auf die Volksstimmung der nördlichen Staaten ausübten. Bis zum Augenblick, da die erste Kanone auf Fort Sumter abgeschossen wurde, hatten viele patriotisch gesinnte Menschen heimlich noch immer die Hoffnung gehegt, die Union könne ohne Kampf gerettet werden. Jetzt war plötzlich der Bürgerkrieg zur Gewißheit geworden.

Die Straßen Washingtons, welche ich wenige Wochen zuvor von einer aufgeregten Menge belebt gesehen hatte, erschienen jetzt verlassen und öde. Von den wenigen Personen, denen ich auf dem Trottoir begegnete, starrten mich einige mit finsterem Ausdruck an, als wollten sie fragen: »Was haben Sie hier zu schaffen?« Es wurde mir später erzählt, daß die ersten Truppen, die in die Stadt einmarschierten, von den Einwohnern aus Türen und Fenstern mit Flüchen und beleidigenden Zurufen empfangen wurden, da die Einwohnerschaft von Washington größtenteils mit den Sezessionisten sympathisierte. Sobald wie möglich meldete ich mich bei Präsident Lincoln im Weißen Hause. Er schien überrascht, aber erfreut, mich zu sehen. Ich erzählte ihm, warum ich gekommen sei, und er war mit meiner Handlungsweise einverstanden.

Im Laufe unserer Unterhaltung machte ich meinem Herzen wegen meiner Gewissensskrupel Luft. Ich sagte ihm, daß, seitdem die jüngsten Ereignisse einen kriegerischen Konflikt mit den abtrünnigen Staaten bestimmt erwarten ließen, es sehr gegen mein Gefühl ginge, als Gesandter nach Madrid zu reisen, um dort meine Tage in der Sorglosigkeit und dem Wohlleben einer diplomatischen Stellung hinzubringen, während die jungen Männer des Nordens ihr Leben im Felde aufs Spiel setzten, um die Republik zu verteidigen. Da ich als politischer Redner geholfen hatte, den augenblicklichen Zustand der Dinge herbeizuführen, so zöge ich auch vor, die Folgen mitzutragen; ich hätte in den revolutionären Kämpfen meines Vaterlandes etwas vom Felddienst kennengelernt und seitdem alles, was mit dem Krieg zusammenhänge, mit Vorliebe studiert; mit Freuden würde ich meiner Mission nach Spanien entsagen und sofort der Freiwilligenarmee beitreten.

Civil War between North and South

I must admit, the idea of returning to Europe with all the dignity of a Minister Plenipotentiary and Envoy Extraordinary only a few years after leaving my fatherland as a political exile was extremely flattering to my pride, or perhaps better said, my vanity. When I later discovered the discussions which preceded my appointment, I did not enjoy my triumph with quite the satisfaction I had anticipated. This was my state of mind as I left Washington to return to my home in Wisconsin.

I hadn't been there very long when the ominous news of a rebel attack on Fort Sumter in Charleston harbor alarmed the entire country. The President immediately called for 75.000 volunteers, and hardly a week later came the bloody attack by a mob of secessionists on members of the 6th Massachussetts Regiment as the soldiers marched through Baltimore. It is impossible to describe the incendiary effect of these events on the mood of the people in the Northern States. Up to the moment the first cannon was fired at Fort Sumter, many patriotically-minded persons had secretly cherished the hope that the Union could be preserved without a battle. Now civil war was a certainty.

The streets of Washington, which I had seen lively and active only a few weeks before, had become abandoned and desolate. Of the few people I encountered on the sidewalks, a few stared darkly at me, as if asking: "What do you think you're doing here?" I was later told that the first troops that marched into the city had been received by the populace with curses and insults shouted from their doors and windows, and that the citizenry of Washington was largely sympathetic to the secessionists. As soon as I could, I reported to President Lincoln at the White House. He seemed surprised, but pleased to see me. I told him why I had come, and he approved.

During our discussion, I gave vent to my pangs of conscience. I told him that, as the inevitable result of the events of the last few days would be an armed conflict with the Secessionist States, it would go very much against the grain for me to journey to Madrid to take up the post of Minister and spend my days leading the carefree, comfortable life which goes with that high a level of diplomatic status, while the young men of the North were putting their lives on the line on the field of battle to defend the Republic. As my activities as a political speaker had helped bring about the current state of affairs, I should prefer to bear my share of the consequences; I had learned something of battlefield service in the revolutionary battles of my fatherland. Since then, I had assiduously studied anything related to war. I would be only too pleased to relinquish my diplomatic mission to Spain and immediately join the volunteer army.

Die Wahl Lincolns zum Präsidenten war für die Südstaaten das Signal zur Sezession: Bereits im Dezember 1860 konstituieren sich die »Konföderierten Staaten von Amerika«. Politische Vermittlungsversuche scheitern, da Lincoln in der Sklavenfrage unnachgiebig bleibt. Am 12. April 1861 eröffnet konföderierte Artillerie das Feuer auf Fort Sumter (oben) – der Bürgerkrieg beginnt.

The Southern States took Lincoln's election as a sign that the time had come to secede from the Union: by December 1860, they had already established "The Confederate States of America". Attempts at reconciliation failed, as Lincoln refused to soften his position on the slavery issue. On April 12, 1861, Confederate artillery opened fire on Fort Sumter (above) – the Civil War had begun.

Die Schießerei in Baltimore; Illustration aus »Harper's Weekly«, 4. Mai 1861.

Gun battle in Baltimore; illustration from "Harper's Weekly", May 4, 1861.

Unionstruppen auf dem New Yorker Broadway, vor der Einschiffung nach Washington; »Harper's Weekly«, 4. Mai 1861.

Union troops march down Broadway to embark for Washington; "Harper's Weekly", May 4, 1861.

Wenige Tage später erhielt ich jedoch vom Außenminister einen Brief mit der Mitteilung, daß die Umstände meine Abreise nach Madrid und meinen Antritt des dortigen Postens durchaus wünschenswert erscheinen ließen und daß er mich bäte, mich so bald wie möglich in Washington bei ihm zu melden. Als ich Lincoln besuchte, empfing er mich mit der alten Herzlichkeit und drückte sein Bedauern darüber aus, daß ich nun doch noch vor Ende des Krieges fort müßte; da aber Seward es wünschte, müsse ich natürlich gehen, und er hoffe, daß es sich als das Richtige erweisen werde. Die Kritik, unter welcher die Regierung zu leiden hatte, berührte ihn sehr fühlbar, brachte ihn aber gegen diejenigen, welche sie ausübten, nicht auf. Die Haltung des Auslands, besonders Englands und Frankreichs, verursachte ihm große Besorgnis, die noch bestärkt wurde durch die Neutralitätserklärung der Königin von England. Er bat mich, wenn ich nach Europa käme, genaue Beobachtungen über die öffentliche Meinung anzustellen, und fügte hinzu: »Vergessen Sie nicht, wenn Sie im Ausland sind, daß Sie sich direkt schriftlich an mich wenden, wenn Ihnen etwas einfällt, das Sie mir persönlich mitteilen möchten, oder das ich nach Ihrer Meinung wissen müßte.« Ich sah damals nicht voraus, wie bald ich Gelegenheit haben würde, von dieser Erlaubnis Gebrauch zu machen.

Wenige Tage später hatte ich mich nach Spanien eingeschifft.

Meine Frau wünschte ihre Verwandten in Hamburg zu besuchen, wir hielten es daher für das Richtigste, daß sie mit unseren Kindern bis zum Herbst, wenn die Sommerhitze in Madrid vorüber sein würde, dort bleibe. Ich machte mich also allein auf den Weg nach Spanien. In Madrid wurde ich von meinem Legationssekretär Mr. Perry empfangen. Er war etwa fünf Jahre älter als ich, von sehr einnehmendem Äußeren und gefälligem Wesen. Meine Ankunft enthob ihn großer Besorgnisse. Er sagte mir, daß Königin Isabella im Begriff stehe, Madrid zu verlassen, um sich nach dem Seebadeort Santander zu begeben, und daß mein offizieller Empfang noch auf mehrere Wochen hätte verschoben werden müssen, wenn ich nicht vor ihrer Abreise eingetroffen wäre. Er hätte mit dem Minister der Auswärtigen Angelegenheiten, Don Saturnino Calderon Collantes, die Angelegenheit besprochen, und die Königin habe eingewilligt, mich noch am selben Abend um halb zehn Uhr im königlichen Schlosse zu empfangen.

Es war meine Aufgabe, die Lage meines Landes in den Augen der Regierung, bei welcher ich akkreditiert war, in das günstigste Licht zu stellen. In Spanien konnte ich natürlich an kein Antisklavereigefühl appellieren, weil dazumal in den spanischen Kolonien noch Sklaverei herrschte. Da aber die Freundschaft und der gute Wille der Vereinigten Staaten von großer Bedeutung für Spanien waren – denn die spanischen Besitzungen in den westindischen Inseln lagen unserer Küste so nahe – bemühte ich mich, den Außenminister Don Saturnino von der ungeheuren Überlegenheit der nordischen Hilfsquellen, verglichen mit denen des Südens, zu überzeugen. Auch vergaß ich nicht zu erwähnen, daß der Wunsch, Kuba zu annektieren, im Norden fast gar nicht, sondern beinahe ausschließlich im Süden bestände.

A few days later, I received a letter from the Secretary of State informing me that present circumstances made my departure for Madrid and my assumption of my diplomatic duties there highly desirable, and requesting me to report to him in Washington as soon as possible. When I visited Lincoln, he received me with his usual cordiality, and expressed his regret that I would have to leave before the end of the war, but as it was Seward's wish, I would of course have to go, and he expressed his hope that this decision would prove to be correct. The criticism to which his administration was subject had markedly affected him, but he held no malice toward his critics. The attitude of foreign countries, especially Britain and France, caused him considerable concern, which was only intensified by the Queen of England's declaration of neutrality. He asked me to make careful observation of public opinion while in Europe, and added: "Don't forget when you are abroad, write me directly if there is anything you wish to inform me personally, or which you feel I ought to know." I had no idea how soon I would have reason to make use of this permission.

A few days later I had embarked for Spain.

My wife wanted to visit her relatives in Hamburg, and so we considered it best for her to remain there with the children until Autumn, when the summer heat in Madrid would be over. I was received in Madrid by the Secretary of my Legation, Mr. Perry. He was about five years older than myself, with a captivating appearance and charming personality. My arrival had relieved him of considerable worry. He told me that Queen Isabella was about to leave Madrid for the seaside resort town of Santander. My official reception would have had to be postponed for several weeks if I had not arrived before her departure. He had discussed the matter with the Minister for Foreign Affairs, Don Saturnino Calderon Collantes, and the Queen had agreed to receive me at the royal palace that very evening at half-past nine.

It was my task to present my country in the very best light in the eyes of the government to which I had been accredited. Of course I would be unable to appeal to any anti-slavery sentiments in Spain, as the Spanish at that time practiced slavery themselves in their colonies. But as the friendship and goodwill of the United States meant a great deal to Spain – because of the Spanish West Indian possessions so close to our shores – I did my best to convince the Foreign Minister, Don Saturnino, of the superiority of the Northern supply sources as compared to those of the South.

Madrid um die Mitte des 19. Jahrhunderts; anonymer Stahlstich.

Madrid in the middle of the 19th Century; anonymous steel-plate engraving.

Isabella II., von 1833 bis zur Revolution von 1868 Königin von Spanien; Lithographie von Lafosse nach einem Gemälde von Ernesto Girard. Bei seinem Antrittsbesuch als amerikanischer Gesandter überreichte Schurz der Königin ein mit Zeitungspapier gefülltes Kuvert: Er hatte sein Beglaubigungsschreiben im Büro vergessen und vertraute darauf, daß Isabella den Umschlag ungeöffnet an den (eingeweihten) Außenminister weiterreichen würde.

Isabella II, Queen of Spain from 1833 until the 1868 revolution; lithography by Lafosse based on a painting by Ernesto Girard. On his presentation to the Queen, Schurz handed her an envelope filled with a folded newspaper; he had forgotten his credentials in his office and hoped that Her Majesty would pass the envelope unopened over to the Foreign Minister, who was in on the deception.

107

Es ist unmöglich zu beschreiben, in welch düstere Stimmung die Nachricht von der unheilvollen Schlacht von Bull Run unsere Gesandtschaft versetzte. Ich erinnere mich sehr wohl des Tages, als sie uns in Madrid wie ein Blitz aus heiterem Himmel traf. Ich hatte allerdings keine leichte und schnelle Unterdrückung der aufständischen Bewegung vorausgesehen; dieses Unglück von Bull Run jedoch, wie es meine Depeschen andeuteten und die Zeitungen ausführlich beschrieben, übertraf bei weitem alles, was ich für möglich gehalten hatte. Es war nicht nur ein Unglück, es schien fast eine Schmach. Es stellte die Fähigkeit der Soldaten der Nordstaaten in Zweifel.

Meine Sehnsucht, nach den Vereinigten Staaten zurückzukehren, wuchs mit jedem Tage. Die behagliche Ruhe meines Lebens in Spanien drückte mich wie ein Vorwurf. Ich widmete alle Zeit, die nicht von meinen Berufspflichten in Anspruch genommen wurde, dem Studium militärischer Werke. Schon früher hatte ich die Feldzüge Friedrichs des Großen, des Erzherzogs Karl und Napoleons und die Werke von Jomini und Clausewitz, sowie andere Bücher über Taktik studiert. Ich nahm jetzt den letzten französischen Feldzug in Italien, der mit der Schlacht von Solferino endete, und einige Schriften des Marschalls Bugeaud vor. Gleichzeitig gab ich mir alle Mühe, mich über den Einfluß zu unterrichten, welchen die Niederlage von Bull Run auf die öffentliche Meinung in Europa und besonders in jenen Staaten gehabt hatte, von welchen wir eine Einmischung in unseren Kampf und die Anerkennung der Selbständigkeit der südlichen Bundesstaaten befürchten konnten. Die Anhänger einer solchen Politik waren freilich enttäuscht über die Nachrichten aus den Vereinigten Staaten, welche der Kunde von Bull Run folgten. Die siegreiche Rebellenarmee hatte Washington nicht eingenommen, die Bundesregierung sich nicht aufgelöst, der Norden nicht in Verzweiflung seine Sache aufgegeben. Die Regierung hatte einfach die Tatsache erkannt, daß es ein langer und schwieriger Krieg werden würde, und ging jetzt mit hartnäckiger Entschlossenheit an die Aufgabe, sich für solchen Kampf vorzubereiten.

Nichts wäre in dieser Hinsicht wichtiger gewesen als eine amtliche Darlegung unserer Ziele durch unseren Minister des Auswärtigen, der mit der Pflicht betraut war, für uns zum Auslande zu sprechen. Was um diese Zeit in Sewards Geist vorging, gehört zu den merkwürdigsten Rätseln der Geschichte. Nachdem er vor Lincolns Wahl als einer der radikalsten Gegner der Sklaverei aufgetreten war, wurde er nach diesem Ereignis einer der zaghaftesten. Sewards Geist war in der Tat von einem merkwürdigen Wahn befangen. Er meinte, daß die Baumwolle die Welt regiere, ohne Rücksicht auf moralische und humanitäre Grundsätze. Er glaubte tatsächlich, daß für England und Frankreich die Abhängigkeit ihrer Baumwollindustrie von dem Rohmaterial, das ihnen die südlichen Staaten lieferten, ein entscheidendes Element in der Bestimmung ihrer Politik bilden würde. So unglaublich es uns heute, rückblickend, erscheinen würde, wenn es nicht dokumentarisch erwiesen wäre, so fürchtete Seward noch im Juli 1862, als Lincoln zuerst dem Kabinett seine Absicht verriet, eine Emanzipationsproklamation zu erlassen, daß Europa einschreiten würde, um die Sklaven in ihrer Knechtschaft zu erhalten, wenn wir den Versuch machen sollten, sie zu befreien.

It is impossible to describe what a profoundly dark mood fell on our Embassy when we received the report of the calamitous battle of Bull Run. I can well remember the day it hit us in Madrid like a bolt out of the blue. I had certainly not expected the putting down of the rebellious movement to be a quick or simple business. Nevertheless, this fiasco at Bull Run, as my dispatches hinted, and subsequent newspaper reports unmistakably confirmed, far exceeded anything I had considered possible. It was not only a misfortune – it seemed more like a disgrace. It placed sincere doubt on the ability of the soldiers of the North.

My longing to return to the United States grew with every passing day. The serene comfort of my life in Spain oppressed me like a reproach. I devoted all the time not needed for my duties to the study of military literature. I had studied the campaigns of Frederick the Great, Archduke Charles and Napoleon, and the works of Jomini and Clausewitz, as well as other books on tactics, earlier on in my life. I now took up the final French campaign in Italy, which concluded with the battle of Solferino, as well as some writings of Marshall Bugeaud. At the same time I tried my hardest to find out what effect the defeat at Bull Run had on public opinion in Europe, especially in those countries from which we had reason to fear interference in the struggle and recognition of the autonomy of the Southern States. The victorious rebel army had not taken Washington, the Federal Government had not resigned, the North had not abandoned its cause in despair. The government had simply recognized the fact that it would be a long hard war, and went decisively to work at the task of preparing for such a struggle.

In this regard, nothing would have been more important than an official explanation of our objectives from the Secretary of State, whose duty it was to speak to other nations on our behalf. Whatever was going on in Seward's mind at that time remains one of the great unsolved riddles of history. After declaring himself one of the most zealous opponents of slavery after Lincoln's election, after this event he became one of its most faint-hearted. Seward's mind at the time was possessed with a peculiar sort of folly. He felt that cotton ruled the world, without regard for any moral or humanitarian principles. He actually believed that the dependence of the cotton industries in Britain and France on the raw material supplied to them by the Southern States would be a decisive factor in the determination of their policy. As incredible as it would appear to us today, in retrospect, were it not documented, as late as July of 1862, when Lincoln first revealed his intention to publish an Emancipation Proclamation, Seward still believed that Europe might enter the war to keep the slaves in bondage if we were to make an attempt to free them.

Die erste Schlacht von Bull Run, in gefährlicher Nähe der Hauptstadt Washington, brachte den Unionstruppen im Juli 1861 eine empfindliche Niederlage.

The first battle off Bull Run, in July 1861. Perilously close to the capital of Washingon, this battle proved a humiliating defeat for the Union Army.

Standardwerke der Kriegskunst, mit deren Hilfe Schurz sich auf sein Engagement im Bürgerkrieg vorbereitete; Pfuels »Rückzug der Franzogen« wird auch dem im Text erwähnten Marschall Bugeaud zugeschrieben.

Standard reference works on the art of war. Schurz used them to prepare for his participation in the Civil War; Pfuel's "Retreat of the French" is sometimes attributed to Marshall Bugeaud.

Unter den obwaltenden Umständen schien es mir Pflicht zu sein, meiner Regierung die Ermittlungen, die ich angestellt hatte, und meine Betrachtungen darüber mitzuteilen. Diese Depesche ist in Geschichtswerken als »die erste eindrucksvolle Warnung vor dieser Gefahr« bezeichnet worden. Der Grundgedanke dieser Depesche war, daß eine ausgesprochene Antisklavereidemonstration unserer Regierung vielleicht nicht unsere Feinde in Europa bekehren würde, daß sie aber die Strömung der öffentlichen Meinung stark genug zu unseren Gunsten beeinflussen könnte, um die Intrigen gegen uns, hauptsächlich von seiten Englands, zu vereiteln.

Ich konnte kaum einen Freudenschrei unterdücken, als endlich die Antwort vom Präsidenten und vom Auswärtigen Amt kam und mir meine Bitte um Urlaub gewährt wurde. Meine Reisevorbereitungen waren schnell gemacht. Da meine Familie sich in Hamburg aufhielt, wünschte ich sie dort abzuholen, um sie mit mir auf einem Hamburger Schiff nach Amerika zurückzunehmen.

Von New York eilte ich sogleich nach Washington, wo ich mich zuerst bei Seward im Auswärtigen Amt meldete. Da einige fremde Diplomaten dem Minister ihre Aufwartung machen wollten, brachen wir unsere Unterhaltung jedoch ab, um sie zu einer günstigeren Zeit fortzusetzen. Ich ging dann zu Lincoln in das Weiße Haus, und er empfing mich mit seiner gewohnten Herzlichkeit.

Nach den ersten Willkommensworten drehte sich die Unterhaltung um die wahren Gründe für meine Rückkehr. Ich wiederholte Lincoln im wesentlichen den Inhalt meiner Depesche vom 18. September. Es schien mir nicht passend, ihn zu fragen, ob er jemals diese Depesche gesehen hätte, denn er erwähnte es auch nicht. Er hörte mir jedoch mit größter Aufmerksamkeit, ja wie es mir schien, mit einiger Spannung zu, ohne mich zu unterbrechen, und als ich zu Ende war, saß Lincoln eine Minute in Gedanken versunken. Endlich sagte er: »Sie mögen recht haben. Ja, Sie haben wahrscheinlich recht. Ich habe denselben Gedanken gehabt. Ich kann mir nicht vorstellen, daß eine europäische Macht es wagen würde, die südliche Konföderation anzuerkennen und ihr beizustehen, wenn darüber erst volle Klarheit besteht, daß die Konföderation die Sache der Sklaverei und die Union die Sache der Freiheit vertritt.« Er sei jedoch noch im Zweifel, ob im eigenen Land die öffentliche Meinung bereits genügend darauf vorbereitet sei. Ihm war darum zu tun, die ganze Kraft des Nordens und die Unionsfreunde im Süden, besonders in den sogenannten Grenzstaaten, in dem Kriege für die Union zu vereinigen und zusammenzuhalten. Er forderte mich auf, mich etwas umzusehen und umzuhören und ihm in einigen Tagen die gewonnenen Eindrücke zu berichten.

Under the prevailing circumstances, I considered it my duty to advise my government of the investigations I had made and my view of them. This dispatch has been described in history books as the "first seriously impressive warning of this danger". The basic thought behind the dispatch was that a decided anti-slavery position by our government would perhaps not change the minds of our enemies in Europe to our benefit, but that it would be able to influence the trend of public opinion powerfully enough to nullify the intrigues against us, particulary on the part of the British.

I could hardly repress a cry of joy when I received the reply from the President and the State Department acceeding to my request of a leave of absence. My travel preparations were quickly made. As my family was in Hamburg, I wanted to proceed there to fetch them, returning together on a Hamburg ship to America.

I hurried immediately from New York to Washington, where I first reported to Seward at the State Department. As some foreign diplomats were eager to pay calls on the Secretary, we cut our discussion short, with hopes of resuming it at a more opportune moment. I then went to see Lincoln at the White House, and he received me with his usual cordiality.

After the first words of welcome, the conversation turned to the real reason for my return. I repeated the essence of my dispatch of September 18th to Lincoln. It didn't seem proper to ask him if he had ever received this dispatch, for he didn't mention it. He listened to me very attentively, indeed fascinatedly, or so it seemed to me, without interruption, and when I finished, Lincoln sat there for a moment lost in thought. Finally he said: "You may be right. Yes, you probably are right. I had the very same thought. I can't imagine any European power daring to recognize the Southern Confederacy or supporting it once it is made clear that the Confederacy represents the cause of slavery and the Union the cause of freedom." He doubted, however, whether public opinion in our own country was quite ready for it. He was most eager to unite and retain the full strength of the North and the friends of the Union in the South, especially in the so-called Border States, in the war for the preservation of the Union. He asked me to keep my eyes and ears open, and to report my impressions back to him in a couple of days.

Carl Schurz im Alter von zweiunddreißig Jahren; Fotografie, 1861.

Carl Schurz at 32; photograph, 1861.

Gegner der Sklaverei

Opponents of Slavery

Meine Gesinnungsgenossen, die ich in New York aufsuchte, stimmten mit mir überein, daß die Zeit gekommen sei, eine entschiedene Bewegung für die Einführung der Sklavenemanzipation ins Leben zu rufen. Um diese Bewegung ins Werk zu setzen, organisierten wir eine »Emanzipationsgesellschaft« und trafen die Vorbereitungen für eine große öffentliche Versammlung, die am 6. März im Saal des Cooper Institute tagen sollte.

Unsere Versammlung im Cooper Institute gestaltete sich zu einer überwältigenden Kundgebung des Volkes. Der große Saal war gedrängt voll von einem Publikum, das alle Gesellschaftsklassen repräsentierte. Während die Redner noch sprachen, wurde plötzlich, von Horace Greeley, wenn ich mich recht erinnere, die Ankunft einer Depesche aus Washington angekündigt, die das Publikum sehr interessieren würde. Diese Depesche benachrichtigte uns, daß Lincoln an demselben Tage, am 6. März, eine besondere Botschaft an den Kongreß geschickt habe, in welcher er um eine gemeinsame Resolution beider Häuser folgenden Inhalts bat: »Daß die Vereinigten Staaten jeden Einzelstaat, der die allmähliche Aufhebung der Sklaverei beschließe, durch Geldmittel unterstützen und ihn dadurch in den Stand setzen sollen, die aus solcher Veränderung erwachsenen Ungelegenheiten privater und öffentlicher Art nach seinem Gutdünken zu mindern.«

Lincoln, von Natur konservativ, war vollständig im Ernst, als er davon sprach, die langsame Befreiung der Sklaven einer plötzlichen Änderung vorzuziehen, und als er bei verschiedenen Gelegenheiten den alten Plan, die befreiten Neger irgendwo außerhalb der Vereinigten Staaten zu kolonisieren, wieder vorbrachte. Er hielt diesen Plan für sehr wünschenswert. Da er selbst in einem Sklavenstaat geboren und in einem sklavenhaltenden Gemeinwesen aufgewachsen war, sah er vielleicht klarer als die meisten Gegner der Sklaverei voraus, welche Rassenkonflikte der Emanzipation folgen würden, und er war bemüht, sie zu verhindern oder sie wenigstens einzuschränken. Der Gang der Ereignisse wirkte jedoch auf seine vorsichtige und konservative Politik ein und drängte ihn in eine radikalere Richtung. Der Kongreß nahm die vom Präsidenten vorgeschlagene Resolution an, doch keiner der sklavenhaltenden Staaten reagierte darauf.

Die Zeit war nahe, da Abraham Lincoln, die Bedürfnisse des Krieges erkennend, dem großmütigen Impulse seines Herzens gehorchend, und unterstützt von der aufgeklärten Meinung seiner Mitbürger, die Verordnung für die allgemeine Befreiung der Sklaven erließ, welche seinen Namen in der Weltgeschichte vor allem anderen unsterblich macht.

Ich will nicht behaupten, daß England und Frankreich wirklich zugunsten der südlichen Konföderation eingeschritten wären, hätte die amerikanische Regierung dem Kriege nicht einen ausdrücklichen Antisklavereicharakter gegeben, es ist aber nicht ausgeschlossen. Sobald der Unionskrieg sich vor aller Welt zum Kriege gegen die Sklaverei gestaltet hatte, war die Einmischung fremder Mächte gegen die Union unmöglich geworden.

The like-minded individuals I visited in New York agreed with me that the time had come to bring about a decisive movement in outspoken advocacy of the emancipation of the slaves. In order to get this movement started, we organized an "Emancipation Society" and made the necessary preparations for a large public meeting, scheduled for March 6th in the Great Hall of the Cooper Institute.

Our meeting at the Cooper Institute took the form of an overwhelming declaration of the people. The Great Hall was filled to the rafters with an audience that represented all walks of life. While the orators still held the floor, an announcement was suddenly made, by Horace Greeley if memory serves, that a dispatch had just arrived from Washington which would interest the audience very much. This dispatch informed us that Lincoln had, on that very same day, the 6th of March, sent a special message to Congress requesting a joint resolution of both houses with the following contents: "that the United States shall support with financial means each individual State which shall enact a gradual abolition of slavery, thus placing that State in a position to reduce any inconvenience, public or private, arising from this change, as that State may see fit."

Lincoln, conservative by nature, was completely in earnest when he said he preferred a gradual liberation of the slaves to a sudden change of affairs, and when he availed himself of a number of opportunities to mention an old plan to settle liberated Negroes somewhere in a colony outside the United States. He considered this a highly desirable plan. As he himself had been born in a slave State, and had grown up in a slaveholding community, perhaps he foresaw more clearly than most opponents of slavery the kind of racial conflicts that would follow emancipation, and was attempting to prevent them, or at least keep them within limits. The course of events, however, had a considerable effect on his careful and conservative policies, and impelled him in a more radical direction. Congress adopted the resolution proposed by the President, but not one slaveholding State reacted to it in any way.

The time was near, when Abraham Lincoln, recognizing the needs of the war, responding to the generous impulses of his own heart, and supported by the enlightened opinion of his fellow citizens, now proclaimed a general emancipation of the slaves, for which act his name will live eternally in the history of the world.

I do not wish to claim that Britain and France would really have entered the war on the side of the Southern Confederacy if the American Government had not given the war an explicit anti-slavery character, but this cannot be ruled out. As soon as the war for the Union had taken the form of a war against slavery in the eyes of the world, the intrusion of foreign powers against the Union had become impossible.

Nach zunächst ungünstigem Kriegsverlauf nützte Lincoln die ersten militärischen Erfolge seiner Truppen, um mit Wirkung vom 1. Januar 1863 die Befreiung der Sklaven in allen Bundesstaaten zu proklamieren, die zu diesem Zeitpunkt gegen die Union kämpften. Zwei Jahre später wurde die Abschaffung der Sklaverei als Zusatzartikel in die amerikanische Verfassung aufgenommen. Das Gemälde von Francis Carpenter zeigt Lincoln mit seinem Kabinett bei der Beratung der Emanzipationserklärung. Als es zur Abstimmung kam, votierten alle Minister gegen die Proklamation; unter Ausnützung seiner verfassungsmäßigen Rechte rief sich der Präsident selbst auf, stimmte mit »Ja« und erklärte den Entwurf für angenommen. Unten die erste und die letzte Seite des Dokuments mit Lincolns eigenhändiger Unterschrift.

After a bad beginning for the Union, Lincoln took advantage of his army's first military victories to proclaim the emancipation of the slaves in every single State with which the Union was at war, effective January 1, 1863. Two years later, the abolition of slavery became an Amendment to the Constitution. The painting by Francis Carpenter shows Lincoln with his cabinet conferring on the Emancipation Proclamation; (at the actual cabinet meeting every single cabinet officer voted against the Proclamation – as cabinet members have virtually no constitutional authority, Lincoln finally called his own name, voted "aye" and declared the proposition adopted.) Below, the first and last page of the document with Lincoln's signature.

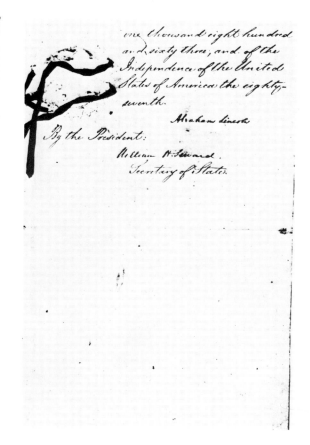

Je mehr ich bei mir die Frage der Rückkehr nach Spanien erwog, desto mehr war ich davon überzeugt, daß in solch bewegter Zeit ein junger kräftiger Mann auf dem Felde und nicht im Lehnstuhl am richtigen Platze war. Eine gewisse Zeit ließ ich verstreichen, damit es nicht den Anschein habe, als ob ich Lincolns freundliche Ermahnungen zu leicht nehme, und dann teilte ich ihm mit, daß ich mich entschlossen habe. »Nun,« sagte er, »hoffentlich haben Sie nicht außer acht gelassen, daß Sie ein gutes Gehalt und eine geachtete und behagliche Stellung mit einer vertauschen, die Ihnen viel Arbeit, Unbehagen und Gefahren bringen wird ... Ich werde Ihren Namen auf die nächste dem Senat vorzuschlagende Liste von Brigadegeneralen setzen und hoffe, wir finden bald ein geeignetes Kommando für Sie.« Sobald ich zum Dienst bei General Frémont im Shenandoah-Tal abkommandiert worden war, machte ich meinen Abschiedsbesuch bei Lincoln. Er war sehr freundlich, wünschte mir alles Gute und sagte wie damals, als ich nach Spanien abreiste, er bitte mich, ihm alles zu schreiben, was er nach meiner Ansicht wissen müsse.

Was mich betraf, so befleißigte ich mich, in meinem Kommando meine Pflichten kennenzulernen und gewissenhaft auszuführen, um das Vertrauen der Offiziere und Mannschaften zu gewinnen. Ich inspizierte Tag und Nacht unsere Vorpostenlinie und machte auf Fehler in der Aufstellung einiger Feldwachen aufmerksam, die meine Obersten sofort anerkannten. Ich exerzierte meine beiden Brigaden in Kolonnen, ließ sie in Schlachtordnung aufmarschieren, formierte zum Angriff, und ließ Schwenkungen, Frontwechsel und was dergleichen Bewegungen mehr sind ausführen. Einmal kam General Sigel zufällig vorbei, war voll Lobes und äußerte seinen Wunsch, daß dergleichen im Heere mehr gemacht würde. Noch größere Freude machte mir jedoch der Besuch des Obersten Alexander von Schimmelpfennig vom 74. Pennsylvania-Freiwilligen-Regiment meiner ersten Brigade. Es war jener selbe preußische Offizier Schimmelpfennig, der vor 13 Jahren in der pfälzischen Revolutionsarmee gedient und der mir im Winter 1848/49 militärischen Unterricht gegeben hatte. Jetzt war er mein Untergebener. »Ihr Divisionsexerzieren war ausgezeichnet,« sagte er, »ausgezeichnet. Wo haben Sie das gelernt?« »Zuerst von Ihnen,« entgegnete ich, »und dann aus den Büchern, die Sie mir empfohlen haben, in Zürich, wissen Sie noch?« »Vortrefflich,« antwortete er, offenbar sehr erfreut. »Sie haben gut studiert. Nun lassen Sie es uns ebenso gut machen, wenn die Kugeln pfeifen.«

Als ich in der Nähe von Washington lag, war ich öfter dort gewesen und hatte mit Leuten, die im öffentlichen Leben standen, gesprochen, u.a. mit Minister Chase und Senator Sumner. Die Eindrücke, die ich sowohl aus Briefen wie aus Gesprächen erhielt, waren düsterer Art. Das Volk war durchaus entmutigt und verlangte dringend nach Erfolgen unserer Waffen. Im Westen gab es ja solche, aber nicht im Osten, dem Hauptkriegsschauplatze.

The more I weighed the question of returning to Spain, the more convinced I was that a strong young man belongs on the battlefield in distressed times like these, and not in an armchair. I let a reasonable amount of time pass, so as not to give the appearance that I had not taken Lincoln's friendly admonitions too lightly, and then I advised him that I had made my decision. "Well," he said, "I hope you haven't forgotten that you will be exchanging a good salary and a respected and comfortable position for one which will bring you much work, discomfort and danger ... I shall place your name on the next list of proposed apointees for the rank of Brigadier General I submit to the Senate, and I hope we will soon find a suitable command for you." As soon as I had received my orders to report to General Frémont in the Shenandoah Valley, I made a parting visit to Lincoln. He was very friendly, wished me all the best, and said, as he had when I left for Spain, he would like me to write him anything I felt he ought to know.

For my part, I applied myself to learning and conscientiously carrying out the duties of my command, in order to win the confidence of the officers and men. I inspected our outpost line day and night, and called attention to certain errors in positioning sentinels, which were immediately acknowledged by my colonels. I drilled both my brigades in columns, had them deploy for action, form for attack, and then practice left-right march, changes of front, and other maneuvers of this nature. Once, General Sigel happened along, was full of praise and expressed his desire to have more of this sort of thing done in the army. I was even more pleased by the visit of Colonel Alexander von Schimmelpfennig of the 74th Pennsylvania Volunteer Regiment in my first brigade. It was that selfsame Prussian officer Schimmelpfennig who had served in the Palatinate Revolutionary Army thirteen years before, and who had given me military instruction in the Winter of 1848/49. Now he was my subordinate. "Your division drill was excellent," he said, "excellent! Where did you learn that?" "First of all from you," I replied, "and then from books you recommended to me in Zürich – don't you remember?" "Magnificent," he answered, obviously very pleased. "You have learned well. Now let us hope we do just as well when the bullets start flying."

When I was near Washington, I visited the city often, and spoke to persons in public life, such as Secretary Chase and Senator Sumner. The impressions I received both from letters and conversations were all quite foreboding. The people were completely discouraged and desperately in need of a military success. There had been some successes in the West, but not in the East, the main theater of war.

Schurz als Brigadegeneral in Virginia; Fotografie mit eigenhändiger Widmung für seine Schwägerin, Bertha Ronge.

Schurz as a Brigadier General in Virginia; picture inscribed to his sister-in-law, Bertha Ronge.

Franz Sigel (1824 - 1902), der wie Hecker schon im badischen Aufstand von 1848 gekämpft hatte.

Franz Sigel (1824 - 1902) had fought with Hecker in the Baden Rebellion of 1848.

Alexander von Schimmelpfennig (1824–1865), später ebenfalls General in der Armee der Nordstaaten.

Alexander von Schimmelpfennig (1824–1865), later also a General in the Northern Army.

Faksimile des Eides auf die Verfassung, den Schurz nach der Ernennung zum Generalmajor am 4. April 1863 unterzeichnete (National Archives, Washington).

Facsimile of the oath of office signed by Schurz on his appointment to the rank of Major General on April 4, 1863. (National Archives, Washington.)

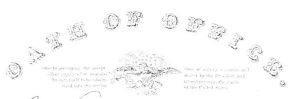

Man bemängelte das fehlende Zusammenarbeiten der verschiedenen Anführer, und es ging sogar das Gerede, daß im Kriegsbureau in Washington Spione der Südstaaten säßen, und daß diese oder jene unserer Generäle nicht wünschten, daß die Unionsarmee einen entscheidenden Sieg erringe, sondern von einer beiderseitigen Erschöpfung einen für die Sklaverei günstigen Vergleich erhofften.

Am 17. Dezember 1863 bezogen wir wieder unser altes Lager in Lookout Valley und sahen einem verhältnismäßig ruhigen und behaglichen Winter entgegen. Das ganze Heer der Union wurde nunmehr einer Reorganisation unterzogen, und als dieselbe beendet war, wurde mir mitgeteilt, daß das 11. und 12. Armeekorps unter dem Namen des 20. Armeekorps zusammengezogen und unter General Hookers Kommando gestellt worden sei. Mit General Hooker hatte ich wegen der Kriegsberichterstattung einen schweren Konflikt gehabt, der mich veranlaßte, meine Versetzung zu beantragen. Ich wurde deshalb zum Kommandeur des sogenannten Instruktionskorps in Nashville ernannt, in dem damals eine Menge neu ausgehobener Regimenter zum Felddienst ausgebildet wurden, die später vermutlich der Cumberlandarmee unter General Thomas eingereiht werden sollten.

In den Mußestunden des Lagerlebens im Winter und Frühjahr 1864 hatte ich mehrere Bände der Schriften Herbert Spencers durchgearbeitet und einen sehr lebhaften Briefwechsel mit Freunden in Washington und in den nördlichen Staaten geführt. Die von Briefen und Zeitungen verbreiteten politischen Nachrichten waren keineswegs tröstlicher Art. Wer, wie ich, im Felde stand und die politischen Ereignisse nur aus der Ferne betrachtete, der kannte nur ein Ziel, den guten Ausgang des Kampfes gegen die Sezession und der Bestrebungen für die Wiederherstellung der Union unter den neuen Bedingungen; ihm waren die Erfordernisse der Situation einfach und klar. Das eine, was not tat, schien zu sein, daß die Regierung in ihren Bemühungen, die ganze Macht der unionsfreundlichen Gefühle gegen den gemeinsamen Feind zu sammeln, unterstützt würde. Gewiß bestanden Meinungsverschiedenheiten darüber, wie das im einzelnen zu bewerkstelligen sei. Aber die damalige Kritik hatte einen sehr gehässigen Charakter angenommen und zielte nur darauf ab, die Wiederwahl Lincolns zu verhindern.

Während ich voller Sorgen dieser beunruhigenden Möglichkeit nachhing, fiel mir plötzlich ein, daß ich vielleicht dem Gemeinwesen viel größere Dienste leisten könnte, wenn ich mich der politischen Kampagne als Redner widmete, als wenn ich weiter in meinem Lager bei Nashville Truppen ausbildete, die möglicherweise nie ins Feuer kommen würden. Dasselbe wurde mir in verschiedenen an mich gerichteten Briefen nahe gelegt, besonders in einem sehr dringenden von Elihu B. Washburn, einem hervorragenden Kongreßmitglied aus Illinois, und in einem von Thaddeus Stevens aus Pennsylvanien, der mir in lebhaften Farben die Gefahren der Lage schilderte und darauf bestand, ich müsse mich, wie 1860, als umherreisender Volksredner der Agitations- und Wahlkampagne widmen. So kam ich zu dem Entschluß, daß dies meine Pflicht sei, und ich schrieb an Lincoln.

The lack of cooperation among the various commanders was criticized, and a story made the rounds claiming there were spies in the War Department in Washington, and that this or that general in our army did not want the Union to achieve a decisive victory, but rather hoped for a general attrition on both sides, which would bring about an armistice beneficial to the cause of slavery.

On December 7th, 1863, we returned to our old camp in Lookout Valley in anticipation of a relatively calm and comfortable Winter. The entire Army of the Union was now thoroughly reorganized, and when this reorganization was completed, I was advised that the 11th and 12th Army Corps would be consolidated under the name of the 20th Army Corps, and placed under the command of General Hooker. I had had a serious falling-out with Gerneral Hooker concerning battle reports, which was the reason why I requested an immediate transfer. I was thus sent to Nashville to take command of the so-called instruction corps, in which at the time a number of newly formed regiments were to be trained for active duty. They were probably later to be incorporated in the Cumberland Army under General Thomas.

During my leisure hours in camp in the winter and spring of 1864, I had worked my way through several volumes of Herbert Spencer's works and also maintained a steady correspondence with friends in Washington and in the Northern States. The political reports in the newspapers and magazines were anything but encouraging. Anyone who, like myself, was out in the field, and could only observe political events from a distance, knew only one objective, and that was the satisfactory conclusion of the battle against secession and of the efforts to restore the Union under new conditions; to us, the requirements of the moment were simple and clear. The principal necessity seemed to be support for the government in its efforts to unite the whole power of feelings friendly to the Union against the common enemy. Certainly there were differences of opinion as to how this goal was to be achieved, but the criticism of the day had taken on a very malicious character, and was aimed exclusively at preventing the re-election of Lincoln.

While I worried myself sorely over this troubling possibility, I suddenly realized that I could probably be of much greater service to the community were I to devote myself to campaigning politically than if I were to remain in my camp continuing to train troops which might never possibly see enemy fire. This same thought was expressed in letters I received, especially a very urgent one from that excellent Congressman from Illinois, Elihu B. Washburn, and one from Thaddeus Stevens of Pennsylvania, which described the dangers of the situation in vivid colors, and insisted I devote my efforts to traveling about as an orator in the agitation and election campaign, as I had back in 1860. Thus I came to the conclusion that this was my duty, and I wrote to Lincoln.

»Thomas Nast war unser bester Truppenwerber!« Mit diesen Worten würdigte Abraham Lincoln den Beitrag, den der in Landau in der Pfalz geborene Zeichner (1840 - 1902) mit seinen sentimental-patriotischen Blättern für die Sache der Union leistete. Das fotographische Portrait Nasts stammt aus den Ateliers von Mathew Brady.

"Thomas Nast has been our best recruiting sergeant." With these words, Abraham Lincoln praised the contribution made by the German-born illustrator (1840 - 1902) with his patriotic drawings of life during the Civil War. Nast was a sort of 19th Century Norman Rockwell until he turned his attention after the Civil War to bitter political cartoons, many of them vilifying Republican reformers like Schurz. The photographic portrait was made by Mathew Brady.

117

Wahlkampf im Bürgerkrieg 1864

Mein Gesuch wurde bewilligt; ich gab sofort das Kommando des Korps ab, fuhr nach Bethlehem, Pennsylvania, wo sich damals meine Angehörigen befanden, und suchte um die Erlaubnis nach, eine Reise nach Washington zu unternehmen – Offizieren war nämlich damals der Besuch der Hauptstadt ohne die besondere Erlaubnis des Kriegsministeriums untersagt worden. Ich aber wünschte in persönlicher Unterredung mit Lincoln, seine Ansichten über die politische Lage im allgemeinen und über die Erfordernisse der bevorstehenden Wahlkampagne im besonderen zu erfahren.

Obwohl Lincoln von dem nationalen Wahlkonvent der republikanischen Partei im wesentlichen einstimmig wieder als Präsidentschaftskandidat aufgestellt worden war, hörte die feindliche Bewegung in den republikanischen Reihen nicht auf. Auch das Volk selbst zeigte in den beiden ersten Monaten nach der Neuaufstellung der Kandidatur Lincolns nicht viel ermutigende Begeisterung. Die Massenversammlungen wurden schwach besucht, die Redner ernteten nicht den üblichen begeisterten Beifall.

Die Demokraten waren von der anscheinenden Gleichgültigkeit des Volkes und von dem bitteren Gezänk innerhalb der Unionspartei allzu vertrauensselig gemacht worden und hatten weit übers Ziel geschossen. Sie erklärten von ihren Rednerbühnen herab, daß der Krieg gegen die Sezession ein Mißerfolg sei, und daß sofort die Einstellung der Feindseligkeiten eingeleitet werden müßte mit dem letzten Ziel, auf der Grundlage der Wiedervereinigung eine friedliche Verständigung zwischen allen Staaten herbeizuführen. Wenn man erwog, daß die Führer der Rebellen laut und trotzig die Unabhängigkeit der südlichen Konföderation als conditio sine qua non irgend welcher Friedensverhandlungen forderten, glich dieser Vorschlag einer vollständigen Unterwerfung. Dies ging nicht nur den Unzufriedenen innerhalb der Unionspartei, sondern auch vielen Demokraten zu weit. Selbst ihr eigener Wahlkandidat, General McClellan, dessen Nominierung dem in den Reihen der Demokraten noch lebendigen kriegerischen Geist zuliebe erfolgt war, hielt es für nötig, diesen Teil des Wahlprogramms zurückzuweisen, zunächst seiner eigenen Überzeugung wegen und zweitens, um seine letzte Chance des Erfolges bei der Wahl zu retten. Dann kam plötzlich die begeisternde Nachricht von Shermans siegreichem Marsch bis ins Herz von Georgia hinein und von der Eroberung von Atlanta. Im ganzen Norden entzündete die Kunde eine jubelnde Begeisterung, und die Erklärung, daß der Krieg ein Mißerfolg sei, wurde hinfort nur noch höhnisch belacht. Und endlich, schwerwiegender vielleicht als alles andere, machte sich die Liebe des Volkes für Abraham Lincoln in seiner ganzen Innigkeit geltend. Die geradezu zärtliche Liebe, welche die einfache Landbevölkerung, die Soldaten auf dem Felde und die »Daheimgebliebenen« für Lincoln im Herzen trugen, war ein mächtiges Moment, das seine kühlen und kritischen Gegner vollständig unterschätzt hatten. Jetzt lernten sie es zu ihrer Überraschung kennen. Persönlich glaube ich, daß, selbst wenn der demokratische Wahlkonvent vorsichtiger gewesen wäre und keine so gelegen kommenden Siegesnachrichten das Volk ermutigt hätten, doch »Vater Abrahams« Popularität genügt haben würde, ihm bei der Wahl von 1864 den Sieg einzutragen.

Election Campaign During the Civil War, 1864

My request was granted – I turned over the command of the corps at once, journeyed to Bethlehem, Pennsylvania, where my family was living, and applied for permission to travel to Washington – officers were at that time not allowed to visit the Capital wihout special permission from the War Department. Nevertheless, I wanted to meet personally with Lincoln and learn his views on the political situation in general and the requirements of the coming campaign in particular.

Although Lincoln had been more or less unanimously renominated at the Republican National Convention, the opposition movement within the Republican Party did not stop its activities. And the people also did not show much encouraging enthusiasm in the first two months after Lincoln's renomination. The mass meetings were all poorly attended, the speakers did not receive the usually enthusiastic applause.

The Democrats had been made all too confident by the apparent apathy of the people and the bitter rivalries within the Union party, and had considerably overshot their mark. They declared from their platforms that the war against secession had been a failure, and that an immediate termination of hostilities should be instituted to make an amicable arrangement amongst the various States possible. Taking into account that the leader of the rebels loudly and defiantly demanded the independence of the Southern Confederacy as *conditio sine qua non* for any peace negotiations, this suggestion could only be interpreted as complete surrender. This went much too far, not only for the dissatisfied within the ranks of the Union party, but also for many Democrats. Even their own candidate, General McClellan, whose nomination came about to placate the warlike spirit still at large in the Democratic ranks, considered it necessary to reject this plank of the platform, first of all because he himself disagreed with it, and secondly in an attempt to save what little chance he might still have to win the election. Then suddenly came the exciting news of Sherman's victorious march right into the heart of Georgia and the conquering of Atlanta. This news sent a jubilation throughout the North, and the declaration that the war had been a failure was only laughed to scorn from then on. And finally, probably more significant than all other factors, the love of the people for Abraham Lincoln, in all its profundity, carried the day. The virtually tender love the simple country people, the soldiers in the field, and those at home carried in their hearts for Lincoln was of powerful moment, which his cool and critical opponents had vastly underestimated. Now they were confronted with it to their considerable surprise. Personally, I believe that, even if the Democratic nominating convention had been more careful, and if such an opportune report of victory had not encouraged the people, even then "Father Abraham's" popularity would have sufficed to bring him victory in the election of 1864.

Carl Schurz als Generalmajor, 1863/64.

Carl Schurz as a Major General, 1863/64.

Soldaten der Potomac-Armee beim Wahlgang am 8. November 1864; Lincoln wurde mit 212 von 233 Wahlmännerstimmen wiedergewählt.

Soldiers of the Potomac Army voting on November 8, 1864; Lincoln was re-elected with 212 out of 233 electoral votes.

4. März 1865: Abraham Lincoln leistet den Amtseid für seine zweite Regierungsperiode vor dem Obersten Bundesrichter, Salmon P. Chase; Illustration aus »Harper's Weekly«.

March 4, 1865; Abraham Lincoln takes the oath of office for his second term. After the administration of the oath by Chief Justice Salmon P. Chase (Lincoln's former Treasury Secretary), the President gave his renowned "Malice Toward None" Address. Illustration from "Harper's Weekly".

Im Frühjahr 1865 erhielt ich vom Kriegsministerium Befehl, mich bei General Sherman in Goldsborough, North Carolina, zum Dienst zu melden. Als ich mich vorstellte, begrüßte mich Sherman herzlich wie einen alten Freund und wies mich an, mich bei Slocum zum Dienst bei der Georgia-Armee zu melden. Slocum empfing mich freundlich und ernannte mich, da kein passendes Kommando frei war, zu seinem Generalstabschef. Von Anfang an waren unsere Beziehungen sehr herzlicher Art.

Das Gefühl, daß der Zusammenbruch der Konföderation und damit das Ende des Krieges nicht mehr fern sein konnten, war allgemein verbreitet. Am 12. April, als ich neben Slocum in der Marschkolonne ritt, sahen wir plötzlich einen Reiter nahen, der seinen Hut schwenkte und den Soldaten etwas zurief, was sie mit lauten Hurrarufen beantworteten. Als er näher kam, hörten wir, daß er rief: »Grant hat Lees Armee gefangen genommen!«

Es konnte nun kein Zweifel mehr darüber sein, daß der Krieg tatsächlich zu Ende war, und wir waren auch kaum 24 Stunden in Raleigh gewesen, als uns unter der weißen Parlamentärflagge eine Botschaft Johnstons zuging, in welcher um Einstellung der Feindseligkeiten und um eine Zusammenkunft mit General Sherman zur Beratung von Kapitulationsbedingungen gebeten wurde. Die Begegnung wurde auf den 17. April an einer zwischen den beiden Armeen gelegenen Stelle festgesetzt. Als Sherman zur verabredeten Zeit dahin aufbrechen wollte, wurde ihm von Kriegssekretär Stanton telegraphisch die Ermordung Lincolns mitgeteilt. Während Shermans Abwesenheit wurden den Truppen die entsetzliche Nachricht noch verheimlicht und erst nach vierundzwanzig Stunden in einem Tagesbefehl mitgeteilt. Ich erinnere mich noch deutlich des erschütternden Eindrucks auf die Soldaten. Das ganze Lager, das zwei Tage lang vom Jubel über den bevorstehenden Friedensschluß widergehallt hatte, verfiel in eine düstere Stille. Die Soldaten hatten große Achtung vor ihren bedeutenden Generälen und jubelten ihnen oft begeistert zu, aber ihren Präsidenten, ihren guten »Vater Abraham«, den liebten sie, den trugen sie im Herzen als persönlichen Freund und als Freund ihrer Angehörigen und ihrer Heimstätten. Als die meuchlerische Tat, der er zum Opfer gefallen war, ihnen bekannt wurde, da machten sie ihrem Zorn nicht in lautem Wut- und Rachegeschrei Luft, sondern sie saßen still brütend vor ihren Lagerfeuern oder äußerten ihren Schmerz und ihre Entrüstung in grimmigem Murren. Als ich unter ihnen umherging und hier und dort ihre empörten Äußerungen auffing, da kam mir der Gedanke, es sei höchste Zeit, daß der Krieg ein Ende habe. Wäre er fortgesetzt und wären diese Leute nochmal »in Feindes Land« losgelassen worden, so hätte die Rache für das vergossene Blut Abraham Lincolns Taten gezeitigt, vor welchen das Jahrhundert geschaudert hätte.

Die Südstaatler selbst fühlten, daß die Ermordung Lincolns das Schlimmste war, was ihnen hätte passieren können.

General Johnston ergab sich mit seiner Armee am 26. April unter denselben Bedingungen, unter welchen Lee vor Grant die Waffen gestreckt hatte. Die Kapitulation anderer südstaatlicher Truppenmächte erfolgte bald, und der Krieg war beendet.

In the spring of 1865, I received orders from the War Department to report for duty to General Sherman in Goldsborough, North Carolina. When I introduced myself, Sherman greeted me cordially, like an old friend, and ordered me to report for duty with the Georgia Army under Slocum. Slocum received me amiably and appointed me chief of his general staff, there being no suitable command available for me at the time. Our relations were extremely cordial from the very beginning.

The feeling that the collapse of the Confederacy, and with it the end of the war, could not be distant, was widespread. On the 12th of April, as I was riding beside Slocum in the marching column, we suddenly saw a rider approach, waving his hat and calling out something to the soldiers, which they answered with loud hurrahs. When he came nearer, we could hear he was shouting: "Grant has captured Lee's army."

There could be no further doubt the war was really over, and we had hardly been in Raleigh twenty-four hours when a message was received from Johnston under a white flag of truce, requesting an immediate cessation of hostilities and a meeting with General Sherman to discuss the terms of surrender. The meeting was set for April 17th, at a position between the two armies. As Sherman was about to leave at the time appointed, he received a telegram from Secretary of War Stanton advising him that Lincoln had been assassinated. During Sherman's absence, the horrible news was kept secret from the troops, not to be released for another-twenty-four hours in a general order. I can clearly remember the shattering effect this news had on the soldiers. The whole camp, which had resounded with cries of joy over the coming peace for some two days, now fell into a dark silence. The soldiers had profound respect for their great generals and often cheered them, but they loved their President, their good "Father Abraham", they carried him in their hearts as a personal friend and a friend of their families and their homesteads. When they learned of the foul deed of which he had been the victim, they did not give vent to their fury in the form of angry, vengeful cries, but rather sat booding mournfully by their campfires, or else expressed their anguish and rage with grim murmurs. When I walked among them and listened to their expressions of indignation here and there, the thought came to me, high time this war was at an end. Had it continued, and were these men again set loose on "enemy territory", the acts of revenge for Abraham Lincoln's spilled blood might have taken on proportions that would make an entire century shudder.

The Southerners themselves felt that the assassination of Lincoln was the worst possible thing that could have happened.

General Johnston surrendered on April 26th on the same terms on which Lee had laid down his arms. The surrender of the other Southern troop concentrations soon followed, and the war was over.

Steckbrief mit den Lincoln-Verschwörern; der Mörder, John Wilkes Booth, kam bei der Festnahme am 26. April auf ungeklärte Weise ums Leben.

"Wanted" poster offering a reward for the conspirators in Lincoln's assassination. Booth died during attempted capture by Union soldiers on April 26, 1865.

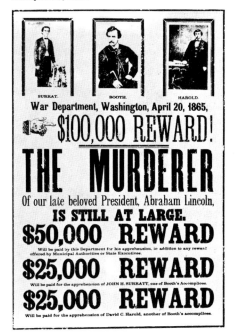

Amerika trauert: Titelseite einer Gedenkrede, die von einem deutsch-amerikanischen Pfarrer gehalten wurde.

America in mourning: title page of a memorial address given by a German-American clergyman.

Wenige Tage vor seiner Ermordung in der Nacht vom 14. zum 15. April 1865 zog Lincoln in Richmond ein. Thomas Nast malte die Szene 1868, Schurz beschrieb sie 1891 in seinem Lincoln-Aufsatz: »Niemals hatte die Welt einen bescheideneren Eroberer und einen charakteristischeren Triumphzug gesehen – keine Truppen mit Standarten und Trommeln, nur eine Schar jener, die Sklaven gewesen waren, lief hastig zusammen und geleitete das siegreiche Oberhaupt in die Hauptstadt des besiegten Feindes. Man erzählte uns, daß sie sich um ihn drängten, seine Hände und Kleider küßten und vor Freude schrien und tanzten ...«

A few days before Lincoln's assassination on April 14, 1865, Lincoln entered Richmond. Thomas Nast painted the scene in 1868. Schurz described this scene in his essay on Lincoln in 1891: "Never had the world seen a more humble conqueror or a more characteristic victory parade –

not troops with drums and banners, only an assemblage of those who had once been slaves, hastily gathered together and accompanied the victorious leader into the capital city of the conquered foe. We are told they crowded around him, kissed his hands and clothing and shouted and danced for joy ..."

Übergang vom Krieg zum Frieden

The Transition from War to Peace

Sobald Johnstons Kapitulation amtlich bekannt gegeben war, nahm ich meinen Abschied aus dem Heere und kehrte zu meiner noch in Bethlehem, Pennsylvania, befindlichen Familie zurück. Mein Militärleben war abgeschlossen. Es war ein Leben voll der interessantesten Erfahrungen gewesen und flößte mir eine außerordentliche Achtung vor den amerikanischen Freiwilligen ein, die man das amerikanische Volk in Waffen nennen konnte.

Obgleich der Freiwillige sehr bald die Notwendigkeit des absoluten Gehorsams und gewisser Förmlichkeiten einsah, so konnte er sich doch nie ganz in den Gamaschendienst finden, dem sich ein regulärer Soldat mehr oder minder unterwerfen muß. Er war als Freiwilliger eingetreten und blieb im ganzen Verlauf des Krieges ein Freiwilliger, d.h. er tat und ertrug vieles, nicht nur weil er wußte, daß ein Soldat es müsse, sondern aus Pflichtgefühl. In dem, was er für unwichtig hielt, war sein Benehmen sehr formlos. Die Beziehungen zwischen den Mannschaften und den Offizieren, sogar den höheren, waren nie ganz frei von dem instinktiven, für den Amerikaner charakteristischen Gefühl der Gleichheit.

Obgleich ich meinen Abschied genommen hatte und nicht mehr im aktiven Dienst stand, konnte ich nicht umhin, zur letzten großen Parade der beiden aufzulösenden Armeen, der östlichen und der westlichen, nach Washington hinüberzufahren und meinen ehemaligen Waffengenossen noch einmal die Hand zu drücken. Meine während des Kampfes gesammelten Erfahrungen hatten in mir allerdings einen tiefen Abscheu gegen den Krieg eingeflößt, aber ich muß gestehen, als ich die tapferen Truppen in breiter Kolonne Pennsylvania Avenue herabmarschieren sah, am ersten Tage die Potomac-Armee und am nächsten Shermans wettergebräunte Veteranen – die abgemagerten, hageren Leute, über deren siegesstolzen Häuptern die zerfetzten Fahnen flatterten –, da schlug mir stolz das Herz im freudigen Bewußtsein, daß auch ich zu ihnen gehört hatte. Dies Schauspiel war großartig; aber war das, was folgte, die plötzliche Auflösung dieser machtvollen Scharen, nicht noch großartiger? Jeder der ein Schwert geschwungen, ein Gewehr geschultert oder eine Kanone bedient hatte, ging jetzt ruhig heim als friedlicher Bürger, an den Pflug, den Webstuhl, ins Bureau oder ins Kontor. Dieser plötzliche Übergang vom Krieg zum Frieden, bei dem sich eine Million Soldaten in eine Million arbeitender Bürger verwandelte, vollzog sich ohne die geringste Störung, ja, selbst ohne Schwierigkeit. Das war eigentlich für die amerikanische Demokratie ein noch größerer Triumph als irgendein Sieg auf dem Schlachtfelde.

Der Friede, der auf die Kapitulation der Armeen der Konföderierten im April 1865 folgte, war kein ungetrübter. Es war auch nicht zu erwarten, daß die leidenschaftliche Fehde, die vier Jahre lang den Norden und den Süden zu mörderischem Kampfe gegeneinander getrieben hatte, nun plötzlich einem Wiederaufflammen des gemeinsamen Nationalgefühls und der gegenseitigen Liebe Platz machen würde. Die Wunden, die der Bürgerkrieg geschlagen, waren noch zu frisch.

As soon as Johnston's capitulation had been officially announced, I resigned my commission in the army and returned to my family, which was still in Bethlehem, Pennsylvania. My military career was over. It had been a life full of the most interesting experiences, and had filled me with an inordinate respect for the American volunteer army, which can rightfully be called American "citizens in uniform".

Although the volunteer quickly accepted the necessity for absolute discipline and certain formalities, he was still never quite able to put up with the kind of spit-shine routine which a regular soldier more or less has to submit to. He had joined up as a volunteer and remained a volunteer throughout the entire course of the war; that is, he was able to endure a great deal – not because he knew a soldier had to, but out of a sense of duty. His attitude toward things he considered unimportant was very informal. The relations between enlisted men and officers, even high officers, was never quite free from that instinctive feeling for equality so characteristic of Americans.

Although I had taken leave of the army and was no longer in active duty, I could not resist riding down to Washington to witness the last great parade of the two disbanding armies, the Eastern and Western, and once more shake hands with my former comrades-in-arms. Although my battle experiences had given me a deep abhorrence of war, when I saw the brave troops marching down Pennsylvania Avenue in a broad column; on the first day, the Army of the Potomac, and on the next day, Sherman's weather-beaten veterans – lean and haggard men, their tattered banners waving over their heads held high with the pride of victory, – my heart beat faster with the joy and pride of having been one of them. It was a great spectacle; but wasn't what followed even greater: the sudden disbanding of these mighty troops? Each one who had brandished a sword, shouldered a musket, or fired a canon, now went quietly home to his plow, his anvil, his loom or his office as a peaceful citizen. This sudden transition from war to peace, which transformed a million soldiers into a million working citizens, took place smoothly, without the slightest difficulty. That actually marked an even greater triumph for American democracy than any victory on the battlefield.

The peace which followed the capitulation of the Army of the Confederacy in April, 1865, was not untroubled. It was not to be expected that the vehement feud which drove the North and South into four years of murderous combat would now suddenly give way to mutual love and a renewed feeling of national unity. The scars of the Civil War were still too fresh.

Die Tribüne vor dem Weißen Haus, auf der Präsident Andrew Johnson, General Grant und das Kabinett die Siegesparade nach Beendigung des Bürgerkrieges abnahmen. Fotografie von Mathew Brady (1823 - 1896), dem berühmten Portraitisten Lincolns und Chronisten des Sezessionskrieges.

The grandstand in front of the White House, from which President Johnson, General Grant and members of the cabinet watched the victorious Union troops passing in "The Grand Review". Photograph by Mathew Brady (1823 - 1896), the most celebrated portrait photographer of Lincoln and the chronicler of the Civil War.

General Shermans Veteranen während der Siegesparade am 24. Mai 1865. Stich nach einer Fotografie des Brady-Mitarbeiters A. Gardner.

General Sherman's veterans cross the Long Bridge into Washington to participate in "The Grand Review" on May 24, 1865. This lithograph was based on a photograph taken by A. Gardner, an assistant of Brady's.

Präsident Andrew Johnson 1865–69

Die Amnestieproklamation von Präsident Andrew Johnson, welche dem Lande und der ganzen Welt den Beweis lieferte, daß der Sieg der Union von keinem blutigen Racheakt befleckt werden sollte, erregte im Norden – außer bei einigen Extremen – allgemeine Befriedigung. Die Proklamation über die Rekonstruktion des Staates Nord-Carolina erregte jedoch allerlei Zweifel und Besorgnis, denn es wurde darin nicht ein bloßes Experiment, sondern eine Regel für die Rekonstruktion aller anderen Staaten erblickt. Sie beschränkte das Wahlrecht auf die Weißen.

Ich machte wieder von dem Vorrecht Gebrauch, das mir Präsident Johnson verliehen hatte, und schrieb ihm von der Besorgnis seiner Freunde über die Stellung, die er in der Nord-Carolina-Proklamation eingenommen hatte. Seine Antwort war eine telegrafisch ausgesprochene Bitte, ihn, sobald ich könnte, im Weißen Haus aufzusuchen. Ich reiste sofort ab.

Präsident Johnson sagte mir bei unserer Begegnung, er habe mit großem Interesse meine Briefe gelesen und erwäge reiflich die darin ausgesprochenen Gedanken. In einer Hinsicht freilich habe ich seine Absichten vollständig mißverstanden. Seine Nord-Carolina-Proklamation sollte keine allgemeingültige Regel für die Rekonstruktion der »jüngst an der Rebellion beteiligten Staaten« abgeben. Es sollten nur Übergangsbestimmungen sein, und die Lage der Dinge in Nord-Carolina schien ihm für dieses Experiment gerade besonders geeignet. Betreffs der Golfstaaten war er in Zweifel und nicht ohne Sorge. Er wünschte, daß die Beziehungen dieser Staaten zu der allgemeinen Bundesregierung so bald wie möglich wiederhergestellt werden möchten, wußte aber nicht, ob das mit genügender Sicherheit für die unionstreue Bevölkerung wie für die emanzipierten Sklaven ausführbar sei. Deshalb bat er mich, jene Staaten zu bereisen und ihm über alles, was ich für wichtig hielte, zu berichten, und ihm zugleich Vorschläge zu machen, die nach meinen Beobachtungen zur Ausführung zu empfehlen seien. Der Bitte fügte er viele mir sehr schmeichelhafte Ausdrücke des Vertrauens zu meiner Einsicht und zu meinem Charakter hinzu und sprach sehr angelegentlich die Hoffnung aus, daß ich seine Bitte nicht abschlagen werde.

Ich ging nun zum Kriegssekretär Stanton, der damals noch im Amte war, um zu erfahren, ob er dem Präsidenten die Sache vorgeschlagen habe. Er versicherte, daß er nichts davon wisse, ja, daß er ebenso überrascht sei, wie ich selbst, redete mir aber dringend zu, sofort anzunehmen. Auf den Präsidenten, sagte er, wirkten allerhand ungünstige Einflüsse ein und das, was ihm am meisten not tue, sei, die Wahrheit zu hören. Ich sprach auch mit Chief Justice Chase darüber, der mir sagte, nach seiner Meinung biete sich mir Gelegenheit, dem Vaterlande einen wertvollen Dienst zu leisten, und daß ich nicht daran denken dürfe, abzulehnen. Andern Tags teilte ich Johnson mit, daß ich bereit sei, die Reise anzutreten.

Der Kriegssekretär gab mir einen Offizier eines New Yorker Freiwilligen-Regiments, Hauptmann Orlemann, als Begleiter mit und ordnete an, daß alle Offiziere in den Golfstaaten mir, wo irgend möglich und erwünscht, Hilfe und Unterstützung angedeihen lassen sollten. So ausgerüstet machte ich mich auf die Reise.

President Andrew Johnson, 1865–69

President Andrew Johnson's amnesty proclamation, which gave the country and the entire world proof that the Union victory would not be stained by any bloody act of vengeance, met with general approval in the North, except by a few extremists. However the reconstruction proclamation for the State of North Carolina aroused all sorts of doubts and fears, as it was not perceived simply as an experiment, but as a pattern for all the other States. It only concerned itself with suffrage for whites.

I once more made use of the privilege President Johnson had given me, and wrote him about his friends' apprehensions concerning the position he had taken in the North Carolina proclamation. His answer was a telegram requesting me to come to the White House as soon as I could. I left immediately.

At our meeting, President Johnson told me he had read my letters with great interest, and was giving serious consideration to the thoughts expressed in them, albeit in one respect I had completely misunderstood his intentions. His North Carolina proclamation was not setting up any rules for reconstruction in the "States lately taking part in the rebellion." They were only meant as transitory regulations, and present conditions in North Carolina appeared to him to be particulary suitable for this experiment. As far as the Gulf States were concerned, he was not without his doubts and worries. He wished to restore normal relations between these States and the federal government as soon as possible, but he did not know whether that could be performed with sufficient protection for the Union supporters among the population and for the emancipated slaves. Therefore he asked me to travel to those States and report to him about everything that I considered important, and also to make any recommendations based on my observations which I considered worthy of implementation. He added many extremely flattering expressions of trust in my judgement and my character, and exhorted me not to deny his urgent request.

I thereupon went to Secretary of War Stanton, who was then still in office, to find out whether he had proposed this matter to the President. He assured me that he didn't know anything about it; he was, in fact, as surprised as I myself, but he pressingly advised me immediately to accept. He told me that many bad influences were having an effect on the President, and what he needed most was to hear the truth. I also spoke about the matter with Chief Justice Chase, whose opinion it was that I had an opportunity here of performing a valuable service to the country, and that I ought not even think of refusing. The next day I informed Johnson that I was prepared to make the trip.

The Secretary of War sent an officer of a New York volunteer regiment, Captain Orlemann, to accompany me, and ordered all the officers of the Gulf States to offer me all possible assistance and support that I might need. Thus equipped, I set out on the journey.

Präsident Johnson begnadigt Rebellen im Weißen Haus, Oktober 1865.
Prominente Bürger und Führer der Konföderation waren von der bereits
im Mai erlassenen allgemeinen Amnestie ausgenommen und erhielten
ihre bürgerlichen Rechte erst auf persönliches Gesuch zurück.

President Johnson pardoning Confederates in the White House, October
1865. Prominent citizens and leaders of the Confederacy were excluded
from the general amnesty which had been proclaimed in May. They were
told to apply personally for the restoration of their rights as citizens, and
many did.

Andrew Johnson (1808–1875), Lincolns Vizepräsident und Nachfolger;
Portrait von Charles Harris.

Andrew Johnson (1808 - 1875), Lincoln's Vice-President and successor;
portrait by Charles Harris.

Reise durch den zerstörten Süden, 1865

My Trip through the Ravaged South, 1865

Niemals werde ich meinen ersten Eindruck von Charleston vergessen. Am frühen Morgen liefen wir in den Hafen ein. Wir passierten Fort Sumter, von dem nach der Bombardierung nur noch ein unförmiger Trümmerhaufen übrig war, und da lag die Stadt vor unseren Blicken ausgebreitet: links eine Reihe mehr oder weniger eleganter Wohnungen, rechts ein enggebautes Hafenviertel. Im Hafen lagen nur wenige kleine Segelschiffe und Dampfer. Wir machten an einer verfallenen Landungsbrücke von Zwergpalmenholz fest. Auf den Quais war keine Menschenseele zu sehen. Die Packhäuser und Lagerschuppen schienen verödet. Es gab kaum ein Gebäude, das nicht deutliche Spuren der Geschosse unserer Truppen zeigte.

Wie ich erfuhr, belebte sich das Geschäft in der Stadt langsam. In den Hauptverkehrsstraßen waren oder wurden verschiedene Gebäude wieder instand gesetzt, und von Einwanderern aus dem Norden wurden Läden eröffnet. Man sah überhaupt einem größeren Zuzug von Unternehmungsgeist und Kapital aus den Nordstaaten entgegen, aber diese Aussicht gefiel den meisten Bewohnern von Süd-Carolina gar nicht. Der Gedanke, daß Charleston möglicherweise eine »Yankeestadt« werden sollte, empörte den alten südcarolinischen Stolz.

Meine Reise führte mich nun ins Innere, auf Shermans ehemaliger Marschroute. Seine Spuren waren in Süd-Carolina furchtbar. Meilenweit glich die Straße einem breiten schwarzen Streifen von Verwüstung. Hecken und Zäune waren verschwunden, hier und dort zeigten schwärzliche Trümmerhaufen, aus denen vereinzelt noch Schornsteine phantastisch emporragten, die Stellen an, wo behagliche Wohnstätten gestanden hatten; die Felder waren von dichtem Unkraut überwachsen, nur hin und wieder sah man eine kümmerliche kleine Anpflanzung von Baumwolle oder Mais, welche von Negersquattern angebaut war.

Kein Teil des Südens, den ich damals bereiste, hatte so von der Zerstörung des Krieges gelitten, wie Süd-Carolina, der Staat, den der Soldat der Nordstaaten für den ganzen Krieg verantwortlich machte, und den er demgemäß bestrafen wollte. Aber auch in den Teilen, die nicht unmittelbar vom Kriege berührt worden waren, war Elend und Not groß. Die Südstaaten hatten Papiergeld der Konföderation in Händen, welches die Regierung der Sezession ohne alle Sicherheit ausgegeben und gezeichnet hatte; dieses Geld war beim Zusammenbruch der Konföderation natürlich ganz und gar wertlos. Um die Lücke zu füllen, kam Geld aus den Vereinigten Staaten, aber dieses war natürlich nicht umsonst zu haben und mußte durch eine Gegenleistung, sei es an Waren, sei es an Arbeit, erkauft werden. Diese Gegenleistung war den Südstaaten sehr schwer, ja, fast unmöglich. Vier Jahre lang hatten sie ihre ganze produktive Kraft darauf verwandt, außer der Befriedigung ihrer täglichen Lebensbedürfnisse, die Mittel zur Fortsetzung des Krieges und zur Erhaltung ihrer Regierung zu schaffen, und da sie außerdem viele Verluste durch Zerstörung ihres Eigentums erlitten hatten, waren sie furchtbar verarmt.

I will never forget my first impression of Charleston. We docked in the harbor in the early morning. We passed Fort Sumter, of which only a pile of rubble was left after the bombardment, and then the city lay spread out before our eyes: to the left, a row of more or less elegant houses; to the right, a narrowly built harbor quarter. Only a few small schooners and steamers were at port. We anchored at a decaying pier made of dwarf-palmwood. Not a soul was to be seen on the quays. The packinghouses and warehouses were deserted. There was hardly a building that did not show distinct traces of shelling by our troops.

As I learned, business in the city was slowly reviving. In the main streets, various buildings had been or were being repaired, and newcomers from the North were opening stores. In fact, an extensive influx of enterprise and capital from the Northern States was expected, however most of the populace of South Carolina did not welcome these prospects at all. The thought that Charleston could become a "Yankee city" outraged the traditional South Carolinian pride.

My trip then took me into the interior, along Sherman's former route of march. The trail he had left in South Carolina was awful. For miles at a time the roads were like a broad black path of destruction. Hedges and fences had disappeared; here and there blackish piles of debris, out of which an occasional chimney still eerily rose, showed the places where comfortable dwellings had stood; the fields were overgrown with thick weeds – only now and then did one see a measly little growth of cotton or corn which had been planted by Negro squatters.

No part of the South which I saw on that trip had suffered so much destruction from the war as South Carolina, the State which the Northern soldiers had held responsible for the entire war, and wanted to punish in like measure. Yet misery and poverty were even widespread in the sections which had not been directly affected by the war. The Southern States had paper money in their hands which the secessionist government had printed and distributed without any security; this currency had naturally become completely worthless with the collapse of the Confederacy. To fill the gap, money came in from the United States, but of course it was not to be had for free, but had to be repaid, either in merchandise or by labor. This repayment was very difficult for the Southerners, in fact, almost impossible. For four years they had spent their entire productive strength, apart from satisfying the necessities of daily life, on means of carrying on the war and maintaining their government; and furthermore, as they had also suffered great losses by the destruction of their property, they were indeed terribly impoverished.

Das zerstörte Charleston nach dem Bürgerkrieg, dem ersten modernen Krieg der Geschichte.

The destruction of Charleston in the Civil War, the first modern war in history.

Das Elend im Süden traf verarmte Farmer und befreite Sklaven mit ähnlicher Härte; Illustration aus »Frank Leslie's Newspaper», Februar 1869.

The misery in the South affected impoverished farmers and freed slaves with equal intensity; illustration from "Frank Leslie's Newspaper", February 1869.

Strapazen und Enttäuschungen

Während ich so von Staat zu Staat reiste, teilte ich Präsident Johnson meine Beobachtungen und die Schlüsse mit, die ich aus ihnen zog. Ich war nicht nur peinlich besorgt, ihm die Lage wahrheitsgetreu zu schildern, sondern ich veranlaßte auch unsere Offiziere, die Beamten der Freedmen's-Bureaus im Süden und hervorragende Südstaatler, mir ihre Ansichten und Erfahrungen mitzuteilen. Eine Fülle wichtigen Beweismaterials kam da zusammen, und der Historiker jener Zeit wird kaum wertvolleres und zuverlässigeres Material finden als jene Berichte, die im wesentlichen über die Hauptpunkte derselben Meinung waren. Mit den dort ausgesprochenen Ansichten stimmten im allgemeinen meine eigenen Beobachtungen und Erwägungen vollständig überein.

Während der ersten sechs Wochen meiner Reise im Süden erhielt ich keine einzige Mitteilung, weder vom Präsidenten noch von irgend einem Mitgliede der Regierung, aber aus den Zeitungen und den Gesprächen im Publikum erfuhr ich, daß der Präsident Maßregeln ergriffen hatte, um den »jüngst an der Rebellion beteiligten Staaten« eine eigene Regierung zu gewähren, d. h. er ernannte »provisorische Gouverneure« und wies sie an, Konvente wählen zu lassen.

Meine Reisen waren in der Tat höchst beschwerlich, aber kaum schlimmer als die glühend heißen Nächte, die ich in den elenden Dorfwirtshäusern jener Zeit im Kampf mit giftigen Mosquitoschwärmen, wenn nicht gar mit noch widerlicheren Insekten, zubringen mußte. Die Unbehaglichkeiten des Lagerlebens waren im Vergleich mit diesen Wirtshäusern höchster Komfort und Luxus gewesen. Das Ende vom Lied war, daß bei meiner Ankunft in New Orleans meine Kraft fast versiegte, und ich einen schweren Fieberanfall hatte – von dem sogenannten break-bone fever, das seinen Namen alle Ehre macht. In der Erwartung, daß ich das Übel in einer anderen Gegend meines Distrikts besser bekämpfen könnte, verließ ich New Orleans und reise nach Mobile, um mich auch über die Verhältnisse in Süd-Alabama zu unterrichten. Nach New-Orleans zurückgekehrt, sandte ich einen ergänzenden Bericht an den Präsidenten und reise dann auf Anraten meines Arztes, da das Fieber hier nicht weichen wollte, nordwärts.

In Washington angelangt, meldete ich mich sofort im Weißen Hause. Der Privatsekretär des Präsidenten schien überrascht von meinem Besuch. Er meldete mich beim Präsidenten, der heraussagen ließ, er sei beschäftigt. Johnson wollte augenscheinlich mein Zeugnis über die Verhältnisse im Süden unterdrücken. Ich beschloß sofort, daß ich das nicht zugeben wolle. Ich hatte mit peinlicher Gewissenhaftigkeit versucht, die Verhältnisse im Süden richtig zu beurteilen. Ich hatte mich weder von politischen Erwägungen noch von vorgefaßten Meinungen irgendwie beeinflussen lassen. Ich hatte der Wahrheit gemäß und mit größter Genauigkeit berichtet, was ich gesehen und erkannt hatte, und es schien mir, daß das Vaterland ein Recht darauf habe, diesen meinen wahrheitsgetreuen Bericht zu hören.

Hardships and Disappointments

As I traveled from State to State, I informed President Johnson of my observations and the conclusions I drew from them. I was not only meticulously careful to give an accurate description of the situation, but I also asked our officers, as well as officials of the Freedmen's Bureau, and prominent Southerners to report their views and experiences to me. I collected a wealth of important evidence, and the historian concerned with that period will hardly find any material more valuable and reliable than those reports, which were essentially in agreement on all the main points, and furthermore generally agreed with my own observations and opinions.

During the first six weeks of my trip to the South, I did not receive a single communication from the President, nor from any government official, but I learned from reading the papers and talking to people, that the President had taken measures to grant the "States lately participating in the rebellion" their own governments; that is, he had named "provisional governors", and directed them to hold elections for conventions.

The traveling itself was indeed extremely burdensome, but hardly worse than the scorching nights, which I had to spend in the wretched village inns of those days, battling off swarms of virulent mosquitoes, if not even more disgusting insects. In comparison to these inns, the inconveniences of army life in camp were supreme comfort and luxury. The final upshot was that upon arriving in New Orleans, my strength was at an end and I came down with a heavy fever, the so-called "break-bone fever", which does justice to its name. In the hopes that I could fight this malady better in another section of my district, I left New Orleans for Mobile, also with the purpose of informing myself about conditions in Southern Alabama. I then returned to New Orleans, and after sending a supplementary report to the President, I traveled back North on my doctor's advice, as the fever refused to subside here.

When I reached Washington, I reported to the White House without delay. The President's private secretary seemed surprised to see me; he announced me to the President, who had him tell me he was busy. Johnson seemingly wanted to suppress my evidence on conditions in the South. I decided at once not to let that happen. I had conscientiously taken great pains to make a correct appraisal of conditions in the South. I had not permitted myself to be influenced by political considerations or prejudgments. I had presented the true facts about what I had seen and discerned with the greatest precision, and it seemed to me that the country had a right to hear the truth as set down in my report.

Nach seiner Inspektionsreise von 1865 besuchte Schurz den amerikanischen Süden noch ein zweites Mal im Winter 1884/85. Der Titel »Der neue Süden«, unter dem er über die zweite Reise berichtete, ist heute zu einem populären Schlagwort für das erstarkte Regionalbewußtsein geworden, das die Südstaaten seit der Amtseinführung Jimmy Carters – des ersten gewählten Präsidenten seit dem Bürgerkrieg, der aus dem tiefen Süden stammt – entwickelt haben. Die Karte aus dem Jahr 1879 zeigt die Staaten des Südens und des mittleren Westens praktisch in ihren heutigen Grenzen. Das zukünftige Oklahoma wird als »Indianerterritorium« ausgewiesen: Noch waren die Cherokees nicht in Reservationen zurückgedrängt, um Siedlern Platz zu machen, deren ausufernden Landwünschen Schurz skeptisch gegenüberstand.

Carl Schurz made two trips through the defeated Southern States, one directly after the war, the second in the winter of 1884/85, during which he coined the phrase "The New South", an expression which has come into popularity again since the election of President Carter, the first elected President from the Deep South since the Civil War. This map from 1879 shows contours of the nation virtually as we know it today. The future state of Oklahoma is still called "Indian Territory" on this map, as the Cherokees had still not been herded onto the reservation to make room for the settlers whose land grabs Schurz was skeptical about.

Carl Schurz im Jahr 1865, zur Zeit seiner Inspektionsreise durch die Südstaaten der USA.

Carl Schurz in 1865, during his inspection tour through the American South.

Journalist in Washington, Detroit und St. Louis 1865-1867

Ich war gerade im Begriff nach Westen zurückzukehren, als ich von Horace Greeley, dem bekannten Redakteur der New York *Tribune,* die Aufforderung erhielt, den Nachrichtendienst jener Zeitung in Washington als Hauptkorrespondent zu übernehmen. Trotz der von Greeley gebotenen verlockenden Bedingungen war ich eigentlich abgeneigt, einmal, weil ich bezweifelte, daß mir die Arbeit sympathisch sein würde, und ferner, weil sie mich im Osten fesselte. Greeley und einige mir befreundete Kongreßmitglieder überredeten mich aber mit dem Hinweis, daß ich ja die Verhältnisse im Süden eingehend studiert hätte und zuverlässige Auskunft darüber zu geben vermöchte, und daß deshalb meine Anwesenheit in Washington von größtem Nutzen sein könnte, so lange noch die Frage des Schicksals der Südstaaten zur Debatte stand. Dies bestimmte mich, einzuwilligen, jedoch unter der Voraussetzung, daß ich mich über die Session des gerade tagenden Kongresses hinaus nicht für gebunden anzusehen brauchte.

So wurde ich Journalist. Das Angenehmste an meinem neuen Beruf war mir der Verkehr mit meinen Berufsgenossen. Mit den höheren und niedrigeren Staatsbeamten war mein Verkehr nicht so erfreulich.

Ich blieb, wie ich Greeley versprochen hatte, bis zum Ende des Winters an der Spitze des Bureaus der *Tribune* in Washington; dann übernahm ich die Chefredaktion der *Detroit Post,* einer in Detroit, Michigan, neugegründeten Zeitung, welche mir von Senator Chandler angeboten, ich möchte beinahe sagen, aufgedrängt wurde.

Seit ich Washington verlassen, hatte ich als Chefredakteur der *Detroit Post* meine Tage in ruhiger, emsiger Arbeit verbracht; da erhielt ich im Frühjahr 1867 ganz unerwartet von den Besitzern der *Westlichen Post,* einer in St. Louis erscheinenden deutschen Tageszeitung, die Aufforderung, mich an ihrem sehr gut gehenden Unternehmen unter sehr günstigen Bedingungen zu beteiligen. Da ich auch nach weiteren Erkundigungen das Anerbieten für vorteilhaft hielt, nahm ich es an. Meine Beziehungen zur *Detroit Post* waren, wegen des trefflichen Charakters derjenigen, mit denen ich dabei in Berührung kam, stets die denkbar besten. Sie wurden nunmehr freundschaftlich gelöst, und ich ging nach St. Louis, um meine neuen Pflichten zu übernehmen.

Ein besonderer Reiz dieses neuen Unternehmens war mir der Verkehr mit Dr. Emil Preetorius, einem der Besitzer der *Westlichen Post.* Er war aus der bayerischen Pfalz gebürtig, derselben Provinz, in der 1849 der große Volksaufstand zugunsten der deutschen Nationalverfassung stattgefunden hatte. Preetorius war ein paar Jahre älter als ich. Er hatte schon den Doctor juris gemacht, als die Revolution von 1848 ausbrach. Mit dem ganzen Eifer seiner leidenschaftlichen Seele stürzte er sich in die Bewegung für freiheitliche Regierung und mußte infolgedessen aus dem Vaterlande flüchten. Aber all seine Ideale von 1848 brachte er in seine neue Heimat, Amerika, mit. Selbstverständlich ergriff er gleich die Sache der Antisklaverei mit lebhaftester Hingebung und wurde einer der Führer der deutschen Bürger von St. Louis, welche im Frühjahr 1861 durch ihren mutigen Patriotismus ihre Stadt und ihren Staat der Union retteten.

As a Journalist in Washington, Detroit and St. Louis, 1865-1867

I was on the point of returning to the West, when I received an offer from Horace Greeley, the well-known editor of the New York *Tribune,* to become main correspondent of that paper's Washington news office. Despite the attractive conditions of employment offered me by Greeley, I was actually reluctant to accept; partly because I doubted that I would like the work, and partly because it would keep me in the East. However Greeley and several Congressmen who were friends of mine managed to persuade me with the argument that since I had made a thorough study of conditions in the South and was thus in a position to supply reliable information, my presence in Washington could be of enormous usefulness as long as the fate of the Southern States was still being debated. This convinced me to accept, with the condition that I was not bound to remain any longer than to the end of the current session of Congress.

That is how I became a journalist. The most pleasant part of my new profession was my work with fellow journalists; less enjoyable were my dealings with higher and lower government officials.

As I had promised Greeley, I remained head of the *Tribune's* Washington bureau until the end of that Winter; then I became editor-in-chief of the *Detroit Post,* a newly founded newspaper in Detroit, Michigan, a position which Senator Chandler offered – or more exactly, forced on – me.

After leaving Washington, I spent my days in peaceful but busy work at the *Detroit Post* until, in the spring of 1867, I quite unexpectedly heard from the owners of the *Westliche Post,* a German daily published in St. Louis; they offered me a share of their prospering business on very easy terms. As further inquiries confirmed that the offer was advantageous, I accepted it. My relations with the *Detroit Post* had always been the best imaginable due to the excellent character of everyone with whom I had come in contact. We parted in friendship, and I moved to St. Louis to take over my new duties.

I took particular delight in the new enterprise in my dealings with Dr. Emil Preetorius, one of the owners of the *Westliche Post.* He was a native of the Bavarian Palatinate, the very province in which the great popular uprising in favor of the German national constitution had taken place in 1848. With the entire fervor of his passionate soul, he had plunged into the movement for liberal government, and as a result, had to flee his fatherland. But he brought all his ideals of 1848 with him to his new homeland, America. He of course took up the anti-slavery cause at once with ardent devotion, and became one of the leaders of the German citizenry of St. Louis, whose courageous patriotism saved their city and their State for the Union in the spring of 1861.

Carl Schurz während seiner Zeit als Journalist.

Carl Schurz during his years as a journalist.

Das Redaktionsgebäude der New Yorker »Tribune« am Printing House Square.

The New York "Tribune" building on Printing House Square.

Horace Greeley (1811 - 1872), der auf dieser Zeichnung von Thomas Nast sein Zeitungskind spazieren führt, gab Schurz als erster Gelegenheit, journalistische Erfahrung in der englischsprachigen Presse zu sammeln.

Horace Greeley (1811 - 1872) is shown here in a cartoon by Thomas Nast taking the New York "Tribune", his infant newspaper, for a walk. Greeley was one of the first editors to employ Schurz as a journalist in the English language.

Begegnung mit Bismarck

Im Herbst 1867 reisten die Meinigen nach Wiesbaden, wo meine Frau sich aus Gesundheitsrücksichten länger aufhalten sollte. Ich beabsichtigte etwa um Weihnachten ebenfalls auf einige Wochen dort hinzukommen. In Deutschland hatten sich seit jener dunklen Dezembernacht im Jahre 1861, wo ich auf dem Wege von Spanien nach Amerika das Land von der belgischen Grenze bis Hamburg im Fluge durcheilte, große Veränderungen zugetragen. Die Zeit dumpfer Reaktion nach dem Zusammenbruch der revolutionären Bewegung von 1848 war vorüber. Das ganze Volk war voller Hoffnung, und ein frischer Wind des Liberalismus wehte sogar in den hohen Sphären der Regierung. Ich bezweifelte nicht, daß ich unter diesen Umständen mich nach Deutschland hineinwagen könnte, ohne ernstlichen Unannehmlichkeiten ausgesetzt zu werden; aber da mein Fall rein juristisch von keiner der vielen kürzlich in Preußen erlassenen Amnestien gedeckt war, schrieb ich an den amerikanischen Gesandten in Berlin, George Bancroft, mit der Bitte, sich möglichst unter der Hand zu erkundigen, ob die preußische Regierung irgend etwas dagegen hätte, wenn ich mich einige Wochen in Deutschland aufhielte. Bancroft erfüllte freundlich meine Bitte und versicherte in seinem in Bremerhaven bereitliegenden Briefe nicht allein, daß die preußische Regierung nichts gegen meinen Besuch einzuwenden habe, sondern daß ich willkommen sei.

Nachdem ich in Wiesbaden mit den Meinigen Weihnachten gefeiert hatte, ging ich nach Berlin. Ich schrieb ein paar Zeilen an Lothar Bucher, den ich zuletzt vor sechzehn Jahren als Mitflüchtling in London gesehen hatte, und den ich gern wiederbegrüßen wollte. Bucher antwortete umgehend, daß er sich sehr darauf freue, mich wieder zu sehen, aber, ob ich denn nicht den »Minister« (Bismarck) kennen lernen möchte, der den Wunsch geäußert habe, mich zu sprechen. Natürlich erwiderte ich gleich, daß ich diese Ehre zu schätzen wisse usw. Eine Stunde später erhielt ich eine eigenhändige Einladung des Grafen Bismarck, ihn um 8 Uhr desselben Abends im Kanzlerpalais in der Wilhelmstraße zu besuchen. Pünktlich zur angegebenen Zeit wurde ich ihm gemeldet, und er empfing mich an der Tür eines mittelgroßen Zimmers, offenbar seines Arbeitskabinetts, dessen Tisch und sonstige Möbel mit Büchern und Papieren bedeckt waren. Da stand er also vor mir, der große Mann, dessen Name die ganze Welt erfüllte. Als wenn wir unser Lebelang vertraute Freunde gewesen wären, enthüllte er mir, anscheinend ganz rückhaltslos und mit übersprudelnder Lebhaftigkeit, Bilder von Vorgängen, die sich hinter den Kulissen während der berühmten Konfliktsperiode zwischen der Krone und dem preußischen Abgeordnetenhause abgespielt hatten.

Unsere Unterhaltung war durchweg so lebhaft gewesen, daß es lange nach Mitternacht war, als ich mich verabschiedete. Meine alten achtundvierziger Freunde, die ich in Berlin traf, waren natürlich sehr begierig, zu erfahren, was der große Mann mir wohl mitzuteilen gehabt hätte, und ich meinte ohne Indiskretion sagen zu können, wie erfreut er sich über die gemeinsamen Ziele und das harmonische Zusammenwirken mit ihnen geäußert hatte.

My Meeting with Bismarck

In the autumn of 1867 my family went to Wiesbaden, where my wife was to spend some time on account of her health, and I purposed to join them there for a few weeks around Christmas. Great changes had taken place in Germany since that dark December night in 1861 when I rushed through the country from the Belgian border to Hamburg on my way from Spain to America. The gloomy period of reaction after the collapse of the revolutionary movements of 1848 was over. The nation was elated with hope and there was a liberal wind blowing even in the sphere of government. I did not doubt that under these circumstances I might venture into Germany without danger of being seriously molested, yet as my personal case was technically not covered by any of the several amnesties recently proclaimed in Prussia, I therefore wrote to the American Minister at Berlin, George Bancroft, requesting him, if possible, to find out privately whether the Prussian government had any objection to my visiting Germany for a few weeks. Mr. Bancroft kindly complied with my request and assured me in his letter, which reached me in Bremerhaven, that the Prussian government not only had no objection to my visiting Germany, but that I should be welcome.

After having spent Christmas with my family in Wiesbaden I went to Berlin. I wrote a note to Lothar Bucher, whom I had last seen sixteen years before as a fellow refugee in London, and whom I very much wished to meet again. Bucher promptly replied that he would indeed be glad to see me again, but would I not like to make the acquaintance of the "Minister" (Bismarck), who had expressed a wish to have a talk with me? I answered, of course, that I should be happy, and consider it an honor, etc., whereupon within an hour I received a personal invitation from Count Bismarck to visit him at eight o'clock that same evening at the Chancellor's palace on Wilhelm Strasse. Promptly at the appointed hour I was announced to him and he received me at the door of a room of moderate size, the table and some of the furniture of which were covered with books and papers. There I beheld the great man whose name resounded throughout the entire world.
As if we had been confidential chums all our lives, he described, with apparently the completest abandon and exuberant vivacity, behind-the-scenes events which had taken place during the famous "conflict" period between the Crown and the Prussian Parliament.

Our conversation had been so animated throughout, that the time had slipped by unawares, and it was long past midnight when I left. My old friends of 1848 whom I met in Berlin were naturally very curious to know what the great man had to say to me, and I thought I could, without being indiscreet, communicate to them how highly pleased he had expressed himself with the harmonious cooperation between him and them for common ends.

Carl Schurz und Otto von Bismarck zur Zeit ihrer ersten Begegnung. »Bald Erstaunen, bald Grauen, je nach der Partei, welcher das lesende Auge angehörte« – so die »Gartenlaube« – rief die Nachricht von Schurz' Besuch beim damaligen Kanzler des Norddeutschen Bundes 1868 in Deutschland hervor. Die Empörung war müßig: Die beiden Antipoden von 1848 respektierten sich als politische Profis, und Bismarck vertraute Schurz sogar an, die Befreiung Kinkels aus preußischer Haft habe ihm damals »Spaß gemacht«!

Carl Schurz and Otto von Bismarck at the time of their first meeting. According to the "Gartenlaube", the news of Schurz' visit to Count Bismarck, then Chancellor of the North-German Confederation, called forth "astonishment or horror, depending on the party the reader belonged to" in the Germany of 1868. But it was idle indignation, for the two antipodes of 1848 showed mutual respect for each other as professional politicians, and Bismarck even confided that he "rather liked" the way Schurz had rescued Kinkel from the Prussian prison.

Ich weilte zufällig in Frankfurt am Main, als aus Amerika verlautete, daß die förmliche Anklage gegen Präsident Johnson in den Vereinigten Staaten viel Aufsehen und Erregung verursache.

Als ich wieder in den Vereinigten Staaten eintraf, war das Anklageverfahren gegen Präsident Johnson beendet, und er war freigesprochen. Es hatten allerdings keine Aufstände und sonstigen Störungen stattgefunden, aber das ganze Volk war von dem Geschehenen noch gewaltig erregt. Heutzutage kann kein Zweifel mehr darüber bestehen, daß die Dinge, deren der Präsident beschuldigt wurde, in gewöhnlichen ruhigen Zeiten, wo die Urteilskraft nicht von der Leidenschaft oder der Furcht vor großen, dem Volkswohl drohenden Gefahren verwirrt ist, gar nicht ausgereicht hätten, um eine solche Anklage zu begründen.

Kurz nach meiner Rückkehr nach St. Louis wurde der republikanische Staatskonvent abgehalten; sein Zweck war die Wahl von Abgeordneten zum republikanischen Nationalkonvent, welcher am 20. Mai in Chicago tagen sollte. Ich wurde zunächst zum Abgeordneten ernannt, und dann erwählte mich die Abordnung von Missouri in ihrer ersten Versammlung zum Vorsitzenden. In Chicago harrte meiner eine Überraschung, die von Politikern meist als eine angenehme empfunden wird. Das republikanische Nationalkomitee teilte mir durch seinen Vorsitzenden, Marcus L. Ward, mit, daß es mich zum zeitweiligen Vorsitzenden des republikanischen Nationalkonvents erwählt hätte. Das war eine ganz unerwartete Ehre, die ich mit der schuldigen dankbaren Anerkennung annahm. Ich hielt eine kurze Ansprache, so kurz wie sie bei solchen Gelegenheiten möglich ist, die gut aufgenommen wurde, und nach den üblichen Eingangsverhandlungen gab ich mein Amt an den ständigen Vorsitzenden, General Joseph R. Hawley aus Connecticut, ab.

Während der Wahlkampagne von 1868 wurde ich oft aufgefordert, Reden zu halten, und hatte stets große und begeisterte Zuhörerschaft. Die Wahl Grants war, wie gesagt, gesichert. Allgemein hatte man das Gefühl, daß, wenn Grant den Präsidentenstuhl einnahm, die Regierung in guten Händen sein würde.

Die aktive Beteiligung von Carl Schurz an der Wahlkampagne und seine große Popularität im Lande führten zu seiner Aufstellung als Kandidat für den Senat in Washington als einer der Vertreter des Staates Missouri. In zwei öffentlichen Debatten standen sich Schurz und der von Senator Drake geförderte General Loon gegenüber. Schurz' rhetorische Leistung verhalf ihm zum Sieg.

I happened to be staying in Frankfurt-on-the-Main when the news came from America that the formal impeachment of President Johnson was causing quite a commotion in the United States.

When I arrived back in the United States, the impeachment proceedings were over and President Johnson had been acquitted. To be sure, no riots or other disturbances had taken place, yet the entire populace was still immensely stirred up by the events. Today there can no longer be any doubt that the things the President was accused of would not have been sufficient to justify an impeachment in normal, peaceful times when power of judgment is not influenced by emotions or fear of great dangers threatening the well-being of the people.

The Republican State Convention was held shortly after my return to St. Louis. Its purpose was to select delegates to the Republican National Convention, to be held in Chicago on the 20th of May. I was first named as a delegate, and then in the first meeting of the Missouri delegation, I was elected chairman. A pleasant surprise was in store for me in Chicago: I was informed by Marcus L. Ward, the chairman of the Republican National Committee, that they had selected me as chairman *pro tempore* of the Republican National Convention. That was a completely unexpected honor, which I acknowledged, expressing due gratitude. I gave a brief address, as short as is possible on such occasions; it was well received, and after the opening proceedings, I turned my office over to the permanent chairman, General Joseph R. Hawley, from Connecticut.

During the election campaign of 1868, I received many requests to give speeches, at which I always had a large and enthusiastic audience. Grant's election was a sure thing, as there was a general feeling that if Grant were to take office as President, the government would be in good hands.

Carl Schurz' active participation in the election campaign, and his popularity throughout the country led to his being nominated as a senatorial candidate to represent the State of Missouri in Washington. In two public debates, Schurz confronted General Loon, who was supported by Senator Drake. Schurz' rhetorical brilliance helped him to victory.

Nach der Amtsübernahme durch Lincolns Vizepräsidenten, Andrew Johnson (1808 - 1875), legte Thomas Nast den gefühligen Pastellstift zur Seite und griff zu der spitzen Feder, die ihn bald zum gefürchtetsten politischen Karikaturisten seiner Zeit machte. Als Anhänger des radikalrepublikanischen Flügels lehnte Nast Johnson wegen dessen maßvoller Rekonstruktionspolitik in den besiegten Südstaaten ab.

With the coming of Andrew Johnson (1808 - 1875) to the Presidency, Thomas Nast took his pen out of the treacle well that marked his earlier work and dipped it in the vitriol that characterized his political cartoons for the remainder of his career. Like other supporters of the Radical Republican cause, Nast despised Johnson for his reconciliatory posture toward the defeated Southern States.

Mit der Ratifizierung des fünfzehnten Zusatzes zur amerikanischen Verfassung im Juli 1869, der allen Amerikanern »ungeachtet früherer Leibeigenschaft« die vollen Bürgerrechte zusicherte, erhielten die (männlichen) Schwarzen das Wahlrecht, bei dessen Ausübung sie die zeitgenössische Illustration zeigt.

With the ratification of the 15th Amendment to the United States Constitution in July of 1869, granting full civil rights to all Americans regardless of "previous condition of servitude", black males were given the vote. This contemporary illustration shows them exercising their franchise.

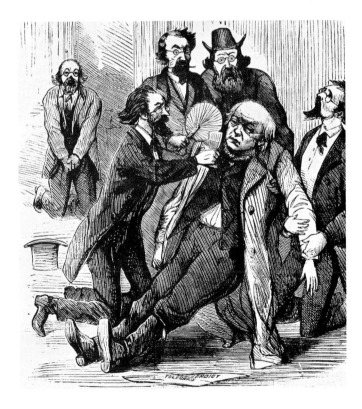

Unter zweifelhaftem Vorwand leitete die radikalrepublikanische Mehrheit des Repräsentantenhauses im Februar 1868 ein Impeachment-Verfahren gegen Johnson ein. Nast zeichnet einen schockierten Greeley, der bei der Nachricht vom knappen Freispruch des Präsidenten in Ohnmacht fällt, während ihm der gemäßigte Schurz Kühlung zufächelt.

Two of the less enthusiastic advocates of Johnson's impeachment were Horace Greeley and Carl Schurz. Nast depicts a shocked Greeley fainting when hearing of the acquittal of the President, while Schurz fans his friend.

Als ich meine Rede gegen Senator Drake und General Loon geendet hatte, brachen die Beifallsstürme abermals unaufhaltsam los, und alle stürzten sich auf mich zum Händedruck; es war das schlimmste Gedränge dieser Art, das ich je erlebt habe. Mit der größten Schwierigkeit mußte ich mich nach meinem Gasthofe durchkämpfen. Als ich zu Bett gegangen war, lag ich noch lange wach und hörte das jubilierende Lärmen meiner Freunde auf der Straße. Die erste Nachricht, die mir am andern Morgen gebracht wurde, war die, daß Drake die gestrige Versammlung vor ihrem Schluß verlassen hatte, in sein Hotel geeilt war und seine Rechnung gefordert hatte. Dann war er schleunigst nach dem Bahnhofe geeilt, um den Nachtzug nach Osten noch zu erreichen. Die Parteidiktatur war vorüber, und ihr Ende wurde durch die Flucht des Diktators verkündet.

Am selben Tage fand die Wahlversammlung der republikanischen Mitglieder der Legislatur statt. Ich wurde im ersten Stimmgang zum Senatskandidaten ernannt, und auf Antrag wurde die Ernennung einstimmig beschlossen. Es folgte meine Wahl durch die Legislatur. Kein politischer Sieg wurde je reinlicher errungen. Meine ganzen Wahlunkosten beliefen sich auf meine Hotelrechnung, und ich war absolut unbelastet von irgendwelchen Versprechungen von Gönnerschaft oder Vergünstigungen. Am 4. März 1869 nahm ich meinen Sitz im Senate der Vereinigten Staaten ein. Mein Kollege Senator Drake führte mich freundlicherweise an den Stuhl des Senatspräsidenten, wo ich meinen Amtseid ablegte.

Deutlich erinnere ich mich meiner Gefühle, als ich meinen Sitz einnahm, – sie erdrückten mich fast! Ich hatte die höchste öffentliche Stellung erreicht, welche meine ehrgeizigsten Träume mir nur je hätten verheißen können. Ich war noch jung, eben erst vierzig Jahre alt. Nur wenig mehr als sechzehn Jahre waren vergangen, seitdem ich in Amerika gelandet war, ein Heimatloser, ein aus dem großen Schiffbruch der revolutionären Bewegung in Europa Geretteter. Damals wurde ich mit großherziger Gastfreundschaft von dem amerikanischen Volke aufgenommen, das mir ebenso freigebig wie den eigenen Kindern die vielen günstigen Gelegenheiten der neuen Welt eröffnete. Und nun war ich ein Mitglied des höchsten gesetzgebenden Körpers der größten Republik. Würde ich je imstande sein, diesem Lande meine Dankesschuld abzutragen und die Ehren, mit denen ich überhäuft worden war, zu rechtfertigen? Um dies zu erfüllen, konnte mein Begriff von Pflicht nicht hoch genug gespannt werden. Im tiefsten Herzen leistete ich einen feierlichen Eid, wenigstens ehrlich danach zu streben, jene Pflicht zu erfüllen, dem Grundsatz »salus populi suprema lex« gewissenhaft treu zu bleiben, niemals weder einzelnen Mächtigen noch der großen Menge niedrig zu schmeicheln, nötigenfalls ganz allein meine Ansicht von Wahrheit und Recht zu vertreten und für meine Hingabe an die Republik kein persönliches Opfer je zu schwer zu achten.

When I had concluded my victory speech, endless storms of applause broke forth afresh, and everyone crowded around me, wanting to shake my hand; it was the worst throng of this kind I had ever experienced. It was with the greatest difficulty that I fought my way through to my hotel. When I went to bed, I lay awake for a long time, listening to the shouts of jubilation of my friends on the street. The first news I got the next morning was that Drake had left the previous night's rally before it was over, had hurried back to his hotel, paid his bill, and then rushed to the station to catch the night train back East. The party dictatorship was broken, and its end was marked by the flight of the dictator.

The caucus of the Republican members of the legislature took place that same day. In the first round of voting, I was nominated Senate candidate, and a motion was passed nominating me by acclamation. My election by the legislature followed. No political victory was ever more honorably achieved. My entire campaign expenses consisted of my hotel bills, and I was completely unfettered by any promises of political favors or protection whatsoever. On the 4th of March, 1869, I took my seat in the Senate of the United States. My colleague, Senator Drake, graciously led me to the chair of the President of the Senate, where I took my oath of office.

I clearly remember my feelings upon taking my seat: I was all choked up. I had attained the highest public office I could ever have dreamed of. I was still young; I had just turned forty. Only a little more than sixteen years had passed since I had landed in America as a homeless refugee, rescued from the great shipwreck of the revolutionary movement in Europe. At that time the American people took me in with heartwarming hospitality; they opened all the many promising opportunities the New World had to offer, as generously to me as to their own native children. And now I was a member of the highest legislative body of the greatest Republic. Would I ever be able to repay my debt of gratitude to this country and justify all the honors heaped upon me? To achieve this, my sense of duty could not be set high enough. Deep in my heart I solemnly swore at least to make a sincere attempt to fulfill my obligation to observe the principle of *"salus populi suprema lex"*; never to resort to base flattery when dealing with powerful individuals or with the masses; to stand alone, when necessary, in defense of my ideas of truth and justice; and to let no personal sacrifice stand in the way of my devotion to the Republic.

Der Senator mit dem erhobenen Zeigefinger: Frank Beards Karikatur aus dem Jahr 1872, die Schurz' hagere, langbeinige Gestalt charakteristisch wiedergibt, stellt den Führer des liberalen Flügels mit einer Tasche voller brisanter Themen und Websters großem Wörterbuch als Quelle seiner Beredsamkeit dar.

"The Liberal Leader" – Frank Beard's caricature shows the Senator from Missouri in the year 1872, a sheaf of legislative proposals in his pocket and an arm draped on Webster's Unabriged as a source of continued verbiage – the other hand is raised with a finger of admonition to opponents of reform.

Carl Schurz' politische Laufbahn 1869–1906

Von F. Bancroft und W. A. Dunning,
für deutsche Leser bearbeitet von Max Blau.

Carl Schurz's Political Career, 1869–1906

By Frederic Bancroft and William A. Dunning

Die ersten Jahre im Senat 1869/70

Als Carl Schurz am 4. März 1869 seinen Sitz im Bundessenat einnahm, hatte sich das Verhältnis des Oberhauses zur Exekutive höchst eigenartig gestaltet. Der heftige Konflikt zwischen Präsident Johnson und dem Kongreß hatte den Schwerpunkt des ganzen politischen Systems sehr zugunsten der gesetzgebenden Körperschaften verschoben, besonders aber dem Senat einen bis dahin unerhörten Einfluß verschafft. Der Senat trug eine Selbstüberhebung zur Schau, als verkörpere sich in ihm die Regierung. In der Erbitterung des Kampfes mit Andrew Johnson hatte man diese Ausnahmezustände kaum beachtet, aber sie fielen nicht nur bei der Freisprechung des in Anklagezustand versetzten Präsidenten schwer ins Gewicht, sondern veranlaßten auch den ersten definitiven Vorschlag zur Reform der Verwaltung.

Die Debatten über diese Frage, die sich durch den Monat März 1869 hinzogen, boten Carl Schurz Gelegenheit, sich gleich zu Anfang seines Amtes als Senator zu jenen Überzeugungen und Zielen zu bekennen, die seiner ganzen öffentlichen Laufbahn ihren Stempel aufdrücken und sie einzigartig in der Geschichte der amerikanischen Politik gestalten sollten. Er gab der festen Überzeugung Ausdruck, das dringendste Bedürfnis der Zeit sei die Abschaffung des Beutesystems und der Protektionswirtschaft des Kongresses und die Anstellung der Zivilbeamten auf Grund einer Prüfung. Und mit diesem Ziel vor Augen, brachte er am Ende des Jahres eine Vorlage ein, die einen umfassenden, weit über frühere Vorschläge hinausgehenden Plan zur Reform der Verwaltung enthielt.

In seiner Stellung zur »südlichen Frage« verriet Carl Schurz tiefe Unzufriedenheit mit der Art und Weise, wie das Wahlrecht der Neger praktisch zur Anwendung kam, und mit der Tätigkeit der republikanischen »Parteimaschine« in den rekonstruierten Staaten und anderswo. Gegen Ende des Jahres 1870 wurde diese Mißstimmung durch den aufsehenerregenden Verlauf der politischen Entwicklung in Missouri dem ganzen Lande bekannt. Die Spaltung der Republikaner hatte sich hier schon in dem Wahlkampfe offenbart, der Schurz den Sitz im Bundessenat verschaffte; sie kam aber 1870 bei der Frage zum vollen Ausdruck, ob die äußerst strengen Gesetze, die den früheren »Rebellen« das Wahlrecht nahmen, aufgehoben werden sollten.

Die liberalen Elemente der Partei forderten sofortige Abschaffung des ganzen Systems, aber die Radikalen, die die Parteiorganisation in der Hand hatten, widersetzten sich dieser Forderung, und durch geschickte und gewissenlose Handhabung der Masse der eben durch das fünfzehnte Amendment geschaffenen Negerstimmen verschafften sie sich im Staatskonvent die Majorität.

The Rising Senator, 1869/70

When Mr. Schurz entered the Senate on March 4, 1869, the political conditions centering in that body were very peculiar. The arduous conflict between President Johnson and Congress had shifted the center of gravity of our constitutional system far over on the legislative side, and the Senate especially had gained unprecedented prestige and importance. The Senate was displaying an overweening *hauteur* as if it were the government. In the heat of the fierce struggle with Andrew Johnson these exceptional conditions had been little thought of, although they were factors in determining the acquittal of the President on impeachment, and also in inspiring the first concrete proposition for a civil-service reform.

The debate on this subject, running through March, 1869, gave to Mr. Schurz an opportunity to put on record, at the very outset of his senatorial career, the conviction and purpose which were peculiarly to distinguish his whole public life, and to make it unique in American politics. The great need of the time, he declared, was the abolition of the spoils system and of Congressional patronage, and the establishment of appointment through examination. Schurz held fast to his policy; and on December 20, 1869, he introduced a bill embodying a far-reaching system of civil-service reform.

There was discernible in Mr. Schurz's attitude on the Southern question a profound discontent with the practical working of Negro suffrage and of Republican party machinery in general as well as in the reconstructed States. By the end of the year 1870 this feeling became a matter of national notoriety by the sensational course of politics in Missouri. The factional division of the Republicans in this State, manifested in the contest that put Schurz into the Senate, came to a decisive issue in 1870 on the question of repealing the extremely rigorous laws by which Confederate sympathizers were disfranchised.

The liberal element of the party took up the demand for an immediate abolition of the whole system. The radicals, who controlled the party machinery, opposed the demand, and, by shrewd and unscrupulous manipulation of the mass of Negro voters just created by the Fifteenth Amendment, secured control of the State convention.

Bei seinem Amtsantritt am 4. März 1869 war General Ulysses S. Grant (1822–1885) der »Riese unter Zwergen«, der das Renommée der zerstrittenen Republikanischen Partei wiederherstellen sollte. Schon ein Jahr später karikatierte der gleiche Zeichnet den Kriegshelden, den seine politische Naivität von Fettnapf zu Fettnapf stolpern ließ, als »Zwerg unter Riesen«.

When General Grant (1822–1885) was inaugurated on March 4, 1869, a contemporary newspaper illustration described him as "A Giant among Pygmies". A year later, when his political naïveté had led him into the first of the scandals that rocked his administration, he was pictured as "A Pygmy among Giants".

Anfang und Ende einer Präsidentschaft: Auf dem Bild oben betritt Grant als politisch noch unbeschriebenes Blatt 1869 das Weiße Haus. Die Kutsche. in der der scheidende Präsident seinen Nachfolger üblicherweise zur Amtsübernahme begleitet, ist leer: Andrew Johnson war so verbittert, daß er sich weigerte, der Übergabe beizuwohnen. Unten, zwei Amtszeiten und acht Jahre später, wartet Grant (links, sitzend) in der Nacht zum 4. März 1877 im Kapitol auf die Amtsübergabe an Rutherford B. Hayes. Seine Minister vermeiden es, ihrem gescheiterten Präsidenten in die Augen zu blicken oder wenden ihm demonstrativ den Rücken zu.

The beginning and end of an administration: on the upper illustration, President Grant enters the White House still an unknown political quantity. The coach, in which the outgoing President would usually accompany his successor, is empty. President Johnson was so embittered that he refused to have anything to do with the inauguration. Below, two terms and eight years later, Grant sits glumly in the Capitol (left) on the night before March 4, 1877, waiting to turn over the reins of office to Rutherford B. Hayes. The members of his cabinet have all turned their eyes, and in some cases their backs, away from their disgraced President.

Kampf gegen imperialistische Tendenzen 1870–1872

Die großmütige und unabhängige Stellung, die Schurz in der Politik von Missouri eingenommen hatte, war nicht die einzige Veranlassung für die Ungnade Grants. Das Verhalten des Senators gegenüber den Versuchen des Präsidenten, Santo Domingo zu annektieren, hatte nicht wenig dazu beigetragen. Obgleich Sumner infolge seines großen Rufes und seines heftigen persönlichen Zerwürfnisses mit Grant der eigentliche Rufer im Streite gegen die Annektierung war, so hatte doch Carl Schurz den Löwenanteil an der sorgfältigen Ausarbeitung der Pläne, die zur Niederlage des Präsidenten führten. Am 29. Juni 1870 lehnte der Senat die Ratifizierung mit 28 gegen 28 Stimmen ab; zur Annahme wäre eine Zweidrittelmehrheit erforderlich gewesen.

Als der Kongreß im Dezember 1871 wieder zusammentrat, brannten beide republikanischen Gruppen im Senat darauf, jeden sich bietenden Anlaß zu parlamentarischen Kämpfen im Fraktionsinteresse auszunützen. Gleich im Anfang der Session bot sich Sumner und Schurz eine günstige Gelegenheit, die Regierung, wie schon früher einmal, wegen ihres Verhaltens gegenüber fremden Mächten anzugreifen. Es handelte sich um den Verkauf von Waffen, die im Herbst und Winter 1870 in großen Mengen nach Frankreich gegangen waren. Sobald es im Lande bekannt geworden war, daß die Regierung Waffen an Frankreich liefere, hatte sich begreiflicherweise der amerikanischen Bürger deutscher Abkunft eine große Erregung bemächtigt.

Sumner brachte eine Resolution ein, die eine Untersuchung bezüglich des Verkaufs von Waffen an Frankreich verlangte, und begründete dann am 13. Februar seinen Antrag in längerer Rede. Vom 15. Februar bis Ende des Monats ruhte fast ohne Unterbrechung die Bürde einer äußerst heftigen politischen Debatte auf Carl Schurz. Am 19. und 20. Februar erreichte der Kampf seinen Höhepunkt, und Schurz hatte den Sieg errungen.

Den Schluß der großen Rede vom 20. Februar 1872 bildete der feierliche Protest gegen den Versuch, durch den Druck der Parteidisziplin die freie Meinungsäußerung und die unabhängige Überzeugung des einzelnen zu unterdrücken: »Das Knallen mit der Parteipeitsche hat in unsern Tagen seine Macht verloren. Das öde Parteigeschwätz liegt dem Volke brechenerregend im Magen. Wenn Sie glauben, daß die Bewegung, die stetig im ganzen Lande wächst und zunimmt, eine Intrige politischer Macher ist, so werden Sie bald Ihren Irrtum erkennen. Es ist ein Erwachen des Volksgewissens. Es ist der Protest gegen die gar zu weitherzige politische Moral und den Geist der Korruption, die in den Zeiten des Krieges und großer politischer Erregung entstanden sind und sich zu voller Blüte entwickelt haben. Es ist eine ernste Erhebung für ehrliche und makellose Verwaltung. Die läßt sich nicht durch Parteidisziplin einschüchtern, nicht durch Strafgesetze außer Fassung bringen. Heute ist es vielleicht nur eine leichte Bewegung; versuchen Sie es, sich ihr entgegenzustemmen, und Sie werden sie morgen zu einer großen sittlichen Revolution angewachsen sehen. Was auch andere tun mögen, ich habe mein Los gewählt. Dieser Sache ist mein Herz geweiht, und mit ihr will ich siegen oder fallen.«

Fighting Imperialistic Tendencies, 1870–1872

Schurz's chivalrous and independent course in Missouri politics was not the only occasion of his being out of favor with Grant. Not a little had been contributed to this result by the Senator's course in connection with President's famous attempt to annex Santo Domingo. Though Sumner's great reputation and his violent personal quarrel with Grant made him the most conspicuous figure in the opposition to annexation, it was in fact Schurz who did most of the careful planning through which the President was defeated. Ratification was refused by the Senate, June 29, 1870, by a vote of 28 to 28, two-thirds being required to ratify.

When the houses reassembled in December, 1871, the two factions in the Senate were eagerly and equally intent on opportunities for parliamentary attack and partisan advantage. Early in the session Schurz and Sumner found an opening through which to assail the administration, as they had done before, for reckless conduct in matters touching foreign nations. Information came to them that during the Franco-Prussian War great quantities of arms had been sold to France under circumstances that suggested jobbery and corruption in the War Department and outrageous disregard of the duties of a neutral. Schurz first ascertained that the record of the State Department was entirely blameless, and further that the German government would not take advantage of any revelations to call the United States to account. Having thus provided against any possibility of foreign complications, the attack was opened.

Sumner offered a resolution proposing an inquiry and investigation concerning the sale of arms to France, and on February 13, 1872, made a speech in support of the resolution. Schurz was not intending to take a prominent part in the debate, but when the administration cohort rushed to the defense of the War Department, Sumner peremptorily summoned Schurz to his aid. From the 15th of February to the end of the month the Missouri Senator sustained with but little assistance the burden of a most violent political debate. The climax of his labor and his triumph came on the 20th, when he replied to Conkling's elaborate speech of the 19th in defense of the administration.

Mrs. Schurz, who had listened to Conkling, was very much dejected and told her husband on the way home that she did not think he could answer Conkling's speech. He tried to restore her courage, but could not prevail upon her to accompany him to the Senate the next day. When Schurz arrived at the Capitol he found the galleries and every square foot of standing room filled. This audience was indeed inspiring and he never in his life spoke with so much nervous energy, fire and immediate effect. When the orator was just closing, Mrs. Schurz, who had after all been too restless to stay at home, arrived at the Senate chamber and tried in vain to get in. In a moment the crowd began to pour out, and Sumner, who was looking for some friends, met her in the lobby and, stretching out his hands, cried: "Oh, Madam, I congratulate you. Your husband has just made the greatest speech that has been heard in the Senate for twenty years."

Horace Greeley und Carl Schurz schmieden Schwerter zu Pflugscharen um. Die Illustration aus dem Jahr 1872 würdigt das langjährige, pazifistische Engagement der beiden politischen Weggefährten.

Horace Greeley and Carl Schurz beating swords into ploughshares. This illustration from the year 1872 pays tribute to the pacifism preached by these two political bedfellows.

Kaiser Napoleon III. (1808-1873), in der Schlacht bei Sedan in deutsche Gefangenschaft geraten, trifft Otto von Bismarck (1815-1893) in Dongery (Nordfrankreich) am 2. September 1870. Der deutsch-französische Krieg ist praktisch entschieden.

Emperor Napoleon III (1808–1873), taken prisoner by the Germans at the battle of Sedan, meets Otto von Bismarck (1815–1893) in Dongery in northern France on September 2, 1870. By then the Franco-German War was virtually over.

»Die Friedensfeier der Deutsch-Amerikaner in New York.« Illustration aus der Zeitschrift »Über Land und Meer«, 1870.

"The Peace Celebration of German-Americans in New York". Illustration from the magazine "Über Land und Meer" ("Over Land and Sea"), 1870.

»Der Vorhang wird gelüftet.« Zeitgenössische Karikatur von Carl Schurz und Senator Charles Sumner (1811–1874) bei der Aufdeckung der Waffenaffäre.

"The Curtain Rises". Contemporary caricature of Carl Schurz and Senator Charles Sumner (1811–1874) during the investigation of the arms affair.

In der nationalen liberal-republikanischen Bewegung von 1872 nahm Carl Schurz von Anfang an eine führende Stellung ein. Sein von der Partei unabhängiger Erfolg in Missouri, seine glänzenden Leistungen im Senat, der sittliche Ton und geistige Gehalt der Reden und Artikel, durch die er auf die öffentliche Meinung einzuwirken suchte, hatten ihm als Volksredner und Journalist den Beifall vieler denkender Menschen in allen Teilen des Landes eingetragen. Viele Tausende der besten Deutschamerikaner blickten schon seit langem mit Stolz zu ihm auf und hörten in politischen Angelegenheiten gerne seinen freundschaftlichen Rat.

Die Liberalen kamen am 1. Mai 1872 in Cincinnati zusammen. Wie Horace White damals an Trumbull schrieb, war Carl Schurz »der Führer und geistige Leiter dieser ganzen Bewegung«. Aber auch Männer und Interessen, denen die Ziele und Ideale des Führers fremd waren, hatten sich der Bewegung angeschlossen, und diese störenden Elemente machten sich von Anfang an sehr bemerkbar.

Für Schurz war die Nomination Greeleys eine schwere Enttäuschung. Sie zerstörte mit einem Schlage den ganzen Bau der Reformbewegung, den er mit so vieler Mühe errichtet hatte. Greeley stand als Mann den Idealen, zu denen sich die Liberalen bekannten, geradezu lächerlich fern, und es war allgemein bekannt, daß auch seine politischen Grundsätze ihn von den Liberalen trennten. Die Nomination Greeleys und die Art, wie sie bewerkstelligt wurde, vollendete die einmal begonnene Abwendung von den Idealen, die Schurz verwirklicht zu sehen hoffte.

Während der auf den Konvent von Cincinnati folgenden Wochen erklärte sich Carl Schurz, obgleich er mit allen Gruppen der Liberalen dauernd in Berührung blieb, öffentlich weder für noch gegen Greeley. Unterdes machten es sich die Freunde von Carl Schurz und Greeley zur Aufgabe, den Bruch zu heilen. Schurz war zu der Überzeugung gelangt, daß nach dem schmerzlichen und peinlichen Ergebnis des Konvents in Cincinnati jede Möglichkeit, durch die bevorstehenden Wahlen eine ideale Reform zu erlangen, ausgeschlossen sei, und daß es sich nun nur noch um die rein praktische Frage handeln könne: Welcher von zwei unbefriedigenden Kandidaten gewährt bei der späteren Präsidentenwahl des Jahres 1876 einer wahren Reformbewegung größere Aussicht auf Erfolg? Auf diese Frage aber laute die Antwort unzweifelhaft: Greeley.

Im Sinne dieser Erklärung hielt Carl Schurz während des Wahlkampfes eine Anzahl Reden. Diese kämpften begreiflicherweise mehr gegen Grant, als für Greeley, und es fehlte ihnen an jenem Schwung, den ein anderer Kandidat und eine hoffnungsvollere Sache ihnen geliehen hätte. Für Schurz kam der überwältigende Sieg Grants nicht unerwartet; er nahm ihn mit philosophischem Gleichmut hin und ließ sich in der Hingebung an die Ideale der Reform, denen sein Herz gehörte, auch nicht einen Augenblick wankend machen.

In the national Liberal Republican movement of 1872 Mr. Schurz was from the outset the leading spirit. His non-partisan success in Missouri, his brilliant achievements in the Senate, and both the moral tone and the intellectual quality of his appeals to public opinion, whether as journalist or as popular orator, had won him the applause of thinking men in all parts of the country; while tens of thousands of the best German-Americans had long regarded him with pride and welcomed his friendly political counsel.

The Liberals assembled at Cincinnati May 1st, 1872. Schurz was acknowledged to be, as Horace White wrote at the time to Trumbull, "the leader and master mind of this great movement." As was inevitable, however, men and interests that were alien to the aims and ideals of its leader had become involved in the movement, and these disturbing elements made themselves conspicuous from the outset.

Greeley's nomination was a heavy blow to Schurz. It destroyed in an instant the whole fabric of the reform movement as he had so laboriously shaped it. Greeley was ludicrously remote in personality and notoriously separated in principle from the ideals which the true Liberals had avowed. This was far from the method of uncompromising devotion to principle as Schurz had conceived it; it was an initial concession to the idea of availability, and the fact and manner of Greeley's nomination completed the deviation thus begun.

During the busy weeks of discussion and adjustment that followed the Cincinnati convention, Mr. Schurz, though in constant consulation with all the factions of the Liberals, made no public announcement as to whether he would or would not support Greeley. Meanwhile friends of Schurz and Greeley took up the task of repairing the breach. Schurz had arrived at the conviction that the possibility of ideal reform through the present elction had been destroyed by the painful and distressing result reached at Cincinnati, and that the only question now was the perfectly practical one: Which of two unsatisfactory candidates would afford the more promise of success for a true reform four years hence? To this question he believed the answer clearly was: Greeley.

In the spirit of this declaration Mr. Schurz made a number of speeches during the campaign. They were naturally against Grant rather than for Greeley, and they lacked the quality which a different candidate and a less hopeless cause would have inspired. The overwhelming triumph of Grant was not unexpected by Mr. Schurz and was received in a spirit of true philosophy, which did not permit the ideal of reform to lose for a moment the sway which it held over his mind.

Greeley-Anhänger Matt Morgan portraitiert
den Präsidentschaftskandidaten mit Senator
Sumner und dem Theoretiker der liberalrepublikanischen Reformbewegung, Carl Schurz,
der auf einer Spruchtafel die politischen Ideale
hochhält, die Grant verraten hatte.

In a friendly cartoon, Matt Morgan depicted
Horace Greeley and Senator Sumner as
embodying the ideals on which the Republican
Party was founded, while their theoretician,
Schurz, proudly bears the tenets of the Liberal
Republicans with the zeal of an Old Testament
prophet.

Im Wahlkampf von 1872 kandidierte Horace Greeley für eine Politik, die
helfen sollte, »einander über dem blutigen Abgrund die Hände zu reichen«. Grant-Anhänger wie Thomas Nast verstanden dieses Wahlziel als
Ausverkauf des Nordens an den besiegten Süden und versuchten, den
Slogan gegen seinen Urheber zu kehren. Nasts Karikatur zeigt Grant, der
einem hocherfreuten Uncle Sam die Hände reicht, während Greeley
ängstlich über dem Abgrund baumelt, der seine Freunde, unter ihnen
Schurz, offensichtlich schon verschlungen hat.

In the 1872 campaign, Greeley proposed a policy that would help Americans "Clasp hands over the bloody chasm" of the Civil War. Old-line
Radical Republicans like Nast interpreted this as a sell-out to the worst interests of the South and ceaselessly used the phrase to attack the opposition candidate. With the election safely won, Nast shows Grant clasping
hands with a benevolent Uncle Sam, while underneath an anguished
Greeley hangs by the little tag bearing the name of his running mate B.
Gratz Brown. As Nast had no idea what Brown looked like, he always
portrayed him as a tag on Greeley's coattails. Beneath Greeley, Carl
Schurz has a prominent position among the candidate's defeated supporters at the bottom of what Nast called "The Sarc(h)asm."

Auf dieser Zeichnung von Nast figurieren
Schurz, Sumner und andere Abweichler als Ver-
schwörer, die darauf lauern, Cäsar Grant vor
dem Senat der öffentlichen Meinung zu erdol-
chen, während Greeley sich bemüht, den Vorgang zu übersehen.

In another Nast cartoon, Schurz, Sumner and
other prominent Republican liberals are
depicted as the conspirators ready to stab Caesar
(Grant) in the Senate of public opinion, while a
disinterested Greeley wanders aimlessly across
the background, his Gratz Brown tag safety-
pinned to the end of his toga.

Als der Senat im Dezember 1872 wieder zusammentrat, war die Lage der Dinge für Schurz und seine liberalen Kollegen nach der demütigenden Niederlage im Wahlkampfe nicht eben tröstlich und der Ausblick in die Zukunft wenig versprechend. Aber es kamen nun in schneller Folge Ereignisse, die sie rechtfertigten und ermutigten.

Es begannen Enthüllungen über Skandale in der Legislative und Regierung, die sich nun Jahre lang ohne Unterbrechung fortsetzen sollten und lange vor dem Ende von Grants zweitem Amtstermin Schurz' Kassandrarufe über den drohenden Verfall des sittlichen Empfindens im politischen Leben bewahrheiteten. In der nächsten Session 1873-74 mehrten sich die Enthüllungen, und der übelriechende Strom von Bestechlichkeit und Schande erreichte 1875 und 1876 seinen Höhepunkt, als die schmählichen Betrügereien des »Whiskey Rings« aufgedeckt wurden, bei denen Brenner und Regierungsbeamte sich in Millionen hinterzogener Steuern geteilt hatten und als der Kriegsminister Belknap Knall und Fall seine Demission einreichte, um einer parlamentarischen Untersuchung wegen Verkaufs von Händlerstellen bei den Forts im Westen aus dem Wege zu gehen.

Die nächste Session des Kongresses wurde unmittelbar nach den Wahlen von 1874 eröffnet, in denen die Republikaner eine allgemeine und überwältigende Niederlage erlitten hatten. Durch die Wahlen von 1874 ging die Majorität nicht nur im Unterhause des Kongresses, sondern auch allgemein in den Regierungen der Einzelstaaten und in den Kommunalverwaltungen von den Republikanern auf ihre Gegner über. Das Regime Grant, dessen Sturz Carl Schurz jahrelang erhofft und erstrebt hatte, war nun vom Volke ohne Erbarmen verurteilt und verworfen. Das war für Schurz natürlich eine Quelle großer Genugtuung. »Wie ist Sumner gerächt!« schrieb er gleich nach der Wahl an einen Freund. Zugleich war es klar, daß die Wahlen in Missouri den Staat völlig in die Hände der extremen oder »Bourbon«-Demokraten geliefert hatten, gerade als Schurz' Amtszeit als Senator zu Ende ging. Nach der Wahl von 1874 suchten seine Freunde ihm und sich einzureden, daß die siegreichen Demokraten liberale Gesinnung genug beweisen würden, ihn wieder in den Senat zu wählen. Aber Carl Schurz gab sich keinen Augenblick dieser Täuschung hin. Einige Wochen später wählte die demokratische Volksvertretung von Missouri General Cockrell, einen früheren Konföderierten, zu seinem Nachfolger.

Während des ganzen Frühjahrs 1875 fand ein lebhafter Briefwechsel zwischen Carl Schurz und dem geistvollen Kreise seiner Intimen statt, die zu ihm als ihrem Führer aufblickten und zu denen außer den früher erwähnten Horace White, Samuel Bowles und Charles Francis Adams auch E. L. Godkin, General J. D. Cox, Charles Nordhoff, Murat Halstead und die Söhne von Adams, besonders Henry und Charles Francis junior, gehörten. Ende April hielt eine Anzahl von ihnen mit Schurz eine Zusammenkunft in New York, wobei die Pläne für den Wahlkampf des folgenden Jahres gründlich besprochen wurden. Bald darauf reiste Schurz nach Europa, um sich dort mehrere Monate aufzuhalten.

The Senatorial Free Lance, 1872–1875

When the Senate met in December, 1872, after the humiliating tragedy of the Greeley campaign, the position of Schurz and his fellow Liberals had apparently little in it of present comfort or of future cheer. Yet events began at once to give them justification and encouragement.

At the same time the stream of legislative and administrative scandals began the steady flow which long before the end of Grant's second term demonstrated Schurz' Cassandra-like accuracy in foretelling a general decline of moral tone in political life. At the next session, 1873-74, scandals multiplied. It was indeed a malodorous flood of corruption and disgrace, and the high-water mark was reached at the revelations of the infamous Whiskey Ring frauds, in which distillers and government officials, evading taxes, split millions among themselves; and of the sale of post-traderships in Western forts by Secretary of War Belknap in 1875 and 1876, the exposure of which led Belknap to resign in order to avoid facing a Congressional investigation.

The next session of Congress opened just after the elections of 1874, in which the Republicans met with a general and overwhelming disaster. The elections of 1874 tranferred the control not only of the lower house in Congress, but also of State and local governments generally, from the Republicans to their adversaries. The Grant régime – to the destruction of which Schurz had devoted all his hopes and energies for years – was mercilessly repudiated by the people. In this, of course, Schurz found much cause for gratification. "How Sumner has been avenged!" he wrote to a friend just after the election. But at the same time it was evident that the elections in Missouri had put the control of the State entirely into the hands of the extreme or "Bourbon" Democracy, on the eve of the expiration of Schurz's senatorial term, March 4, 1875. Even after the election of 1874 some of his friends tried to convince him and themselves that the triumphant Missouri Democracy would have enough of the Liberal spirit to send him back as their Senator. He did not for a moment share this delusion. True to his early prophecy, the Democratic legislature of Missouri in a few weeks elected General Cockrell, a former Confederate, as his successor.

Throughout the spring of 1875 there was much correspondence on the subject between Schurz and the various members of the brilliant coterie of intimates who looked to him as leader. E. L. Godkin, Horace White, General J. D. Cox, Samuel Bowles, Charles Nordhoff, Murat Halstead, and the sons of Charles Francis Adams, especially Henry and Charles Francis, Jr., were prominent in this group, and a number of them met Schurz at a private dinner in New York at the end of April, where the plan of campaign for the next year was thoroughly canvassed. Shortly afterwards Mr. Schurz crossed the ocean to spend several months in Europe.

Ein Jahrzehnt genügte, um Lincolns moralischen Kredit zu verspielen und das politische Leben in den USA auf einen Tiefpunkt zu bringen. Matt Morgans zeitgenössische Karikatur »Unser moderner Belsazar« zeigt den korrupten Grant trunken im Kreis seiner Günstlinge, während die Schrift an der Wand mahnt: »Die Zeit ist reif für rechtschaffene Bürger, sich zu erheben und jene aus den Ämtern zu fegen, die den Namen einer ehrbaren Partei ihrer Selbstsucht opfern.« Im Publikum sind die Senatoren Sumner (stehend) und Schurz zu erkennen (rechtes, unteres Bilddrittel).

President Grant was easy prey to opportunistic leeches of all kinds. In this cartoon, "The Modern Belshazzar" is shown surrounded by fawning well-wishers, while reformers like Sumner and Schurz look on in disappointment on the right.

Das Grant-Debakel führte im Wahljahr 1872 zu der ungewöhnlichen Konstellation, daß der prominente Journalist und Herausgeber Horace Greeley als gemeinsamer Kandidat der Liberalen Republikaner und der Demokraten gegen den republikanischen Präsidenten antrat. Der Wahlkampf endete mit einer menschlichen Tragödie: Nach einer gegen ihn inszenierten Rufmordkampagne in aussichtsloser Position, verlor Greeley am 30. Oktober seine Frau, am 5. November die Wahl und starb selbst, körperlich und geistig zerstört, am 29. desselben Monats. Seine Wahlmännerstimmen wurden – ein einmaliger Vorgang in der Geschichte der amerikanischen Präsidentschaft – auf die übrigen Kandidaten verteilt. Nasts ebenso prophetische wie schonungslose Zeichnung, auf der rechts der trauernde Schurz zu erkennen ist, wurde *vor* Greeleys Tod veröffentlicht.

The corruption of the Grant administration led many reform-minded Republicans to buck the party and throw their support to editor Horace Greeley, who was subsequently also nominated by the Democrats. Greeley was subjected to one of the most vicious and unfair attacks ever visited on a candidate for any office, and Nast's final campaign cartoon, showing the remains of Greeley unceremoniously hauled off on a stretcher while supporter Schurz looks on sadly from the corral gate, proved sadly prophetic. Already heavily burdened by the vituperative attacks on his character, Greeley lost his wife shortly before the election and began suffering from delusions. He died in a mental institution only two weeks after losing to Grant.

Aufgrund des Drängens seiner liberalen Freunde kürzte Schurz seinen Aufenthalt in Deutschland ab und war Mitte September wieder in Amerika. Er reiste unverzüglich nach Ohio und sprach an vielen Orten in deutscher und englischer Sprache zugunsten des republikanischen Gouverneurs-kandidaten Rutherford B. Hayes. Aber er betonte nachdrücklich seine Unabhängigkeit von beiden Parteien, beschränkte sich in seinen Reden auf die Währungsfrage und vermied alle persönlichen Beziehungen zu dem Kandidaten, für den er agitierte. Hayes wurde mit geringer Majorität gewählt. Der Vorsitzende des republikanischen Wahlkomitees erklärte in aller Form, daß der Sieg zum großen Teil Carl Schurz zuzuschreiben sei.	Because of the entreaties of his Liberal friends Mr. Schurz curtailed his vacation and reached home in the middle of September. He went promptly to Ohio and spoke frequently in both German and English, in support of Hayes as Republican candidate for governor. But he took great pains to emphasize his detachment from both parties, confining himself in his speeches to the money question and avoiding personal relations with the candidate whom he was supporting. Hayes was elected by a small majority. The chairman of the Republican State Committee formally ascribed to Schurz much of the credit for the victory.

Inzwischen hatte sich Carl Schurz mit dem Plan einer Konferenz der Unabhängigen getragen, wo Schritte besprochen werden sollten, um zu »verhindern, daß der Wahlkampf, der in das Jahr des hundertjährigen Bestehens der Republik fiel, nicht zu einer bloßen Rauferei um die politische Beute würde.« Die nächsten vier Monate widmete er der Ausarbeitung dieses Planes. In aller Stille und mit der größten Vorsicht – um die Teilnahme der Elemente zu verhindern, die die Bewegung von Cincinnati zum Scheitern gebracht hatten – versicherte man sich der Mitwirkung von Hunderten von Republikanern und Unabhängigen, deren Namen von Einfluß auf die öffentliche Meinung und die Wähler waren.

Meantime Schurz had been revolving in his mind a plan for a conference of Independents to devise measures "to prevent the campaign of the centennial year from becoming a mere scramble of politicians for the spoils." The next four months were devoted to the elaboration of this plan. Quietly and with the utmost care to avoid the participation of such elements as wrecked the Cincinnati movement, the adhesion was secured of hundreds of Republicans and Independents whose names meant influence and votes.

Gerade im kritischen Stadium dieser Bewegung traf den Führer ein furchtbarer Schlag. Frau Schurz starb am 15. März 1876. Seinen vielen Freunden gelang es erst nach Wochen, ihm durch freundliche Zusprache die gewohnte Geistesruhe wiederzugeben, die die bevorstehende Arbeit erforderte.

At the most critical stage of this movement a terrible domestic affliction came upon its leader. Mrs. Schurz died March 15, 1876. Kindly and tender ministrations of the multitude of friends who surrounded the stricken husband did not avail to restore the mental balance requisite for the work in hand until weeks had been lost.

Schurz hätte eine neue, eine Reformpartei vorgezogen, aber, da ein solches Unternehmen augenblicklich ganz aussichtslos war, arbeitete er nun vor allem darauf hin, das Regime Grant zu Fall zu bringen, republikanische Macher wie Morton, Conkling, den pfiffigen Blaine politisch unmöglich zu machen, und so die Partei zu zwingen, sich zu Führern der Reform und einer neuen liberalen Politik zu bekennen.

He would have preferred a new and a reform party, but next to that he had aimed to overthrow the Grant régime, to discredit such Republican politicians as Morton and Conkling and the artful Blaine, and to compel their party to choose reform leaders and a new and liberal policy.

Schurz' Entschluß, für Hayes zu wirken, brachte die beiden Männer bald in intime Beziehungen. Auf Wunsch des letzteren unterbreitete Carl Schurz einen Entwurf des Abschnittes, der die »Verwaltungsreform« betraf, und verschiedene darin enthaltene Wendungen, sowie der eigentliche Sinn desselben fanden Annahme. Und es war auch Schurz' Anregung zuzuschreiben, daß Hayes das feierliche Versprechen, nicht für eine Wiederwahl zu kandidieren, unmittelbar auf den Abschnitt über die »Verwaltungsreform« folgen ließ, um so die nahe Beziehung der beiden Punkte zu betonen.

Schurz's conclusion to support Hayes for president soon brought the two men into intimate relations. Schurz submitted at the request of Hayes a draft of the paragraph on civil-service reform, and several expressions in this draft, as well as the whole tenor, were adopted. It was at Schurz's suggestion, also, that Hayes' pledge not to be a candidate for re-election was placed immediately after the paragraph on civil-service reform, so as to emphasize the close relationship of the two subjects.

Schon im Dezember hatte Schurz die Andeutung erhalten, Hayes denke daran, ihn zum Mitglied seines Kabinetts zu machen. Als der Senat über die Bestätigung der Kabinettsmitglieder abstimmte, machte sich gegen den in Aussicht genommen Minister des Innern eine Opposition von Belang nicht geltend, und so trat also Carl Schurz in Hayes' Kabinett ein.

Following Hayes' election, when the Senate came to vote on the nominations for the Cabinet no considerable opposition was made to the prospective Secretary of the Interior. Thus Schurz entered Hayes' Cabinet.

Schurz als Redner im Wahlkampf.
Schurz as campaign speaker.

Das Kabinett von Präsident Rutherford B. Hayes, 1877–1881. Von links nach rechts Innenminister Carl Schurz, Generalpostmeister David McK. Key (bis 1880), Kriegsminister George W. McCrary (bis 1879), Justizminister Charles Devens, Außenminister William M. Evarts, Marineminister R. W. Thompson (bis Anfang 1881), Präsident Hayes, Finanzminister John Sherman.

The cabinet of President Rutherford B. Hayes, 1877-1881. From left to right, Secretary of the Interior Carl Schurz, Postmaster General (until 1880) David McK. Key, Secretary of War (until 1879) George W. McCrary, Attorney General Charles Devens, Secretary of State William M. Evarts, Secretary of the Navy (until the beginning of 1881) R. W. Thompson, President Hayes, Secretary of the Treasury John Sherman.

Nach Präsident Grants alkoholgeschwängerter Amtszeit entschloß sich Lucy Ware Webb Hayes (1831-1889), die neue First Lady, ein Exempel zu statuieren. Die Empfänge im Weißen Haus, hier eine zeitgenössische Darstellung, fanden fortan trocken statt, was der Präsidentengattin den Spitznamen »Limonaden-Lucy« eintrug.

After eight years of hard-drinking President Grant in the White House, the Hayes administration must have proven quite a radical departure. Lucy Ware Webb Hayes (1831-1889) was an ardent temperance supporter, and her nickname "Lemonade Lucy" characterized the receptions given at the Executive Mansion during her husband's term of office.

Die zwei großen Aufgaben, vor die sich die neue Regierung gestellt sah, waren die »Reform des Zivildienstes« und die Herstellung normaler Zustände im Süden. Mit der Lage der Dinge im Süden war Schurz zwar durch Augenschein vertraut, es bot sich ihm aber nur wenig Gelegenheit, zur Lösung des Problems beizutragen.

In Fragen der »Reform des Zivildienstes« galt Schurz ganz allgemein als der eigentliche Sachverständige im Kabinett. In seinem eigenen Ressort brachte er sofort das neue System zur praktischen Verwendung. Die Leiter der verschiedenen Abteilungen und andere höhere Beamte mußten ihm ausführliche Entwürfe zur Durchführung des Systems unterbreiten, nach dem bei der Anstellung oder Beförderung die Tauglichkeit allein ausschlaggebend sein sollte. Von diesen rein praktischen Anregungen ausgehend, arbeitete er einen Plan aus und brachte ihn zur Anwendung. Es wurden Prüfungen eingeführt, und nur den erfolgreichen Kandidaten stand der Zugang zu den Beamtenstellen offen; und der Minister erklärte, daß auch Rang- und Gehaltserhöhungen von dem Resultate ähnlicher Prüfungen unter Berücksichtigung der nachgewiesenen Tüchtigkeit im Amte abhängig sein sollten.

Er weigerte sich konsequent, politischen Rücksichten bei der Besetzung der ihm unterstellten Ämter Gehör zu geben, und in gleichem Sinne sprach er sich auch dem Präsidenten gegenüber bezüglich der Verwaltung der anderen Ministerien aus.

Im Herbst und Winter 1877 erwog ein aus Mitgliedern beider Häuser des Kongresses zusammengesetzter Ausschuß eingehend die Möglichkeit und Ratsamkeit der Unterstellung des Indianischen Ressorts unter das Kriegsministerium. Carl Schurz erschien am 6. Dezember vor diesem Ausschuß und unterbreitete einen Bericht, der alles, was sich für den status quo sagen ließ, in der ihm eigenen eindrucksvollen Weise zusammenfaßte. Er sprach es als seine Überzeugung aus, daß das richtige Verfahren in der Behandlung der Indianer sei, sie zu Ackerbau oder Viehzucht in ihren Gebieten anzuleiten. Auch seien Schulunterricht und die übrigen Hilfsmittel der Zivilisation einzuführen. Eine solche Politik werde, so behauptete er, zum Frieden beitragen und sich auch gleichzeitig als am wenigsten kostspielig erweisen. Deshalb sei sie beizubehalten und weiter auszubauen. Aber die Armee sei nicht das geeignete Werkzeug zur Ausführung dieses Planes. Das Militär und militärische Maßnahmen seien im Notfalle unentbehrlich, aber die mühsame und langwierige Arbeit an der sittlichen und geistigen Hebung der Rothäute erfordere von denen, die damit betraut würden, Eigenschaften, die man gerade in der Armee nicht finden werde.

Im Februar 1879 lehnte das Unterhaus die Vorlage ab, die das indianische Ressort unter den Kriegsminister stellen sollte. Die Freunde der Indianer dankten Schurz aufs herzlichste für seinen Anteil an dem glücklichen Ausgang des Kampfes.

The two great problems of policy that confronted the new administration were those of civil-service reform and a readjustment in the South. Mr. Schurz had much practical knowledge of the Southern problem, but only slight responsibility in the efforts to solve it.

As to the policy of civil-service reform, Mr. Schurz was recognized on all sides as the specialist of the administration. In his own department he promptly furnished practical illustrations of the new system. The bureau chiefs and other principal subordinates were all required to submit to him full projects for the application of the merit system in the appointment and promotion of the clerical force. Starting with these wholly practical suggestions, he worked out his plan and put it into operation. Competitive examinations were provided for as the sole channel for entrance into the service; and he announced that promotion in rank and salary should depend upon like tests, together with a comparison of records as to efficiency.

Political grounds, whether affecting the administration in general or himself in particular, Mr. Schurz consistently declined to take into account in manning the offices under him or in advising the President as to other departments.

In the autumn and winter of 1877 a joint committee of Congress investigated at length the feasibility of transferring the Indians to the War Department. Mr. Schurz appeared on December 6th, and presented a statement which summed up in his most effective manner the case for the *status quo*. He announced his conviction that the proper policy in dealing with the Indians was that of guiding them to the practice of agriculture or grazing on their reservations, as a first step toward self-support and toward the occupation of the land in severalty. Education should begin, with the other instrumentalities of civilization. Such a policy, he contended, would be the most conducive to peace and the most economical. It ought to be retained and developed; but the army would be no proper agency for its execution. Military men and methods were indispensable for emergencies; the long, slow process of raising the red men out of barbarism, however, required qualities in those who guided it that the army could not supply.

In February, 1879, an adverse vote in the House put an end to the project of transferring the Indian Bureau. Mr. Schurz received hearty acknowledgments from the friends of the Indians for his contribution to this happy result.

Abendunterhaltung im Weißen Haus: Der Innenminister, ein begabter Pianist, spielt seinem Präsidenten, dessen Familie und Kabinettskollegen vor. Die von einer Miss Georgie A. Davis gezeichnete Szene scheint nicht ungewöhnlich gewesen zu sein: Auch Edisons Phonograph wurde mit Schurzschem Klavierspiel getestet, als ihn der Erfinder 1877 Präsident Hayes vorführte.

An evening's entertainment in the White House: the Secretary of the Interior, an accomplished pianist, performs for the President, the first family and fellow-members of the cabinet. This illustration by Miss Georgie A. Davies seems to show a frequent occurrence at the White House – Schurz was also asked to make a phonograph recording when Thomas A. Edison demonstrated his invention to President Hayes in 1877.

Unvermeidlich wurde Schurz zum Gegenstand einer jener Hollywood-Biographien, die in den dreißiger und vierziger Jahren zahlreichen emigrierten europäischen Schauspielern dankbare Rollen verschafften – hier dem aus Rumänien gebürtigen Edward G. Robinson als Carl Schurz.

Carl Schurz was the inevitable subject of one of those Hollywood biographies which in the 1930's and 40's provided work for many gifted actors of Central European origin, such as Luther Adler, Joseph Schildkraut, Paul Henreid, Paul Muni, and in the case of the Schurz film, Rumanian-born Edward G. Robinson.

In der Indianerpolitik gelang es Schurz, die nach der Schlacht von Little Bighorn (Juni 1876) verhärteten Fronten einander wieder anzunähern. Die Illustration zeigt ihn als Abgesandten des »Großen Weißen Vaters« vor dem Sioux-Häuptling Gefleckter Schwanz.

After the battle at Little Bighorn (June 1876), Schurz was able to bring the opposing sides of the Indian issue together. This illustration shows him as a representative of "The Great White Father" before Sioux Chief Spotted Tail.

149

Jounalistische und politische Tätigkeit

Die Wahl Garfields im Jahre 1880 begrüßte Carl Schurz mit Freude, obgleich er wußte, daß er nicht darauf rechnen durfte, seinen Sitz im Kabinett zu behalten. Die intimen Beziehungen des zukünftigen Präsidenten zu Blaine allein schlossen für ihn jeden Gedanken an ein Bleiben im Amte aus. Am 8. März 1881 trat Schurz vom Ministerium des Innern zurück, begleitet von ungewöhnlich warmen Ausdrücken der Zuneigung und Liebe von seiten seiner Untergebenen.

Schon vor seinem Ausscheiden aus dem Ministerium bot sich Carl Schurz auf so vielen Seiten Gelegenheit zu künftiger Tätigkeit, daß ihm die Wahl schwer wurde. Selbstredend überwogen die Angebote einer journalistischen Beschäftigung. Schurz selbst hegte den immer dringender werdenden Wunsch, eine umfassende Geschichte der Vereinigten Staaten mit besonderer Berücksichtigung des Bürgerkrieges von 1861 bis 1865 zu schreiben. Und es war also unzweifelhaft in der Absicht, sich durch eine Vorarbeit für diese Hauptaufgabe zu schulen, daß er es übernahm, Henry Clay für die »Serie von Lebensbeschreibungen amerikanischer Staatsmänner« zu behandeln.

Aber diese verlockenden Aussichten auf ein ganz der historischen Forschung und literarischen Tätigkeit gewidmetes Leben wurden bald durch eine ebenso anziehende, aber pekuniär lohnendere journalistische Beschäftigung verdrängt.

Henry Villard war Haupteigentümer der in New York erscheinenden *Evening Post* geworden und übertrug Carl Schurz, E. L. Godkin und Horace White, zugleich mit einem Anteil an dem Geschäftsgewinn, die Leitung der Redaktion.
Da sich aber Reibungen bei der Leitung der *Post* nicht vermeiden ließen, trat Carl Schurz im Herbst 1883 ganz aus der Redaktion aus.

Wäre er im Besitz eines auskömmlichen Vermögens gewesen, so hätte er schon früher mehr Muße gefunden, sich literarischen Arbeiten zu widmen. Aber eine solche Tätigkeit, besonders auf dem Gebiete der Geschichtschreibung, bringt wenig Geld ein. Sparsam und fleißig wie er war, fühlte er sich doch wohl kein Jahr finanziell in behaglichen Umständen, wenn er nicht durch Arbeiten, die nicht im höhern Sinne schriftstellerisch genannt werden konnten, seine Einkünfte vermehrte.

Sobald die beiden Parteien 1884 ihre Kandidaten aufgestellt hatten, organisierte sich die Opposition gegen Blaine innerhalb der republikanischen Partei mit großer Schnelligkeit, und diese Bewegung nahm Schurz' Zeit und Tatkraft voll in Anspruch. Das Programm lautete: »Gemeinsames Vorgehen mit der demokratischen Partei, ohne in ihr aufzugehen.«
Blaine wurde mit verschwindend kleiner Majorität geschlagen, aber gerade der Umstand, daß der Sieg nur mit knapper Not errungen war, setzte den Triumph der Unabhängigen in umso helleres Licht, denn er ließ keinen Zweifel darüber aufkommen, daß sie den Ausschlag gegeben hatten. Und Sieger und Besiegte erklärten, mit größerer oder geringerer Bereitwilligkeit, daß die Lorbeeren vor allem Carl Schurz gebührten.

Journalistic and Political Activities

The election of Garfield in 1880 was received with cheerfulness by Secretary Schurz, although he knew that it would be politically impracticable for him to be retained in the Cabinet. The intimate relations between the President-elect and Mr. Blaine would alone have forbidden the thought of continuance in office. On the 8th of March, 1881, Mr. Schurz retired from the Departement of the Interior, amid rather unusual expressions of goodwill and affection from his subordinates in the service.

Before Mr. Schurz left the Interior Department he was confronted with an almost embarrassing number of propositions for future occupation. Journalistic enterprises were naturally the most prominent. He also cherished, with increasing fondness, the desire to write a comprehensive history of the United States, with special reference to the Civil War. Doubtless as tentative preparation for this task, he agreed in the spring of 1881 to contribute *Henry Clay* to the American Statesmen series of biographies.

But this pleasing prospect of a life of historical research and literary creation – of which he began to dream at Bonn when a callow student under Kinkel – was soon displaced by an equally attractive and more remunerative enterprise in journalism.

The control of the New York *Evening Post* was purchased by Henry Villard, who transferred a part financial interest and the absolute editorial control to Carl Schurz, E. L. Godkin and Horace White, with the first-named as editor-in-chief.
Because friction in the conduct of the *Post* could not be avoided, Mr. Schurz withdrew from all connection with it, in the autumn of 1883.

If he had possessed an independent fortune, he would earlier have found more time to devote to literature. But the production of literature, and most of all historical literature, is unremunerative. Although both thrifty and industrious, probably he never felt entirely comfortable financially for a whole year unless he was adding to his income by labors that were not wholly those of a man of letters.

As soon as the two parties had put their candidates in the field, the organization of the anti-Blaine Republicans proceeded rapidly and absorbed parctically the whole time and energy of Mr. Schurz. The line of action was that of co-operation but not coalescence with the Democrats. Blaine was defeated by only the narrowest possible margin. The closeness of the result really emphasized the triumph of the Independents, for it left no room to doubt that they determined the outcome. And the victors and the vanquished agreed, however reluctantly, that the chief laurels belonged to Mr. Schurz.

Karikatur von Schurz mit zersplitterter Feder nach seinem Ausscheiden aus der Redaktion der »Evening Post«; das Plakat in seinem Rücken wirbt für Schiffsreisen nach Deutschland.

Caricature of Schurz with a broken quill, following his withdrawal from the "Evening Post". The poster on the wall behind him might be taken as a subtle hint.

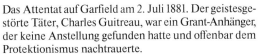

Das Attentat auf Garfield am 2. Juli 1881. Der geistesgestörte Täter, Charles Guitreau, war ein Grant-Anhänger, der keine Anstellung gefunden hatte und offenbar dem Protektionismus nachtrauerte.

The assassination of President Garfield on July 2, 1881. Charles Guitreau was an emotionally disturbed individual who had been an ardent advocate of General Grant's. He had hoped to receive some kind of political office from the new President, and when he discovered that protectionism was no longer in effect, decided to take violent action.

Fotografie von Carl Schurz gegen Ende seiner Amtszeit als Innenminister.

Photograph of Carl Schurz, taken toward the end of his service as Secretary of the Interior.

151

Literarische Tätigkeit 1884–1892   Literary Activities, 1884–1892

Während dieser Jahre ernsten Bemühens, auf die politische Stimmung Einfluß zu gewinnen, war nun Carl Schurz in aller Form auf dem Felde literarischen Schaffens aufgetreten. Im Winter 1884 auf 1885 hatte er vier Monate lang den Süden bereist und jeden Staat mit Ausnahme von Mississippi besucht. Sein Zweck war einmal die Sammlung von Material für die geplante Geschichte der Vereinigten Staaten und ferner das Studium der Umwandlungen, die sich in den sozialen Bedingungen des Südens vollzogen hatten, seitdem er vor zwanzig Jahren seine ersten Beobachtungen angestellt und in dem denkwürdigen Bericht an Präsident Johnson niedergelegt hatte. Im Mai 1885 faßte er das Ergebnis seiner Reise in einer Broschüre von 33 Seiten zusammen, der er den Titel *Der neue Süden* gab. Sein Urteil über den allgemeinen Verlauf der Dinge während der Rekonstruktion und über das Aufgeben jener verhängnisvollen Politik war überaus gerecht und aufrichtig.

Der neue Süden fand weniger Beachtung als seine literarischen und inhaltlichen Vorzüge verdienten. Nach der Veröffentlichung dieser Broschüre machte sich Carl Schurz ernstlich an die Ausarbeitung der Biographie von Henry Clay, die er im Sommer 1886 vollendete und Ende des folgenden Winters im Druck erscheinen ließ.

Der Erfolg seines *Henry Clay* gab Carl Schurz für den langgehegten Plan eines größeren Geschichtswerkes erneuten Antrieb. Gleichzeitig aber nahm der Gedanke, seine Lebenserinnerungen aufzuzeichnen, ein Gedanke, den Schurz schon lange unbestimmt in sich herumgetragen hatte, unter der Einwirkung verschiedener Einflüsse definitive Gestalt an.

In der Absicht, für beide literarische Unternehmungen Stoff zu sammeln, entschloß sich Carl Schurz zu einer Reise nach Europa. In Spanien und Deutschland gedachte er, sich persönliche Erlebnisse wieder deutlicher ins Gedächtnis zurückzurufen. Gleichzeitig machten einige Geschäftsangelegenheiten seine Anwesenheit in Hamburg nötig, wo die Familie noch bedeutende finanzielle Interessen hatte. Er begab sich also im April 1888 nach Europa und kehrte erst spät im November zurück.

Bald nach seiner Rückkehr nach New York erfuhr man, daß die Reise in die alte Heimat in geschäftlicher Hinsicht wichtige Resultate gezeitigt hatte: im Dezember machte die Hamburg-Amerikanische Dampfschifffahrtsgesellschaft bekannt, daß er mit dem Beginn des neuen Jahres die Stellung eines Generalvertreters in Amerika übernehmen werde. Mit dem Gedanken an eine feste Anstellung, die ihm ein sicheres Einkommen gewährleistete, hatte sich Schurz getragen, seitdem er von der *Evening Post* zurückgetreten war; aber verschiedene auf den Ankauf einer Zeitung gerichtete Pläne hatten sich zerschlagen. Allmählich kam er freilich zu der Überzeugung, daß er sich in der Hoffnung, die Pflichten als Generalagent mit literarischem Schaffen verbinden zu können, getäuscht habe, und nachdem er auf besonderen Wunsch der Gesellschaft noch sechs Monate länger, als er beabsichtigte, die Stellung beibehalten hatte, löste er am 1. Juli 1892 seine Verbindung mit der Hamburg-Amerika-Linie.

During these years of earnest effort to influence the political current, Mr. Schurz had formally entered the field of literature. In the winter of 1884/85 he traveled for four months through the South, visiting all the States except Mississippi. His purpose was partly to acquire material for his proposed history of the United States and partly to study the transformations in social conditions since his famous observations and report twenty years earlier. In May, 1885, he summed up the results of his tour in a pamphlet of thirty-three pages entitled *The New South*. His judgments on the general course of events in reconstruction as well as on the undoing of reconstruction were eminently just and candid.

The New South attracted less attention than its literary and philosophic merits deserved. After its publication Mr. Schurz devoted himself seriously to the *Henry Clay*, which was finished in the summer of 1886 and published late in the following winter.

The success of the *Henry Clay* gave a great renewing impulse to the project of a more extensive historical work. At the same time the idea of a volume of personal reminiscences, long vaguely in Mr. Schurz's mind, began to take definite form under the operation of various influences.

With the idea of procuring material for both these literary enterprises Mr. Schurz resolved upon a visit to Europe. In Spain and Germany he desired to refresh his memory on episodes of his personal career. Private business affairs also demanded attention in Hamburg, where the family interests were still important. Accordingly he crossed the Atlantic in April, 1888, and did not return till late in November.

On his return to New York it was quickly revealed that the business aspect of his trip had had important results, for in December the announcement was made that with the new year he would assume the duties of general American representative of the Hamburg-American Steamship Company. The assumption of an income-producing routine had been in Mr. Schurz's mind ever since he left the *Evening Post*. In 1885 he had negotiated for a controlling interest in the Boston *Advertiser,* but had not been able to see a sufficiently attractive financial outlook in the project. The Boston *Post* also was under consideration at the same time, but without result. He gradually became convinced that his hope of successfully combining the steamship agency with literary productivity was ill-founded, and on July 1, 1892, after holding his position at the urgent request of the company for six months longer than he wished, he severed his connection with the Hamburg-American Line.

Titelseite von Schurz' zweibändiger Biographie »Henry Clay«, 1887. Clay (1777-1852) war von 1825 bis 1829 Schurz' Vorgänger im Amt des Innenministers.

Title page of Schurz' two-volume biography of Henry Clay, published in 1887. Clay (1777-1852) had been Schurz' predecessor in the office of Secretary of the Interior from 1825 to 1829, and like Schurz had seen distinguished service in the United States Senate.

Zweiter Besuch beim »Eisernen Kanzler«: Der Holzstich zeigt Carl Schurz und Otto von Bismarck im Jahre 1888.

Second visit to the "Iron Chancellor" – this woodcut shows Carl Schurz and Otto von Bismarck in 1888.

> Die Gesellschaft hat ferner die Genugthuung gehabt, es am Tage des Stapellaufs der „Augusta Victoria" verkünden zu können, daß sie für den neu geschaffenen Posten eines amerikanischen Directors der Hamburg-Amerikanischen Packetfahrt-Actien-Gesellschaft mit dem Sitze in New-York die Person des ehemaligen Ministers und Senators der Vereinigten Staaten **Karl Schurz** zu gewinnen vermochte. Es kann uns Deutschen nur zur Freude gereichen, das Talent und die Arbeitskraft, sowie die staatsmännische und wirthschaftliche Potenz unseres berühmten Landsmannes für die Pflege der Beziehungen und des Verkehrs zwischen beiden Nationen durch unsere Gesellschaft in Wirksamkeit gebracht zu sehen.

Aus einer Mitteilung »An unsere Herren Agenten« der Hamburg-Amerikanischen Packetfahrt-Actien-Gesellschaft vom 5. Februar 1889.

From a letter "To Our Distinguished Representatives" from the Hamburg-American Packetboat Corporation dated February 5, 1889.

Der Hapag-Dampfer »Karl Schurz«.

The Hapag Steamship "Karl Schurz".

Es waren noch keine acht Tage seit der Lösung seiner geschäftlichen Beziehungen zu der Hamburg-Amerika-Linie vergangen, da wandte sich die Firma Harper and Brothers an Carl Schurz mit der Bitte, an Stelle des schwer erkrankten George William Curtis den Leitartikel für das von ihnen verlegte *Harper's Weekly* zu liefern. Am 31. August 1892 starb Curtis und das »Wochenblatt« vom 10. September brachte einen brüderlich liebevollen Nachruf, der unzweifelhaft aus Schurz' Feder stammte. Die ursprüngliche Vereinbarung, nach der Carl Schurz jede Woche den Leitartikel schreiben, aber der Name des Verfassers ein Geheimnis bleiben sollte, wurde anfänglich als rein provisorisch angesehen. Aber man war beiderseits mit dem Arrangement so zufrieden, daß es nahezu sechs Jahre in Kraft blieb.

Die Verbindung mit einem angesehenen Wochenblatt war Carl Schurz aus verschiedenen Gründen sehr willkommen. Sie ermöglichte es ihm, auf die öffentliche Meinung einzuwirken, ohne sich der Plackerei und Verantwortlichkeit einer tagtäglichen Redaktionstätigkeit unterwerfen zu müssen. Und diese Gelegenheit bot sich ihm gerade zu einer Zeit, wo die politische Sachlage sein intensivstes und hoffnungsvollstes Interesse wachrief. Es war mitten in der Wahlagitation des Sommers 1892, Cleveland und Harrison die Kandidaten, Zolltarif und Währungsfrage die Hauptprogrammpunkte.

Nach dem Tode von Curtis wurde Carl Schurz, der bereits Vorsitzender des New Yorker Zivildienstreformvereins war, im Jahre 1892 als Curtis' Nachfolger zum Vorsitzenden des nationalen Zivildienstreformverbandes gewählt, der im Jahre 1881 gegründet worden war.

Daß Carl Schurz so im doppelten Sinne der Nachfolger von Curtis wurde, ist eine ungewöhnliche Anerkennung der hohen Geistes- und Charaktereigenschaften der beiden Männer. Gegenseitige Achtung und Sympathie verband sie seit vielen Jahren aufs engste. Curtis wandte sich ausschließlicher der Literatur, Schurz mehr der Politik zu. Sie waren sich als junge Männer und Mitglieder des republikanischen Nationalkonvents im Jahre 1860 begegnet und gleich nahe getreten.

Die Wahl im November 1896 führte McKinley ins Weiße Haus. Schurz' kühnste Hoffnungen gingen jetzt wohl kaum weiter, als daß es gelingen möchte, McKinley davon abzuhalten, alles das wieder rückgängig zu machen, was schon erreicht worden war. Die ersten Monate der neuen Regierung boten Schurz vielfach Gelegenheit, dem Präsidenten seine Lieblingsideen zu predigen. Ein reger Briefwechsel und zwei Unterredungen trugen dazu bei, den Präsidenten in seinen guten Vorsätzen zu bestärken, obgleich der Druck, den die Beutejäger auf ihn ausübten, wie er selbst zugab, gewaltig war, und Ende Juli 1897 legte McKinley seine der Zivildienstreform freundliche Gesinnung durch eine Verordnung an den Tag, nach der Amtsentlassungen aus rein politischen Gründen bedeutend eingeschränkt wurden.

Less than a week after leaving the Hamburg-American office Mr. Schurz was requested by Harper and Brothers to supply for their *Weekly* the leading editorial in place of George William Curtis, then fatally ill. On the last day of August, 1892, Mr. Curtis died, and the *Weekly* of September 10 contained a warm, eloquent and fraternal tribute to his memory, doubtless written by Mr. Schurz. The arrangement under which the leading editorial was furnished every week was understood to be temporary and strictly secret. Both parties were so well satisfied, however, that the contributions continued for nearly six years but, of course, Schurz' style and ideas were soon recognized.

For various reasons this connection with a substantial weekly journal was very opportune for Mr. Schurz. It enabled him to exercise an influence on public opinion without binding him to the drudgery and responsibility of daily editorial routine; and it came to him at the very moment when the political situation was such as to excite his deepest and most hopeful interest. Harrison and Cleveland were at this time, the summer of 1892, in the midst of their second contest, and the chief issues were the tariff and the currency.

Upon the death of Mr. Curtis, in 1892, Mr. Schurz, already president of the New York Civil Service Reform Association, was chosen to succeed him as president of the National Civil Service Reform League which had been founded in 1881.

That Schurz should doubly succeed Curtis was a rare compliment to the mental and moral qualities of the two men. Their mutual respect and sympathy had long been complete. Curtis lived closer to letters than Schurz; and Schurz, closer to politics than Curtis. They first met and became friends when both were young men and members of the Republican National Convention of 1860.

The election of 1896 brought McKinley into the White House. Mr. Schurz's most sanguine hope was that McKinley might be deterred from undoing what had been actually accomplished. The early months of the new administration afforded much opportunity for Mr. Schurz to preach his favorite doctrines to the President. Copious correspondence and two personal interviews contributed to fortify Mr. McKinley's good purposes against what he confessed was a tremendous pressure by the spoilsmen, and late in July, 1897, his favor to the reform was signalized by an executive order greatly restricting removals on political grounds.

HARPER'S WEEKLY

JOURNAL OF CIVILIZATION

Vol. XXXVI.—No. 1864.
Copyright, 1892, by Harper & Brothers.
All Rights Reserved.

NEW YORK, SATURDAY, SEPTEMBER 10, 1892.

TEN CENTS A COPY.
FOUR DOLLARS A YEAR.

GEORGE WILLIAM CURTIS.

Als George William Curtis, der Herausgeber von »Harper's Weekly«, erkrankte, wurde Schurz gebeten, als anonymer Leitartikler für ihn einzuspringen. Einer der ersten Artikel, die Schurz für die Zeitschrift lieferte, war ein bewegender Nachruf auf Curtis in der abgebildeten Ausgabe vom 10. September 1892. Weitere sechs Jahre lang schrieb Schurz unsignierte Kommentare für das Blatt, das ihn während seiner Zeit als Führer der Liberalen Republikaner so mokant karikiert hatte.

When prominent publisher George William Curtis became ill, his staff asked Carl Schurz to substitute for him as an anonymous editorial writer. In fact one of Schurz' first editorials was a moving obituary of Curtis in the issue published on Saturday, September 10, 1892. Schurz continued for another six years to perform the functions of anonymous, "temporary" editorialist on the pages of the same "Harper's Weekly" that had so bitterly ridiculed him during the early years of the Reform Republican movement.

Im April 1898 brachte ihm der Rücktritt von der Redaktion von »Harpers Wochenblatt« wenigstens auf einer Seite Befreiung von unablässigen Ansprüchen an seine Arbeitskraft. Die politischen Anschauungen und die finanziellen Interessen der Eigentümer machten eine Änderung in der allgemeinen Haltung der Wochenschrift nötig, um sie mit der allgemeinen Stimmung, die stürmisch nach Krieg und Gebietserweiterung verlangte, mehr in Einklang zu bringen. Von Carl Schurz war, gegenüber dieser Strömung, auch nicht das kleinste Zugeständnis zu erwarten, und so hörten seine Leitartikel auf. Der Abbruch dieser ihm lieb gewordenen Beziehungen war aber nur der erste von vielen, die der Krieg mit Spanien herbeiführte. Er stand jetzt in seinem 70. Lebensjahre. Als Vierziger hatte er Grants Absichten auf Ländererwerb in den Tropen mit Erfolg bekämpft, und die öffentliche Meinung hatte seinen Standpunkt nicht mißbilligt. Nun, da er fast 70 Jahre zählte, bekämpfte er einen ähnlichen Plan, aber bei jedem Schritt begrüßte ihn ein wahrer Sturm von Spott und Hohn, denn diesmal überschrie das amerikanische Volk desselben Mannes Proteste mit lautem Pochen auf eine Weltmission.

Die Ereignisse, die zum Eingreifen der Vereinigten Staaten in Kuba führten, beobachtete Carl Schurz mit wahrer Seelenpein. Er wußte aus eigener Erfahrung, wieviele Leiden ein Krieg im Gefolge haben mußte; er verachtete die Wühler unter den Journalisten und Politikern, die sich besonders bemühten, das Volk noch mehr gegen Spanien aufzuhetzen, und am meisten fürchtete er die Rückwirkung eines erfolgreichen Krieges auf die Zukunft der politischen Institutionen der Republik. Als die Situation sich im April zur Krise zuspitzte, tat er alles, was in seinen Kräften stand, um das Unheil abzuwenden. Solange er noch für »Harpers Wochenblatt« schrieb, drang er in jedem Leitartikel auf die Notwendigkeit der Erhaltung des Friedens.

Um der gewaltigen Strömung, die nach »Expansion« verlangte, wenn möglich einen Damm entgegenzustellen, beriefen ihre Gegner eine »nationale Konferenz über die auswärtige Politik der Vereinigten Staaten«. Schurz verfaßte den Aufruf und war der Hauptredner in der Versammlung, die am 18. August 1898 stattfand. Eine Politik der Expansion wurde aus Gründen der Ehre, der Moral, konstitutioneller Erwägungen und der Handelsinteressen bekämpft.

Die Umstände, unter denen sich die Präsidentenwahl von 1904 abspielte, waren für Schurz sehr ermutigend. Beide Parteien hatten sich für schließliche Freigebung der Philippinen erklärt; die Republikaner waren durch die Rede des zeitweiligen Vorsitzenden des Konvents, Elihu Root, dazu verpflichtet, die Demokraten aber hatten sich in aller Form in ihrem Wahlaufruf dafür ausgesprochen. Diese Tatsache verringerte Schurz' Sorge über diese Seite des Imperialismus bedeutend. Sonstige wichtige politische Fragen und die Persönlichkeit der beiden Kandidaten wirkten zusammen, so daß Schurz dem Demokraten Parker den Vorzug vor dem Republikaner Roosevelt gab.

In April of 1898 one unremitting drain upon his energy was removed by the termination of his connection with *Harper's Weekly.* The political convictions as well as the financial interests of the proprietors dictated a change in the policy of the paper to bring it more nearly in harmony with the popular sentiment that was clamoring for war and territorial expansion. No concession to such a sentiment could ever be expected of Mr. Schurz, and hence his weekly editorials ceased. The rupture of this relation was the first of many that were produced by the Spanish War. He was now past his sixty-ninth birthday. At forty he had successfully antagonized Grant's project of tropical expansion and had met no popular disapproval of his course. Now, with three score and ten close at hand, he antagonized, as we shall see, a similar project, only to find at every turn a tumult of flouting and jeers as the American people overwhelmed his protest with exultant boasts of a world mission.

The events that led to intervention in Cuba were followed by Mr. Schurz with positive mental distress. From personal experience he could clearly foresee the sufferings that war would entail; he despised the agitators, journalistic and political, who were most conspicuous in inflaming the popular mind against Spain; and most of all he feared the effects of success upon the future of our institutions. As the crisis approached in April, he labored strenuously to avert the disaster. So long as he wrote for *Harper's Weekly* his editorials were insistent on peace.

To interpose what resistance was possible to the sweep of expansionist sentiment, its adversaries organized a "National Conference on the Foreign Policy of the United States." Schurz drafted the call and made the chief address at the conference on August 18th. Expansion was opposed on grounds of morals and honor, of institutional policy and of commercial interest.

The conditions under which the presidential campaign of 1904 were fought were full of comfort to Mr. Schurz. The Republicans were practically committed, by Mr. Root's speech as temporary chairman of the convention, and the Democrats were formally committed by their platform, to ultimate withdrawal from the Philippines. This fact materially qualified Mr. Schurz's anxiety over this aspect of imperialism. Both on account of other prominent issues and on account of the personalities of the candidates, he was bound to prefer Parker to Roosevelt.

156

In der imperialistischen Expansionspolitik, die Präsident William McKinley (1843 - 1901) mit der Annektierung von Hawaii, Kuba und den Philippinen betrieb, sah Schurz den ursprünglichen, amerikanischen Sendungsgedanken mißbraucht. Daß er mit seiner Kritik fast allein stand, illustriert die Karikatur aus dem Jahr 1900, in der McKinley Uncle Sam gerade einen größeren Anzug anmessen will, während ein diabolischer Dr. Schurz mit dem Brechmittel bereit steht, um die Expansion zu hintertreiben.

In the early part of the 20th Century, Schurz' attitude toward expansionism was not shared by many. President McKinley's annexations, including Hawaii, Cuba and the Philippine Islands were largely applauded by the American public, as in this cartoon from the year 1900, showing the President measuring Uncle Sam for a bigger suit, while a diabolical Dr. Schurz prepares to try to administer an emetic.

Lebenserinnerungen 1905/06   The "Reminiscences", 1905/06

Seine *Lebenserinnerungen* machten ständige und erfreuliche Fortschritte. Im Herbst 1905 fing der früheste Teil in »McClures Magazine« in Lieferungen zu erscheinen an und brachte dem Verfasser eine reiche Fülle von anerkennenden Schreiben aus beiden Weltteilen. Der Erfolg des Werkes war gleich am Anfang seines Erscheinens gesichert, ob man es nun vom geschichtlichen, biographischen oder literarischen Standpunkte aus betrachtete, und er erfüllte Carl Schurz mit tiefer und inniger Genugtuung.

Mit seinen vier Kindern, zwei Töchtern und zwei Söhnen, führte er ein höchst glückliches Familienleben, bis ihm im Sommer 1900 ein grausames Geschick den jüngsten, Herbert, an der Schwelle eines vielversprechenden Mannesalters entriß. Während der neunziger Jahre wohnte er eine Zeitlang in Pocantico Hills im Staate New York. Dort fand er solchen Genuß an seiner geräumigen und reich ausgestatteten Bücherei, an der kräftigenden Landluft und der malerischen Umgebung, daß der Zauber, den nahe Beziehungen zu öffentlichen Angelegenheiten und zu tätigen, geistvollen Menschen auf ihn ausübten, fast seine Kraft verlor. Später wohnte er mehrere Jahre in New York in der 64. Straße. Von dort zog er 1902 in ein Haus in der 91. Straße und wurde so der Nachbar seines guten Freundes Andrew Carnegie. Dort wohnte er von nun an, wenn er in der Stadt war. Während seiner letzten Jahre verbrachte er verschiedentlich die rauhe Jahreszeit in Augusta, Georgia, den Sommer aber immer in den Bergen bei Bolton Landing an dem Ufer des Lake George im Staate New York. Hier war sein nächster Nachbar der liebste seiner alten Freunde, Dr. Abraham Jacobi, und in unmittelbarer Nähe hatte sich eine Anzahl deutschamerikanischer Familien angesiedelt, die ihn als ihren Schutzpatron verehrten und für die er alle eine fast väterliche Zuneigung hegte.

Der ernste Ton aller seiner öffentlichen Reden hat Anlaß zu der weitverbreiteten Vorstellung gegeben, daß er eine harte und kalte Natur gewesen sei, ohne Humor und den Freuden der Geselligkeit abhold. Das ist aber ein großer Irrtum.

Je mehr er sich dem »unentdeckten Lande« näherte, »von des Bezirk kein Wanderer wiederkehrt«, desto heiterer schien er zu werden. Bald nach seiner Rückkehr aus dem Süden schrieb er Mitte April 1906 an einen intimen Freund und erkundigte sich eifrig nach den Aussichten in der Frage der Philippinen. »Ich bin vorigen Samstag aus dem Süden heimgekehrt und bis jetzt einem Anfall des Bronchialleidens, das mich sonst um diese Zeit zu plagen pflegte, glücklich entgangen. Außer dem Alter kann ich kaum über etwas klagen.« Nur wenige Tage später zeigten sich Symptome, die bald sehr ernst wurden. Als das Leiden sich verschlimmerte, konnte er in den sorgenvollen Mienen seiner Kinder lesen, daß sein Zustand hoffnungslos sei. Ruhig fügte er sich in sein Geschick, traf einige Anordnungen über sein so plötzlich abgebrochenes Werk und sagte, er bedaure nur schmerzlich, daß er seine Memoiren unvollendet lassen müsse. Als er von den Seinen Abschied nahm, suchte er sie mit der Versicherung zu trösten: »Es ist so einfach zu sterben.« Das Ende kam in den frühen Morgenstunden des 14. Mai 1906.

The progress of his memoirs, meanwhile, became steady and reassuring. In the autumn of 1905 the serial publication of the earliest part began, and brought to the author shoals of congratulations from both sides of the ocean. The success of his work, whether as history, as biography or as literature, was assured from the outset of its appearance, and the gratification of Mr. Schurz was deep and devout.

In his family he was very happy, with his four children, two daughters and two sons, until, in the summer of 1900, a cruel fate carried off his younger son, Herbert, at the opening of a most promising manhood. For several years during the '90's his household gods were at Pocantico Hills. He became so fond of his spacious and well-stocked library, of the bracing air and picturesque scenery of this region, that he almost rid himself of the fascination that close contact with public affairs and busy intellectual persons had over him. Later his home for several years was in East Sixty-fourth Street. From there, in 1902, he moved to a house in East Ninety-first Street, next but one to the residence of his warm friend Andrew Carnegie. There he lived, when in the city, during the remainder of his days. For several of his last years he passed the bleakest months in Augusta, Georgia, and his summers were always spent on the heights above Bolton Landing, Lake George, within speaking distance of the dearest of all his life-long friends, Dr. Jacobi, and in a neighborhood of New York German-Americans, who regarded him as a patron-saint and for each of whom he had almost paternal affection.

The seriousnes of all his public utterances caused a popular notion that he was a man of stern and unsympathetic temperament, devoid of humor and indifferent to social pleasures. This was altogether erroneous.

He seemed to be more rather than less cheerful as he neared "the shadow feared of man." Soon after his return from the South, in the middle of April, 1906, he wrote in a letter to an intimate friend, eagerly inquiring about prospects in the Philippine matter: "I returned from the South last Saturday, having so far escaped the bronchial troubles which used to afflict me about this season, and save old age, have little to complain of." Not many days later symptoms appeared which soon became very serious. As the disease developed he was able to read in the distressed faces of his children that his condition was hopeless. He accepted his fate with resignation; gave some instructions about his abruptly ended work; and said that his only deep regret was that he must leave his memoirs unfinished. When bidding farewell to those about him, he sought to comfort them with the assurance, *Es ist so einfach zu sterben* – it is so simple to die. The end came in the early morning of May 14, 1906.

Eine der letzten Aufnahmen von Carl Schurz.

One of the last photographs of Carl Schurz.

1913 wurde im New Yorker Morningside Park, in der Nähe des Campus der Columbia Universität, ein Denkmal für Carl Schurz errichtet, das der in Wien geborene deutsch-amerikanische Bildhauer Karl Bitter entworfen hatte. Die Inschrift auf dem Sockel lautet: *Carl Schurz, ein Verteidiger der Freiheit und ein Freund menschlicher Würde.*

At the entrance to New York's Morningside Park, on the corner of 116th Street and Morningside Avenue, adjacent to the campus of Columbia University, a memorial was erected to Carl Schurz in 1913, bearing the dedication: *Carl Schurz, a Defender of Liberty and a Friend of Human Rights.* The statue was sculpted by Karl Bitter, an artist of Austrian origin.

Carl Schurz wird am 2. März auf einer Burg bei Liblar im Rheinland als erstes Kind des Schulmeisters Christian Schurz geboren. Im Dorf Liblar, das ungefähr 800 Einwohner hat, leben kleine Bauern, Tagelöhner, Handwerker und einige Wirte und Krämer. Henry Wadsworth Longfellow (1807 - 1882) besucht Deutschland: in seinen späteren Gedichten wählt er mehrfach den Rhein als Schauplatz.	1829	Carl Schurz is born on March 2, in a castle near Liblar in the Rhineland. He ist the oldest son of the local schoolmaster, Christian Schurz. The population of about 800 consists mainly of small farmers, day laborers, craftsmen and a few innkeepers and shopkeepers. Henry Wadsworth Longfellow (1807-1882) visits Germany; his later poems contain many references to the Rhine.
Die Verletzung politischer Rechte durch Karl X. führt zur französischen Julirevolution; auch in Brüssel und mehreren deutschen Kleinstaaten kommt es zu Unruhen.	1830	The violation of political rights by Charles X leads to the July Revolution in France. There is also unrest in Brussels and some of the small German states.
Hambacher Fest der Süddeutschen Demokraten führt zur Aufhebung der Presse- und Versammlungsfreiheit.	1832	The "Hambach Festival" of South German democrats results in the rescinding of freedom of the press and of assembly.
Gründung des Deutschen Zollvereins, eines zollpolitischen Zusammenschlusses unter Führung Preußens.	1833/34	Founding of the German Tariff Union, a political-economic institution, under the leadership of Prussia.
Schurz besucht die Dorfschule in Liblar und erhält zu Hause ergänzenden Unterricht. Seine jüngeren Geschwister sind Heribert, Anna und Antoinette. Gründung der Gießen-Gesellschaft, die sich zum Ziel setzt, ein neues Deutschland in den USA zu verwirklichen. Der »Männerchor von Philadelphia« konstituiert sich als erster deutschamerikanischer Gesangverein. James Gordon Bennett (1795-1872) gibt mit dem *New York Herald* das erste Ein-Cent-Massenblatt heraus.	1835	Schurz attends the village school in Liblar, receiving additional instruction at home. He now has a younger brother, Heribert, and two younger sisters, Anna and Antoinette. Foundation of the Giessen Society, aiming at establishing a "new Germany" in the United States. The male chorus "Männerchor von Philadelphia" is the first German-American "Gesangverein" (choral society). James Gordon Bennett (1795-1872) publishes the *New York Herald,* the first one-cent newspaper.
Da das Schulmeisteramt die sechsköpfige Familie nicht ernähren kann, eröffnet Vater Schurz eine kleine Eisenwarenhandlung. Ralph Waldo Emerson (1803 - 1882): *Nature,* eines der Hauptwerke des literarischen Transzendentalismus in Amerika.	1836	Unable to support the six members of his family as a schoolmaster, Schurz' father opens a small hardware store. Ralph Waldo Emerson (1803-1882): *Nature,* one of the major works of American literary Transcendentalism.
Schurz wechselt in die Elementarschule in Brühl über und ist im Winter nur noch an den Wochenenden bei der Familie in Liblar. Sein jüngerer Bruder Heribert stirbt an einer Lungenentzündung. Samuel Finley Breese Morse (1791–1872) konstruiert in Charleston/ Massachusetts einen Telegraphen. »Göttinger Sieben«: Sieben Professoren werden entlassen, nachdem sie gegen die Aufhebung des liberalen Staatsgrundgesetzes des Königreichs Hannover von 1833 protestiert hatten.	1837	Schurz transfers to the elementary school in Brühl and is only home on weekends in the winters. His younger brother Heribert dies of tuberculosis. Samuel Finley Breese Morse (1791 - 1872) constructs his telegraph in Charleston, Massachusetts. In the Kingdom of Hanover the liberal constitutional reforms of 1833 are rescinded; seven professors of the University of Göttingen protest and are suspended.
Carl Schurz besucht in Köln das Gymnasium.	1839 - 1846	Carl Schurz attends the Gymnasium in Cologne.
Familie Schurz zieht von Liblar nach Bonn. Wegen finanzieller Probleme der Familie verläßt Carl das Gymnasium in der Unterprima, um sich ganz Familienangelegenheiten widmen zu können.	1846	The Schurz family moves from Liblar to Bonn. Due to financial straits in the family, Carl withdraws from the Gymnasium two years early to devote himself to family businesses.
Schurz ist Gasthörer an der Universität Bonn und bringt sich gleichzeitig im Selbststudium den Stoff der Oberprima bei. In Köln legt er als »Auswärtiger« erfolgreich die Abiturprüfung ab.	1846/47	Schurz audits lectures as a guest student at the University of Bonn, completing his secondary school studies at home. The "non-resident student" successfully passes his secondary school final examinations.
Die Dampfschiffahrtslinie Bremen/New York wird aufgenommen, ab 1857 durch den Norddeutschen Lloyd fortgeführt.	1847	The steamship line Bremen/New York is inaugurated. As of 1857, the line is managed by North German Lloyd.
Schurz immatrikuliert sich an der Bonner Universität und studiert Philologie und Geschichte. Er hört Vorlesungen bei Professor Kinkel.	1847/48	Schurz matriculates at the University of Bonn and studies philology and history. He attends Professor Kinkel's lectures.
Aus Unzufriedenheit mit der Monarchie kommt es in Paris zur Februarrevolution. Frankreich wird Republik. Die Pariser Ereignisse lösen auch in Deutschland Revolutionen aus, in denen sich der Unmut über 30 Jahre restaurativer Politik Luft macht: Aufstand in Wien, Erhebungen in Süddeutschland. Ab März leistet Schurz zusammen mit Kinkel agitatorische Arbeit im »Demokratischen Club«, beteiligt sich an Gründung und Redaktion der *Bonner Zeitung* und hält in der Umgebung Bonns politische Reden.	1848	Dissatisfaction with the monarchy brings about the February Revolution in Paris. France becomes a republic. The events in Paris trigger off revolutions in Germany, where protest becomes loud against thirty years of restoration policies: revolution in Vienna, uprisings in Southern Germany. In March, Schurz and Kinkel begin their work of political agitation in the "Democratic Club"; Schurz participates in the establishment of the *Bonner Zeitung,* serves on the editorial board, and gives political speeches throughout the Bonn area.

Im Mai finden in allen deutschen Ländern Wahlen zum Nationalparlament (»Paulskirchenversammlung«) statt. Nach amerikanischem Vorbild soll eine Reichsverfassung ausgearbeitet werden.
Im September wird Schurz Vertreter der Bonner Studentenschaft beim Studentenkongreß in Eisenach.
Die Amerikaner siegen im Krieg gegen Mexiko (1846 - 48) und erhalten im Frieden zu Guadeloupe-Hidalgo Neu-Mexiko und Kalifornien, wo Gold gefunden wird.
Karl Marx (1818 - 1883)/Friedrich Engels (1820 - 1895): *Das Kommunistische Manifest* erscheint in London in deutscher Sprache.
In Connecticut wird der erste amerikanische Turnverein nach deutschem Vorbild gegründet.

In May, elections to a national parliament ("The Paulskirche Assembly") are held in all German states. A constitution is to be drafted along American lines.
In September, Schurz becomes the official representative of the student body of the Bonn University at the Student Congress in Eisenach.
The Americans are victorious in the war against Mexico (1846 - 1848). The Treaty of Guadalupe-Hidalgo grants them New Mexico and California, where gold is found.
Karl Marx (1818 - 1883)/Friedrich Engels (1820 - 1895): *The Communist Manifesto* is published in London in the German language.
The first American athletic club patterned after those in Germany is founded in Connecticut.

1849

Im März wählt das Frankfurter Parlament den König von Preußen zum Kaiser des deutschen Nationalreiches. Als Friedrich Wilhelm IV. die Kaiserkrone ablehnt, kommt es zu bewaffneten Aufständen.
Schurz nimmt an Kämpfen in der Pfalz und in Baden teil und entzieht sich preußischer Gefangenschaft durch Flucht aus der eingeschlossenen Festung Rastatt. Über Frankreich kommt er in die Schweiz, wo er als politischer Flüchtling lebt.
Massenauswanderungen politischer Flüchtlinge nach den USA: die sogenannten 48er. Amerika im Goldrausch – fast 100.000 Abenteurer eilen nach Kalifornien. Zunehmende Besiedlung des fernen Westens als Folge der Goldfunde in Colorado (1858), Nevada (1859) und Montana (1862).

In March, the Constituent Assembly elects the King of Prussia Emperor of the German National Empire. When Frederick William IV declines the imperial crown, the result is armed uprisings.
Schurz participates in the battles in the Palatinate and manages to escape from the Prussians through a sewer. From France, he crosses into Switzerland where he lives as a political fugitive.
Mass emigration of political refugees to the United States: the so-called Forty-Eighters. Gold rush in America: almost 100,000 prospectors hurry to California. Increasing settlement of the Far West as a result of gold discoveries in Colorado (1858), Nevada (1859) and Montana (1862).

1850

Im März reist Schurz mit falschem Paß von Zürich nach Deutschland, um Vorbereitungen für die Befreiung Kinkels aus dem Gefängnis zu treffen. Die Befreiung in der Nacht vom 6. auf den 7. November und die anschließende gemeinsame Flucht nach England bringt Schurz im In- und Ausland große Popularität.

In March, Schurz enters Germany from Zürich using a forged passport. His mission is to liberate Kinkel from prison – the escape takes place on the night of November 6. The story of their breath-taking flight to England brings both men international renown.

1851

Am 2. Dezember beendet Louis Napoleons Staatsstreich die französische Republik und damit die Hoffnung vieler Emigranten auf eine neue Revolution in Frankreich und den übrigen europäischen Ländern.

Louis Napoleon's *coup d'état* on December 2, puts an end to the hopes of many emigrants for a new revolution in France and the rest of Europe.

1852

Schurz entschließt sich, nach Amerika auszuwandern. Am 6. Juli heiratet er in London Margarethe Meyer aus Hamburg.
August/September: Überfahrt per Schiff von Portsmouth nach New York in die neue Heimat. Aufenthalte in New York, Philadelphia und Washington. Intensives Studium der englischen Sprache. Besuch von Senat und Abgeordnetenhaus und Gespräche mit einzelnen Abgeordneten.

Schurz decides to emigrate to the United States. On the 6th of July, in London, he marries Margarethe Meyer from Hamburg.
August/September: crossing from Portsmouth to the new homeland. Visits to New York, Philadelphia and Washington. Intensive study of the English language. Attends sessions of the Senate and House of Representatives and meets some Congressmen.

1854

Schurz kauft ein Grundstück und baut ein Haus in Watertown, Wisconsin.
Henry David Thoreau (1817 - 1862): *Walden oder Leben in den Wäldern,* eines der bedeutendsten Werke des amerikanischen Transzendentalismus.

Schurz buys land and builds a house in Watertown, Wisconsin.
Henry David Thoreau (1817 - 1862): *Walden,* one of the most important works of American Transcendentalism.

1855

Europareise wegen einer Erkrankung von Frau Schurz.
Walt Whitman (1819 - 1892): *Grashalme,* Gedichte der amerikanischen Romantik.
Castle Garden wird als Durchgangslager für Immigranten in New York City eröffnet.

Mrs. Schurz' illness prompts a return trip to Europe.
Walt Whitman (1819-1892): *Leaves of Grass,* an example of romanticism in American poetry.
Castle Garden is opened as a processing center for immigrants in New York City.

1856

Aktive Teilnahme von Schurz an der Wahlkampagne der neuen Republikanischen Partei, der Antisklavereipartei unter John C. Frémont. Juristische und politische Studien.

Schurz' active participation in the election campaign of the new Republican Party, the anti-slavery party under the leadership of John C. Frémont. Schurz studies law and political science.

1857

Schurz wird Republikanischer Kandidat für das Amt des Vizegouverneurs von Wisconsin.
Dred-Scott-Urteil des Obersten Gerichtshofes erklärt den Missouri-Kompromiß für rechtsungültig.

Schurz runs for Lieutenant-Governor of Wisconsin on the Republican ticket.
Dred Scott Decision – the Supreme Court declares the Missouri Compromise unconstitutional.

1858

Wahlfeldzüge für den republikanischen Senatskandidaten Abraham Lincoln gegen Senator Stephen A. Douglas.
Schurz praktiziert als Rechtsanwalt am Circuit Court.

Abraham Lincoln's bid for the Senate – the Illinois campaign features the well-known debates with Senator Stephen A. Douglas, the Democratic candidate.
Schurz practices law, appearing before the circuit court.

Schurz auf umfangreichen Vortragsreisen.

Schurz wird zum Vorsitzenden der Delegation von Wisconsin beim Republikanischen Nationalkonvent in Chikago gewählt. In der Wahlkampagne für Lincoln und die Republikanische Partei spricht er hauptsächlich vor deutschstämmigen Amerikanern.
6. November: Lincoln wird zum Präsidenten gewählt.

Abraham Lincoln (1809 - 1865) tritt sein Amt als Präsident der Vereinigten Staaten an. Seit 1854 hatte sich die öffentliche Diskussion um die Abschaffung der Sklaverei ständig verschärft und war zum entscheidenden Streitpunkt in der Auseinandersetzung der Nord- und Südstaaten geworden. Lincoln hatte die Präsidentschaftswahl als ausgesprochener Gegner der Sklaverei gewonnen. Die Südstaaten fürchten die Erschütterung ihrer Wirtschaftsordnung durch eine mögliche Aufhebung der Sklaverei und erklären ihren Abfall von der Union. Sie gründen die »Konföderierten Staaten von Amerika«. Ausbruch des Sezessionskrieges zwischen den Konföderierten und der Union.
Ernennung von Schurz zum Gesandten der Vereinigten Staaten in Spanien, wo er um Sympathien für die Union wirbt.

Schurz kehrt in die USA zurück. Er agitiert gegen die Sklaverei und für eine »Emanzipationserklärung« durch Präsident Lincoln, die dieser im Juli im Kabinett ankündigt, aber erst im September veröffentlicht.
Dienst als Brigadegeneral bei General Frémont und General Sigel im Feldzug der Virginia-Armee bringt Schurz Anerkennung und Kritik.
Erlaß des Heimstätten-Gesetzes: jeder US-Bürger oder ausländische Einwanderer kann im Westen Ackerland erwerben, sofern er bereit ist, es fünf Jahre zu bebauen. Beginn der systematischen Erschließung und Besiedlung der »Großen Prärien« westlich des Mississippi.
Aufstand der Sioux-Indianer in Minnesota, die sich von der vorrückenden Besiedlung bedrängt fühlen. Auftakt der langjährigen Kriege um den Besitz der Großen Prärien.

Die Sklavenbefreiungsproklamation tritt in Kraft.
Schurz wird zum Generalmajor befördert und nimmt an den Kämpfen bei Gettysburg teil.
Durch die Niederlage der Konföderierten in der Schlacht von Gettysburg im Staat Pennsylvanien wendet sich der Krieg zugunsten der Union.
Ferdinand Lassalle (1825 - 1864) gründet den »Allgemeinen Deutschen Arbeiterverein«.

Nach Reorganisation der Armeen wird Schurz Truppenausbilder in Nashville, Tennessee, dann Mitarbeiter in Lincolns Wahlkampagne zu dessen Wiederwahl.
8. November: Lincoln zum Präsidenten wiedergewählt.

Der Krieg endet mit dem Sieg der Union: bedingungslose Kapitulation der konföderierten Armee zu Appomattox Court House in Virginia; Uneinigkeit über die weitere Politik gegenüber den Südstaaten. Lincoln verficht eine Politik der Versöhnung.
Ermordung Lincolns in der Nacht vom 14. zum 15. April. Sein Nachfolger im Amt, Andrew Johnson (1808 – 1875), setzt provisorische Regierungen in den besetzten Südstaaten ein.
Gründung des Ku-Klux-Klan.
Sommer/Herbst: Schurz bereist im Auftrag Präsident Andrew Johnsons die besiegten Staaten der Konföderation, um über die Kriegsfolgen zu berichten. Sein Bericht und seine Vorschläge bleiben jedoch ohne Konsequenzen.

Schurz wird Washingtoner Korrespondent der von Horace Greeley herausgegebenen New Yorker *Tribune*.

1859 Schurz makes extensive lecture tours.

1860 Schurz is elected Chairman of the Wisconsin delegation to the Republican National Convention in Chicago. His activity in the campaign is largely devoted to addressing Americans of German origin.
November 6 – Lincoln is elected President.

1861 Abraham Lincoln (1809 – 1865) becomes President of the United States. Since 1854, public controversy over the abolition of slavery has become more heated and this is the issue which finally divides the North from the South. Lincoln has won the election as an outspoken opponent of slavery. The South fears that the possible abolition of slavery will destroy its economic structure and secedes from the Union. The Confederate States of America are formed. Outbreak of the Civil War.
Schurz is appointed Envoy of the United States to Spain, where he seeks sympathy for the Union cause.

1862 Schurz returns to the United States, speaks in opposition to slavery and in favor of the Emancipation Proclamation, which is finally announced to the cabinet by President Lincoln in July and officially proclaimed in September.
Service as Brigadier General under Generals Frémont and Sigel in the Virginia campaign brings Schurz both praise and criticism.
Passage of the Homestead Act: every United States citizen or foreign emigrant can acquire land in the West if he is prepared to settle on it for five years. Opening up and settling of the Great Plains west of the Mississippi.
Uprising of the Sioux in Minnesota, who feel threatened by the westward drive of the settlers. The first of many battles to be fought for possession of the Great Plains.

1863 The Emancipation Proclamation goes into effect.
Schurz is promoted to Major General and participates in the Battle of Gettysburg.
The defeat of the Confederacy at Gettysburg turns the tide of the war in favor of the Union.
Ferdinand Lassalle (1825 - 1864) founds the General Association of German Workers.

1864 Following the reorganization of the armies, Schurz is assigned to duty as as training officer in Nashville, Tennessee. He then goes to work in Lincoln's re-election campaign.
November 8, Abraham Lincoln is re-elected to the presidency.

1865 The war ends in victory for the Union: unconditional surrender of the Confederate Army at Appomattox Court House, Virginia; disagreement as to future policy towards the South. Lincoln advocates reconciliation.
President Lincoln is assassinated; his successor is Andrew Johnson (1808 – 1875); provisional governments are set up in the occupied Southern States.
Formation of the Ku Klux Klan.
Summer/Autumn: Schurz tours the defeated Confederate States at the request of President Andrew Johnson to report on conditions there. His report and his advice go unheeded.

1865/66 Schurz becomes Washington correspondent for Horace Greeley's New York *Tribune*.

Der Kongreß empfindet die Politik Johnsons als nicht streng genug und beschließt den 14. Zusatzartikel zur Verfassung: dieser sieht das Bürgerrecht für Neger vor, bestraft Staaten, die Negern das Wahlrecht verweigern, mit einer Minderung ihrer Vertretung im Kongreß und schließt Beamte der ehemaligen Konföderation von der Arbeit im öffentlichen Dienst und der passiven Wahl aus.

Der »Deutsche Krieg« zwischen Preußen und Österreich. Otto von Bismarck (1815 - 1898), seit 1862 preußischer Ministerpräsident, betreibt die Einigung Deutschlands unter Führung Preußens. Durch die Niederlage im »Deutschen Krieg« scheidet Österreich aus dem deutschen Staatenverband aus, Preußen gewinnt die Vormachtstellung. Inbetriebnahme des Nordatlantikkabels, das Cyrus West Field (1819 - 1892) 1858 zu legen begann.

Gründung des Norddeutschen Bundes, dem alle deutschen Staaten nördlich des Mains unter preußischer Führung angehören. Bismarck wird Bundeskanzler.

Der amerikanische Kongreß beschließt das »Wiederaufbaugesetz«: Die Südstaaten werden in 5 Distrikte eingeteilt und durch das Militär verwaltet. Es sollen neue Verfassungen für diese Staaten ausgearbeitet und Parlamente gewählt werden, die bereit sind, den 14. Verfassungszusatz zu ratifizieren.

Die Vereinigten Staaten kaufen Alaska von Rußland.

Schurz reist mit seiner Familie nach Deutschland (Wiesbaden, Berlin).

Im Januar besucht Schurz Otto von Bismarck in Berlin.

Verträg von Laramie. Seit Ende des Bürgerkrieges hat die Armee zum Schutz der weißen Siedler erfolgreich in den Kampf auf den Prärien eingegriffen. Die Indianer verzichten auf den südlichen Teil der Prärien. Sie erhalten den nördlichen Teil zum »ewigen« Besitz (»solange das Gras wächst«).

George Bancroft (1800 - 1891) schließt in Berlin die nach ihm benannten Verträge zur Regelung der Auswanderung in die USA ab.

Ulysses S. Grant (1822–1885) wird zum Präsidenten gewählt.

Schurz wird Bundessenator von Missouri in Washington (bis 1875); Mitglied des Senatsausschusses für auswärtige Angelegenheiten; Journalist, Redakteur, Mitbegründer der liberalrepublikanischen Partei.

Eröffnung der ersten Pazifikeisenbahn auf der Strecke Omaha-San Francisco.

Anhänger von Karl Marx gründen in Deutschland ihre eigene Partei, die »Sozialdemokratische Arbeiterpartei«.

Die Südstaaten haben alle Bestimmungen des »Wiederaufbaugesetzes« erfüllt und ihre volle Mitgliedschaft in der Union zurückerhalten.

Deutsch-französischer Krieg: Durch seinen Machtzuwachs wird Preußen eine Gefahr für die französische Vormachtstellung in Europa. Die Franzosen erklären Preußen den Krieg. Entgegen den Hoffnungen Frankreichs verbünden sich die Süddeutschen Staaten mit dem Norddeutschen Bund und stellen sich auf preußische Seite. Die französische Armee kapituliert nach der Schlacht von Sedan.

John D. Rockefeller (1839–1937) gründet die »Standard Oil Company«; 1882 entsteht der »Standard Oil Trust».

Gründung des deutschen Kaiserreiches, dem neben den Mitgliedern des ehemaligen Norddeutschen Bundes auch alle süddeutschen Staaten angehören, die im Krieg mit Preußen verbündet waren. Damit ist die Einigung Deutschlands unter Führung Preußens abgeschlossen. Wilhelm I. (1797 - 1888) wird im Schloß von Versailles zum Deutschen Kaiser proklamiert; Bismarck wird Reichskanzler.

Die Beamten und Soldaten der ehemaligen Konföderation erhalten ihre vollen Bürgerrechte zurück. Abschluß der politischen Rehabilitierung des Südens. Der wirtschaftliche Aufbau geht nur langsam voran. Der deutsche Geigenvirtuose, Dirigent und Komponist Leopold Damrosch (1832 - 1885) gründet die New Yorker Oratoriengesellschaft.

1866 Congress decides that Johnson's policies are not effective enough and proposes the 14th Amendment to the Constitution: citizenship is granted to Negroes; States preventing Negroes from exercising the right of suffrage will be punished by less representation in Congress; former Confederate officials can neither hold nor run for public office. The "German War" between Prussia and Austria. Otto von Bismarck (1815-1898), Prime Minister of Prussia since 1862, pursues the unification of Germany under Prussian leadership. After defeat, Austria leaves the German Confederation, and Prussia is the major power. Operation of the Atlantic cable, first projected in 1858 by Cyrus West Field (1819–1892).

1867 Founding of the North German Confederation. All German states north of the Main are united under Prussia's leadership. Bismarck becomes chancellor.

Congress passes the Reconstruction Act: martial law is imposed upon the Southern States, which are divided into five districts. Civil government will be restored once these States have ratified the 14th Amendment.

The United States buys Alaska from Russia.

Schurz and his family travel to Germany (Wiesbaden, Berlin).

1868 In January, Schurz visits Chancellor Otto von Bismarck in Berlin.

Treaty of Laramie. Since the end of the Civil War, the army has been successful in defending white settlers in the battle for the Great Plains. The Indians relinquish the southern part of the Plains. They receive the northern part for "eternity" ("as long as the grass grows").

George Bancroft (1800 - 1891) concludes the treaties to regulate emigration to the United States in Berlin. These treaties bear his name.

Ulysses S. Grant (1822–1885) elected President.

1869 Schurz becomes United States Senator from Missouri (serving until 1875); Member of the Foreign Affairs Committee; journalist, editor, founding member of the Liberal Republican Party.

Opening of the first transcontinental railroad from Omaha to San Francisco.

Followers of Karl Marx found the Social Democratic Worker's Party (Sozialdemokratische Arbeiterpartei) in Germany.

1870 The Southern States have fulfilled all the demands of the Reconstruction Act and are once more full-fledged members of the Union.

The Franco-Prussian War. The rise of Prussia constitutes a threat to French power in Europe. France declares war on Prussia. Contrary to French hopes, the southern German states ally themselves with the North German Confederation and fight on the side of Prussia. France capitulates after the Battle of Sedan.

John D. Rockefeller (1839–1937) founds the Standard Oil Company. The Standard Oil Trust emerges in 1882.

1871 Founding of the Second German Empire. In addition to the members of the now defunct North German Confederation, it includes those southern German states which fought on Prussia's side during the war. German unification under Prussia has been achieved. William I (1797 - 1888) is proclaimed German Emperor; Bismarck is chancellor.

1872 Confederate officials and soldiers are again in full possession of their civil rights. End of the political rehabilitation of the South. Economic recovery is slow.

Leopold Damrosch (1832 - 1885), the German violin virtuoso, conductor and composer, founds the New York Oratorio Society.

Goldfunde in South Dakota. Abenteurer dringen in das den Indianern zugesprochene Gebiet ein und brechen den Vertrag von Laramie. Erneuter Beginn kriegerischer Auseinandersetzungen.	1874

Gold is discovered in South Dakota. Prospectors force their way into Indian territory and break the Treaty of Laramie. Beginning of new hostilities.

Die Sozialdemokratische Arbeiterpartei vereinigt sich mit dem Allgemeinen Deutschen Arbeiterverein zur »Sozialistischen Arbeiterpartei Deutschlands« (seit 1890 »Sozialdemokratische Partei Deutschlands«). Die Sozialisten werden zur stärksten politischen Kraft innerhalb der deutschen Arbeiterbewegung.
Als erste wirklich internationale Organisation nimmt der Weltpostverein, dem alle europäischen und die meisten überseeischen Staaten angehören, seine Arbeit auf.
Frühjahr bis Herbst: Schurz auf Europareise.

1875

The Social Democratic Workers' Party merges with the General Association of German Workers to become the Social Democratic Party. The Socialists become the strongest political force in the German labor movement.
The Universal Postal Union, the first truly international organization, begins operation.
Schurz tours Europe during the Spring, Summer and Fall.

Hundertjahrfeier der Vereinigten Staaten. Weltausstellung in Philadelphia. In der Schlacht am Little Bighorn River im Territorium Montana löschen die vereinten Krieger der Sioux und Cheyenne das 7. Kavallerieregiment unter General Custer völlig aus und bringen der amerikanischen Armee ihre empfindlichste Niederlage bei. Für die Indianer hat die Schlacht jedoch nur negative Auswirkungen. Sie beendet den seit Ende des Bürgerkriegs andauernden Kampf um den Besitz der Großen Prärien zugunsten der Weißen. In der Folgezeit sind die Indianer der Übermacht der US-Armee nicht mehr gewachsen und werden bis 1885 Stamm für Stamm zur Seßhaftigkeit in den ihnen zugewiesenen Reservaten gezwungen. In den nächsten 15 Jahren rasche Besiedlung und wirtschaftliche Erschließung der Großen Prärien: Rinderzucht und Weizenanbau herrschen vor. Durch die Eisenbahnen Anschluß an die Industriezentren im Osten.

1876

Centennial celebrations in the United States. World's Fair in Philadelphia. At the Little Bighorn River, Sioux and Cheyenne warriors unite in completely demolishing General Custer's 7th Cavalry, dealing the American army its most crushing defeat. But the long struggle for possession of the Great Plains has already been decided in favor of the white man and the Indians are no longer a match for the superior strength of the American Army. Until 1885 each tribe is forced to lead a sedentary life on its own reservation. The next fifteen years bring a large influx of settlers and economic activity to the Great Plains, mainly cattle raising and grain farming. The railroad provides a connection to eastern industrial centers.

Schurz wird während der Regierungszeit von Präsident Rutherford B. Hayes (1822–1893) amerikanischer Innenminister. Er bekämpft die Mißwirtschaft der Parteien, vertritt eine gerechtere Indianerpolitik und setzt die von ihm lange geforderte Reform des öffentlichen Dienstes durch (»Zivildienstreform«).

1877-1881

Schurz is appointed Secretary of the Interior by President Rutherford B. Hayes (1822–1893). He opposes the spoils system, advocates a more enlightened policy toward the Indians and manages to turn his long-held ideas about government employment into reality with the passage of the Civil Service Reform.

Bismarck bemüht sich um eine für diese Zeit vorbildliche Sozialgesetzgebung: bis 1889 sind Kranken-, Unfall-, Invaliden- und Altersversicherung eingeführt.
Der Bau des Panamakanals, den Alexander von Humboldt bereits 1804 bei seinem Besuch in Washington angeregt hatte, beginnt.

1881

Bismarck institutes exemplary (for his time) social legislation: by 1889, health, accident, disability and old age insurance are introduced. Building of the Panama Canal, which had first been discussed during Alexander von Humboldt's visit to President Jefferson back in 1804.

Schurz ist journalistisch, literarisch und geschäftlich tätig; Redakteur der *New York Evening Post* und der *Nation*.

1881 - 1883

Schurz continues his activities in the literary, journalistic and business world; editor of the *New York Evening Post* and *The Nation*.

Schurz plant eine Geschichte der USA und reist zur Materialsammlung durch die Südstaaten. Er veröffentlicht die Broschüre *Der neue Süden*.

1884/85

Schurz plans a history of the United States and tours the Southern States gathering material. He publishes a brochure: *The New South*.

Schurz veröffentlicht seine Biographie von Henry Clay.

1886

Schurz publishes a biography of Henry Clay.

Schurz auf Europareise; danach bis 1892 in Amerika Generalvertreter für die Hamburg-Amerikanische Packetfahrt-Actien-Gesellschaft (HAPAG).

1888

Schurz tours Europe; from then until 1892 General Agent for the Hamburg-American Steamship Company in the United States.

Bismarck tritt wegen sachlicher und persönlicher Differenzen mit dem deutschen Kaiser als Reichskanzler zurück.
Das »Census Bureau« (Statistisches Bundesamt) der Vereinigten Staaten erklärt das Ende der Grenzgebiete (»Frontier«) innerhalb der USA. Damit ist die Besiedlung der Union offiziell abgeschlossen. Erhöhung des Zolltarifs zur Beschränkung der Einfuhr europäischer Waren.
Beispielloser wirtschaftlicher Aufschwung, der die USA bis zum ersten Weltkrieg zum eindeutig mächtigsten Staat der Erde werden läßt. Die wirtschaftliche Macht sammelt sich zunehmend in den großen nationalen Konzernen; Bildung von Kartellen. Vergleichbare Entwicklungen auch in Deutschland.

1890

Bismarck resigns as Imperial Chancellor after his differences with the new German Emperor reach a climax.
The United States Office of the Census reports the end of the Frontier Era. Settled areas now reach from coast to coast.
Customs tariffs are raised to limit European imports. Beginning of the great economic boom which makes the U.S. the undisputedly most powerful country in the world by the outbreak of World War I. Economic power becomes concentrated more and more in large companies and monopolies; comparable developments in Germany.

Als Nachfolger von George William Curtis (1824–1892) wird Schurz Kolumnist von *Harper's Weekly*. Er kämpft weiter für die »Zivildienstreform« und gegen die erstarkenden imperialistischen Tendenzen in Amerika.

1892-1898

Schurz succeeds George William Curtis (1824–1892) as Editor of *Harper's Weekly*. He continues the fight for civil service reform and in opposition to imperialistic tendencies in America.

Die USA erwerben durch die Annexion von Hawaii ihre ersten auswärtigen Besitzungen.

1897 — U.S. annexation of Hawaii.

Durch den siegreichen Krieg gegen Spanien gewinnen die USA Puerto Rico und die Philippinen, daneben Aufsichtsrechte über die neugegründete Republik Kuba. Die Samoa-Inseln im Pazifik werden zwischen den Weltmächten Deutschland und USA aufgeteilt. Das Deutsche Reich verstärkt die Kriegsflotte zum Schutz seiner Kolonien.

1898 — U.S. victory in the Spanish American War. Spain cedes the Philippines and Puerto Rico to the U.S.; the new Republic of Cuba becomes a U.S. Protectorate. The Samoan Islands are divided between the U.S. and Germany. Germany expands its navy to protect its colonies.

Schurz ist literarisch tätig und arbeitet an der Aufzeichnung der *Lebenserinnerungen,* die unvollendet bleiben.

1901-1906 — Schurz continues his literary work and starts writing his "Reminiscences".

14. Mai: Tod von Carl Schurz in New York City.

1906 — Carl Schurz dies on May 14 in New York City.

CARL SCHVRZ
1829-1906

VBI
LIBERTAS
IBI
PATRIA

1907

Gedenktafel aus Bronze, geschaffen 1907 von dem Bildhauer V. D. Brenner, ein Jahr nach dem Tod von Carl Schurz.

Commemorative bronze plaque, made by the sculptor V. D. Brenner in 1907, one year after Schurz' death.

Baumgardt, Rudolf, Carl Schurz, ein Leben zwischen Zeiten und Kontinenten. Berlin, 1939.

Dannehl, Otto, Carl Schurz, ein deutscher Kämpfer. Berlin und Leipzig, 1929.

Easum, Chester Verne, The Americanization of Carl Schurz. Chicago, III., 1929.
Deutsche Fassung: Carl Schurz. Vom deutschen Einwanderer zum amerikanischen Staatsmann. Weimar, 1937.

Erkelenz, Anton und Fritz Mittelmann, Carl Schurz, der Deutsche und der Amerikaner.
Zu seinem 100. Geburtstag am 2. März 1929 hg. von A. Erkelenz und F. Mittelmann im Auftrag der Vereinigung Carl Schurz Berlin. Berlin, 1929.

Fuess, Claude Moore, Carl Schurz, Reformer (1829-1906). Port Washington, 1963. Photomechanischer Neudruck der Ausgabe von New York, 1932. / Photomechanical Reproduction, New York, 1932.

Höwing, Hans, Carl Schurz, Rebell, Kämpfer, Staatsmann. Nach seinen Briefen, Erinnerungen und Veröffentlichungen. Wiesbaden, 1948.

Kranz, Herbert, Der Weg in die Freiheit. Carl Schurz. Vom badischen Leutnant zum amerikanischen Staatsmann. Würzburg, 1969.

Maass, Joachim, Der unermüdliche Rebell. Leben, Taten und Vermächtnis des Carl Schurz. Hamburg, 1949.

Sonthoff, Herbert, Revolutionär – Soldat – Staatsmann. Der Deutsche und der Amerikaner Carl Schurz. Mit einem Vorwort von Prof. Dr. Wilhelm Krüger. Leipzig, 1937.

Spael, Wilhelm, Karl Schurz. Ein rheinischer Jüngling. Lebensbericht Essen, 1948.

ders., / ibid. Karl Schurz, Mannesjahre in America. Des Lebensberichtes zweiter Teil. Essen, 1949.

Sponsel, Heinz, Rebell der Freiheit. Karl Schurz. Hannover-Kirchrode, 1954.

Terzian, James P., Defender of Human Rights, Carl Schurz. New York, 1905.

Schurz, Carl, Die Briefe von Carl Schurz an Gottfried Kinkel. Eingeleitet und herausgegeben von Eberhard Kessel. Heidelberg, 1965.

ders., / ibid Als Amerika noch jung war. Lebenserinnerungen (Ausz.) aus den Jahren 1852-1869. Herausgegeben von Ernst Ludwig Werther. Ebenhausen, 1941.

ders., / ibid Charles Sumner. An Essay. Ed. by Arthur Reed Hogue. Urbana, 1951.

ders., /ibid Speeches, correspondence and Political Papers. Selected and edited by Frederic Bancroft on behalf of the Carl Schurz Memorial Committee. New York, 1913. Vol. I-VI.

ders., / ibid Intimate Letters of Carl Schurz 1841-1869. Translated and edited by Joseph Schafer. Madison, State Historic. Soc. of Wisconsin, 1928.

ders., / ibid Henry Clay. In 2 Volumes. Boston & New York, 1915.

ders., / ibid Vormärz in Deutschland. Erinnerungen – Briefe. Herausgegeben von Herbert Pönicke. München, 1948.

ders., / ibid Sturmjahre. Lebenserinnerungen 1829-1852. Herausgegeben von Joachim Lindner. Berlin, 1973.

ders., / ibid Aus den Lebenserinnerungen eines Achtundvierzigers. Neu erzählt und bearbeitet von S. Nestriepke und R. Ilgner. Berlin, 1948.

ders., / ibid Lebenserinnerungen
Band I: Bis zum Jahre 1852. Berlin und Leipzig, 1920.
Band II: Von 1852-1870. Berlin, 1923.
Band III: Briefe und Lebensabriß. Berlin, 1912.
Neuere Ausgaben Band I und II:
Band I: (1829-1852, Europa) Gernsbach, 1970.
Band II: (1852-1870, Amerika) Gernsbach, 1971.

ders., /ibid The Reminiscences of Carl Schurz
Volume One: 1829-1852. Garden City / New York, 1917.
Volume Two: 1852-1863. Garden City / New York, 1917.
Volume Three: 1863-1869. With a Sketch of His Life and Public Services From 1869 to 1906 by Frederic Bancroft and William A. Dunning. New York, 1909.

Inhalt   Contents